GÉRARD PHILIPE

Du même auteur

La Lanceuse de couteaux
Robert Laffont, 1971

Paysage avec la chute d'Icare
Robert Laffont, 1973

L'Amateur d'images
Robert Laffont, 1980

Colette par moi-même
Ramsay, 1982

Premières Neiges de l'absence
Robert Laffont, 1984

L'Hôtel des Cinq-Continents
Mercure de France, 1993

GÉRARD BONAL

GÉRARD PHILIPE

Biographie

ÉDITIONS DU SEUIL
*27, rue Jacob, Paris VIe*

Ce livre est édité par Hervé Hamon

ISBN 2-02-012635-4

Il n'entend ni rumeur ni cri, il ne répond à aucun appel. Mais parfois dans le silence immobile, un instant, il vient.

Anne Philipe, *Ici, là-bas, ailleurs*

1

Janvier 1922. Grosse animation sur la Croisette. On parle anglais sous les palmiers, on parle allemand et italien. Et même japonais. Le tranquille boulevard qui longe la mer, fréquenté d'ordinaire par les promeneurs, est envahi par les délégations étrangères réunies à Cannes depuis le 5. Aristide Briand, président du Conseil, et Lloyd George, Premier ministre de Grande-Bretagne, étudient un plan de reconstruction européenne. Au programme : réparations de guerre, sécurité internationale, entente franco-anglaise.

Le 9, la romancière Colette, dont l'époux Henry de Jouvenel, affectueusement surnommé « Sidi », participe aux travaux, écrit à une amie : « Sidi est toujours à Cannes, où il fait un métier de chien[1]. » Tout ne va pas pour le mieux, c'est vrai, sur la Riviera. Désavoué par Alexandre Millerand, président de la République, et par plusieurs ministres, Briand est en effet contraint de démissionner. Raymond Poincaré forme aussitôt un nouveau gouvernement. Mais les entretiens de Cannes ne s'en terminent pas moins dans la confusion, et Walther Rathenau, qui conduit la représentation allemande, n'obtiendra qu'un moratoire et la promesse d'une conférence économique à Gênes. Poincaré est resté intransigeant : le traité de Versailles, signé le 28 juin 1919, doit s'appliquer dans son intégralité.

Depuis l'armistice, les conférences se sont ainsi promenées à travers l'Europe. Un thème commun à toutes ces rencontres :

1. Colette, *Œuvres*, Gallimard, coll. « Bibliothèque de la Pléiade », 1986.

l'épineuse question de la dette de guerre allemande. A Spa, en juillet 1920, il est décidé que la France percevra 51 % des versements allemands. Reste à calculer leur montant ! Six mois plus tard, à Paris, une réunion inter-Alliés se penche sur le problème. Qui est encore une fois au cœur des discussions de Londres, du 27 février au 3 mars 1921. L'Allemagne est alors condamnée à payer 132 millions de marks. Elle en propose 30... Aussitôt les troupes alliées occupent Düsseldorf et Duisbourg. En vain. Au mois d'août, la seconde conférence de Londres échoue à son tour. Et à Cannes, le 12 janvier 1922, tout le monde se quitte en se donnant rendez-vous à Gênes, en avril... On roule les tapis, on rentre les plantes vertes, les limousines remmènent leurs cargaisons d'officiels. La saison d'hiver peut commencer, étincelante de citrons mûrs et de mimosas.

C'est au siècle dernier qu'un Britannique, lord Brougham, a « découvert » Cannes, bourgade d'à peine 4000 habitants. Séduit par le site et le climat, il s'y installe en 1834. Brougham sera le meilleur *public relation*, comme on ne dit pas encore, de la ville, y attirant l'aristocratie européenne – le prince de Galles, futur Édouard VII, y résidera à plusieurs reprises –, mais aussi les artistes et les écrivains : Guy de Maupassant, Prosper Mérimée...

Bref, à la fin du XIXe siècle, Cannes a quintuplé sa population, les grands hôtels s'édifient sur la Croisette, les bateaux de plaisance s'amarrent aux nouvelles jetées du port. Sur ce rivage fleuri de mimosas et d'œillets, la mode du tourisme d'hiver est définitivement lancée. En 1922, elle règne sans rivale, avec ses fêtes, ses bals, ses galas de charité se succédant tout au long de la saison. Celle des vacances d'été n'en est encore qu'à ses balbutiements.

La jolie Mme Philip, jeune épouse d'un avocat bien connu en ville, raffole de ces divertissements – concours d'élégance, batailles de fleurs, soirées au casino... Cannoise de fraîche date, elle est encore tout éblouie par le sec azur méditerranéen, par ces fleurs, cette végétation quasi tropicale, ce luxe de verdure, dont débordent les jardins. Tout le contraire de ce qu'a connu son enfance beauceronne. Marie Élisa Joséphine Jeanne (mais nul ne l'a jamais appelée autrement que Mano ou Minou) est née à Chartres, le 23 juin 1894, cadette d'une famille de cinq enfants. Son père, Charles Villette, pâtissier, tient commerce en face de la cathédrale. Les affaires sont dures. Élever trois filles et deux garçons, ce n'est pas toujours facile dans les premières années du siècle. Si bien que beaucoup plus tard, lorsqu'il voudra baptiser la petite maison qu'il s'est patiemment construite en bordure de la ville, Charles Villette ne trouvera point d'autre nom que « Pas sans mal », couronnant ainsi une vie de travail. Mano grandit. De sa mère, Wilhelmine-Élisabeth Seliger, tchèque née à Prague, elle a hérité une chevelure d'un noir profond, qu'elle roule en tresses sur les oreilles ou noue d'un catogan, deux grands yeux magnifiques et le menton parfait qu'elle léguera, à peine retouché, à toute sa descendance. Elle est belle, vive, chaleureuse, douée du fameux « charme slave ».

Un jeune militaire vient souvent au salon de thé paternel. Il a tout juste vingt ans. C'est un Méridional que les hasards de l'incorporation ont exilé à la caserne de Chartres, pour ses deux années de service réglementaire – mais l'Histoire va en décider autrement. Il est grand, promène son mètre quatre-vingt-deux avec élégance et autorité. Des mains superbes, des yeux gris... Quoi encore ? Une licence en droit ? Qu'importe. Mano a déjà succombé. Et elle écoute à peine lorsque Marcel lui confie qu'il appartient à une famille aisée de la Côte d'Azur, fixée à Grasse, place des Aires, depuis dix générations (on trouve un Elion Philip, marié à Marguerite Ambroise, avant 1656). Des muletiers, des selliers, auxiliaires indispensables de la parfumerie, chargés d'apporter jasmins et roses à dos d'âne jusqu'à la distillerie. Mais aussi, dans un passé plus récent, des médecins et des magistrats, tels Albert Philip, médecin de la marine en retraite, maire de Grasse dans les dernières années du XIXe siècle, ou le docteur Philip, alors bien connu en ville, ou encore le juge Philip, qui siégera plus tard au tribunal de Grasse, puis de Nice. Le père de Marcel, Honoré, occupe, lui, la fonction de contrôleur des contributions directes.

Le militaire et la jolie pâtissière. On dirait le titre d'un sketch de comique troupier ! Mais l'Histoire – la voici, elle arrive – brise net l'idylle. Ou plutôt la diffère. Marcel est en effet mobilisé dès août 1914. Lui qui croyait faire deux ans de service militaire va passer six ans sous l'uniforme. Comme tous ceux de la classe 13. Mano l'attendra. De ces noces d'angoisse, il reste quelques lettres, sauvées du temps, des portraits tendrement dédicacés, d'impatientes cartes postales... Et l'on pense, en les lisant, aux milliers de destins qui, autour de ces deux-là, ne se sont pas accomplis.

Patience, encore quelques mois de patience. 1916, 1917, 1918... L'armistice. Enfin, le 30 août 1920, les jeunes gens signent leur contrat de mariage à Grasse, devant notaire. Et la cérémonie a lieu le 4 septembre, à Menton. C'est déjà décidé, ils s'installeront à Cannes.

Partout ailleurs que dans le Midi, l'avenue du Petit-Juas s'appellerait « chemin » du Petit-Juas, car c'est une de ces voies vagabondes qui descendent des collines cannoises, sans trottoir ni caniveau, à travers jardins et vergers. Mais ici, c'est la règle, l'avenue musarde, étroite et champêtre, et l'allée se fait appeler « rue ». Au numéro 31 de l'avenue du Petit-Juas, s'élève la villa Les Cynanthes. Quel amateur d'oiseaux, latiniste et savant, l'a baptisée du nom de ce colibri d'Amérique, le *Cynanthus sordidus* – colibri sombre ? A moins qu'il ne s'agisse du *Cynanthus lati rostris*, ou colibri circé ? L'un et l'autre, quoi qu'il en soit, ne s'aventurent jamais au-delà du sud-ouest des États-Unis et l'approche de l'hiver les ramène au Mexique... Sans doute confortable, peut-être cossue, la villa Les Cynanthes a depuis longtemps disparu, escamotée par les magiciens de l'immobilier : un claquement de doigts, quelques boniments, et un immeuble de cinq étages, flambant neuf, s'élève en lieu et place d'une gentille demeure vieillotte.

C'est là, pourtant, entre des murs tutélaires, qu'un jeune couple a vécu le meilleur de son amour, espéré la naissance d'un premier enfant. Car, la paix revenue, les Philip semblent pressés de vivre, comme pour rattraper les années perdues. Le 12 septembre 1921, à deux heures du matin, Mano donne le jour à un garçon : Jean Marie Clair Honoré.

Le jeune père, lui, s'est découvert le génie des affaires. Ils sont des milliers dans tout le pays, jeunes bourgeois ambitieux comme lui, prêts à tirer parti du bouleversement économique et social qu'entraîne la fin de la guerre, sur fond d'inflation et de spéculation boursière. En quelques années, Marcel Philip va ouvrir une banque, la Lloyd de Cannes, monter un cabinet d'assurances, implanter à Nice les salons de thé Rumpelmeyer. En 1928, il devient consul de Roumanie, dont le pavillon aux trois couleurs flotte sur sa maison. « Au début, estime son fils Jean, il a sans doute été aidé par la situation financière de la famille, qui possédait plusieurs immeubles dans la région. Mais il avait une véritable passion pour son métier, ce qui lui a donné rapidement, compte tenu de sa formation juridique, une influence énorme sur les affaires locales. Je me souviens – je devais avoir une douzaine d'années – que mon père, se trouvant fatigué après une sorte de dépression nerveuse, décida par exception d'aller se reposer à la campagne. Il m'emmena. Au passage, nous nous arrêtâmes chez des paysans, où il acheta des tonnes de pommes de terre qu'il fit charger sur des wagons et vendre à Cannes ! Il faisait vraiment des affaires de tout[1]. »

A l'insu de tous, le nouvel ordre qui se met en place dans cet après-guerre si plein de promesses est déjà celui qui aboutira à la Seconde Guerre mondiale, à peine vingt ans plus tard. Le 3 avril 1922, en Russie soviétique, un certain Joseph Djougachvili, qui se fait appeler Staline, est nommé secrétaire général du parti communiste. Mais le vrai coup de théâtre a lieu deux semaines plus tard, le 16 avril, lorsque, au cours de la fameuse conférence de Gênes, l'Allemagne reconnaît officiellement la Russie soviétique : une sorte de répétition générale du pacte de non-agression que les mêmes signeront en 1939. Dès lors, il semble que la machine s'emballe. Walther Rathenau, ministre des Affaires étrangères allemand, est assassiné à Berlin, le 24 juin, par deux

1. Entretien avec l'auteur, novembre 1991.

officiers nationalistes, membres de l'organisation Consul, et le 30 novembre, à Munich, à l'appel du parti national-socialiste des travailleurs allemands (NSDAP), 50 000 personnes se réunissent autour de l'orateur, un nommé Adolf Hitler. Pendant ce temps, en Italie, les partisans de Benito Mussolini marchent sur Rome. Chargé de constituer un gouvernement, celui-ci reçoit le 25 novembre les pleins pouvoirs pour une année. Bref, à Moscou, à Berlin ou à Rome, les acteurs du drame se mettent en place.

Aux Cynanthes, qui s'en soucie ? Mano attend son deuxième enfant pour la fin de l'année. Gérard Albert Philip vient au monde dans la grande chambre conjugale, à peine quatorze mois après son aîné, le 4 décembre 1922, à deux heures de l'après-midi, sous le signe du Sagittaire, ascendant Taureau. La légende rapporte qu'il neigeait sur Cannes ce jour-là. Dès qu'il s'agit des premières années de « Gégé », comme on l'appelle en famille, la légende montre tout de suite le bout de l'oreille. Elle affirme qu'il ne marcha qu'à l'âge de dix-huit mois, parla bien plus tard encore, et que son premier mot fut « chocolat ». Laissons-la dire.

Ni Gérard ni Jean n'auront le temps de conserver un souvenir de la maison natale. Des ombres, des impressions, c'est tout. Car Marcel Philip, son petit monde sous le bras, saute à pieds joints par-dessus quelques rues, enjambe la voie ferrée qui coupe la ville en deux, et atterrit place de la Gare, au numéro 1. Adieu, Les Cynanthes. Définitivement envolés ! Aujourd'hui, il n'en reste qu'une plaque sur l'immeuble qui s'élève à leur place [1]. Dévoilées le 13 mai 1972, en présence du maire, Bernard Cornut-Gentille, et des responsables du Festival international du film, six lignes, gravées dans le marbre, rappellent qu'un enfant promis à un destin hors série réchauffa ici ses premiers mois : « Ici, se trouvait la villa Les Cynanthes qui fut son berceau. Ici, la ville de Cannes veut perpétuer le souvenir de l'immortel acteur, symbole de la jeunesse de partout et de toujours. »

1. Pierre Leprohon rapporte que la mère d'un ancien condisciple de Gérard lui a affirmé que le premier coup de pioche de la démolition avait été donné le jour même de la mort du comédien, le 25 novembre 1959 (*Le Film français*, 12 mai 1971).

Place de la Gare, au troisième étage, juste au-dessus du restaurant La Taverne royale, l'appartement s'ouvre sur les platanes et sur l'embarras des voitures. Le voisin du dessus n'est autre que Reynaldo Hahn, le compositeur, qui vient juste de mettre le point final à son opérette *Ciboulette*. Le jour de Pâques, il jette à pleines mains par la fenêtre des chocolats à la liqueur aux deux frères qui dansent de joie sur leur balcon, ravis de cette pluie de bonbons. A Noël, c'est au tour du chauffeur de Marcel, déguisé en Père Noël, de venir déposer les cadeaux devant la cheminée du salon. Cachés dans la salle à manger, les enfants l'aperçoivent, indistinct et magique, derrière le rideau voilant la porte vitrée. Ils croiront longtemps au Père Noël.

Mais déjà on parle de départ, car ce logis n'est qu'une halte provisoire. Une étape. Marcel Philip a depuis longtemps jeté son dévolu sur un autre immeuble, situé 14 rue Venizelos, juste au coin de la rue Jean-de-Riouffe, c'est-à-dire à deux pas. Un immeuble qui lui appartient, tout comme celui qu'il s'apprête à quitter. Mais, avant de s'y installer, il fait hausser l'édifice de deux étages, se réservant le dernier, agrandi de deux pièces prises sur la maison voisine. En fait, place de la Gare, on ne fait qu'attendre la fin du chantier. Qui tarde. Et c'est là que le troisième frère, Humbert, vient au monde, à la fin du mois de juin 1924. Et qu'il meurt, le 12 juillet, par un matin de canicule. L'enfant est inhumé au cimetière de Cannes, dans la sépulture familiale. Aussi peu qu'il ait vécu, jamais le souvenir de ce petit frère, perdu avant même d'avoir vraiment existé, ne quittera la mémoire des deux aînés[1].

« L'appartement du cinquième, rue Venizelos, je pourrais le dessiner ! dit Jean Philip. Dans l'entrée, il y avait un portemanteau ; puis commençait un long couloir. Tout de suite à gauche, un petit cellier avec un garde-manger grillagé, où l'on

1. Marcel Philip confia en 1960 à des journalistes que Gérard, très marqué par la disparition de l'enfant, lui avait demandé, le jour de sa première communion, de fonder un prix Humbert-Philip, destiné à récompenser chaque année l'élève le plus méritant de son école (*France-Dimanche*, n° 701, janvier 1960). Jean Philip, de son côté, appellera son troisième fils Humbert, en souvenir de son frère.

conservait le fromage. La cuisine, équipée au gaz, était le royaume de notre bonne, comme on disait alors, une Croate nommée Marika Ivanouska, si gentille, si pieuse. Elle portait toujours un fichu sur la tête, à la mode de son pays ; nous l'adorions, mon frère et moi. Dans cette cuisine, je me souviens d'une cage avec des perruches. A chaque fois qu'une des perruches mourait, Marika l'autopsiait avec ses ciseaux de cuisine, curieuse de savoir les raisons de sa mort. Sans succès, bien sûr ! »

Le déjeuner du dimanche les réunit tous dans la vaste salle à manger, meublée, à la provençale, d'un grand bahut et d'une panetière : le père, la mère – que ses fils appellent maintenant Minou ou Mamy, tandis qu'ils nomment leur père Papy –, les deux garçons. Et l'aïeule, Mme Philip, qui habite au premier étage. Les enfants raffolent du poulet et des frites qu'on sert invariablement ce jour-là. Et de la salade, dont le maître de maison, jaloux de son savoir, ne confie à personne l'assaisonnement : une cuillère de vinaigre, deux d'huile – une huile d'olive pressée sur la propriété familiale –, sel et poivre. « Il avait le tour de main, se rappelle Jean Philip, une sorte d'habileté. Comme pour découper la volaille : c'était fait en deux minutes. Et parfaitement fait. »

Après le déjeuner, on passe au salon, où trônent un poste de TSF et un rouet à l'ancienne. Parfois, l'après-midi, la vieille tante Miette vient passer une ou deux heures avec eux, et s'assoit devant le rouet avec son stock de laine à filer. Jean et Gérard se sont déjà esquivés. Les voilà dans la grande chambre qu'ils partagent. L'aîné, plus bruyant, déjà hardi, curieux, bricoleur même, boulonne les poutrelles miniatures d'un jeu de Meccano. Le cadet, silencieux au contraire, manifeste un goût rêveur et précoce pour les livres. De temps en temps, Minou passe la tête dans l'entrebâillement de la porte. Peut-être croit-elle qu'ils jouent ? Tendre erreur maternelle. Chacun n'est occupé qu'à façonner son caractère… « Gérard, que nous appelions alors Gégé, était un enfant sage et beau, dira-t-elle bien plus tard. Il m'arrivait d'être inquiète, parfois, de cette sagesse excessive, de ses longs silences[1]. » Ce qui ne l'empêche pas de se livrer avec son frère à de frénétiques batailles de polochons. Au cours de l'une d'elles, le bouton de nacre qui ferme l'enveloppe du traversin se brise en touchant son arcade sourcilière. Il en gardera toute sa vie une petite cicatrice quasi invisible au-dessus du sourcil droit.

« Contre notre chambre, poursuit Jean Philip, se trouvait la salle de bains, dotée d'un chauffe-eau à gaz. Puis la chambre de nos parents. C'est là que notre mère s'asseyait devant une coiffeuse et brossait longuement ses cheveux. Enfin, au bout de l'appartement, s'ouvrait un second petit salon, sorte de fumoir avec son cosy-corner, où nous nous tenions quelquefois ; il donnait sur l'étroite rue Venizelos, alors que tout le reste de l'appartement regardait vers la mer. »

Le dimanche s'achève. Le soir tombe. La grand-mère regagne son logis, au premier étage, où l'attend sa bonne, Anastasie Cartier, brave fille native de Draguignan. Minou soupire, soulagée... Car la vieille dame provençale est autoritaire, « mamma » de sombre vêtue, l'œil sévère sous un chapeau noir que retient une longue épingle à bout de nacre, plantée dans son chignon. Minou, plus d'une fois, devra subir son intransigeance, d'autant que Marcel, comme réfugié dans ses affaires, ne prend pas toujours le parti de sa femme... Et même ne prend pas parti du tout. Comme tous les hommes coincés entre mère et épouse.

La grand-mère a décidé que les garçons apprendraient le violon. Ils apprennent donc le violon et se rendent toutes les semaines chez les demoiselles Moretti, deux sœurs contrefaites qui enseignent la musique dans leur petit pavillon situé derrière la gare. Gérard n'aime pas ces leçons, il traîne les pieds en franchissant le passage à niveau, dans l'espoir d'arriver en retard, de gagner quelques minutes sur le cours. Il n'est guère plus heureux le dimanche matin, lorsqu'il accompagne la vieille dame dans ses visites de charité. Aidée de ses petits-fils, réquisitionnés pour

1. *Gérard Philipe, Souvenirs et Témoignages* recueillis par Anne Philipe et présentés par Claude Roy, Gallimard, 1960.

la circonstance, elle distribue en effet croissants et brioches à des personnes nécessiteuses de Cannes (et l'on pense aussitôt à cet épisode célèbre du film *Douce*, de Claude Autant-Lara, où la comtesse de Bonafé, jouée par Marguerite Moreno, fait porter du pot-au-feu à ses pauvres).

Qu'en pense Minou ? Entre un mari de plus en plus absorbé par son travail et une belle-mère qui ne lui ménage pas les avanies, elle a reporté toute sa tendresse sur ses fils. Qui la lui rendent au centuple. Assez, en tout cas, pour qu'on les surnomme – et qu'ils se surnomment eux-mêmes – le « trio ». Et pour que l'on voie rarement l'un sans les deux autres. Tous les clichés pris dans ces années-là montrent les deux garçons habillés de la même manière – casquette, culottes courtes puis culottes longues, manteau –, tenant la main de leur mère, qui sourit entre eux. Ils vont même s'arranger pour attraper la scarlatine ensemble. Et ensemble garder la chambre. Jean bricole alors une sorte de benne de téléphérique miniature avec son Meccano : suspendue à un fil, elle franchit l'espace séparant leurs deux lits. Ils s'échangent ainsi, sans se lever – le docteur Girard, parrain de Gérard, qui les soigne, l'a formellement défendu –, des jouets, des messages, des livres… Et ni l'un ni l'autre ne songe à se plaindre de cette maladie qui les retient à la maison. Au contraire. Ils sont bien au chaud, blottis sous les couvertures. Et, surtout, Minou est à toute heure présente à leur chevet.

Ils sont fiers de cette mère ravissante, gaie, élégante, que tous les camarades leur envient. Une mère bien peu conventionnelle. Car dans cette famille bourgeoise, où les enfants vouvoient leurs parents, qui les vouvoient aussi, Minou garde intact le grain de fantaisie qui lui vient de son sang slave. Elle s'est vite découvert une passion : les cartes. Le bridge, bien sûr. Mais surtout la divination. L'avenir. Les « 24 heures » et les « 48 heures »… Minou tire les cartes comme personne, sa réputation grandit parmi ses amis et ses relations. Bien vite on viendra de loin pour la consulter. A ses fils ébahis et crédules, Marcel raconte en riant qu'il a rencontré leur mère dans une roulotte, où elle disait la bonne aventure.

La grand-mère se tait, mais n'en pense pas moins. Et, de temps en temps, escortée de sa fidèle Anastasie, se retire dans sa campagne, comme on dit dans le Midi, pour mettre une distance entre elle et ces folies.

La famille possède en effet une propriété à Grasse, au sud de la ville, dans le quartier Saint-Mathieu. Cinq hectares d'oliviers, de rosiers et de jasmins. A « Magéjean » (MAno-GÉrard-JEAN), nom que les trois complices ont donné à la maison et qui montre bien à quel point ils ont refoulé hors de leur cercle tout le reste du monde, ils connaissent des heures délicieuses. Le toit du vieux pigeonnier a été aménagé en terrasse : les deux garçons s'en servent comme d'une scène, où ils singent les sketches de Bach et Laverne[1], comiques en vogue dans ces années, tandis que Minou, en bas, applaudit. Gardons-nous bien de voir là les premiers symptômes d'une vocation : Gérard retourne vite à ses silences, à cette sagesse qui inquiète souvent sa mère.

Magéjean, paradis des vacances. Une tonnelle de feuillage et un tilleul centenaire ombragent un puits d'où l'on tire une eau fraîche, sapide, claire... Magéjean, inoubliable. Mais aussi des excursions à La Colle-sur-Loup, à La Turbie. Des séjours à Limone, village italien proche de la frontière, d'où Jean, un été, jaloux de voir un carabinier tourner galamment autour de sa mère, écrit à Marcel pour lui raconter l'épisode. Minou tente de le raisonner, lui explique combien tout cela est innocent, finit par le convaincre – et tous deux se précipitent au bureau de poste pour récupérer la missive. Non sans mal.

D'autres fois, c'est Thorenc, petite station du haut pays grassois, proche du col de Bleine, qui les accueille. Un joli chalet tout en bois abrite le trio (Marcel, retenu à Cannes, part rarement en vacances). Les garçons courent la montagne, s'écorchant les jambes aux buissons de framboises, et rentrent le museau barbouillé de rouge. A la fête locale, un dimanche, Gérard apparaît costumé en... lavande : mille et mille brins, bleus et odorants,

1. Bach, pseudonyme de Charles-Joseph Pasquier (1882-1953), a connu des succès au café-concert, avant de former un numéro comique de duettistes avec Henri Laverne.

piqués sur ses vêtements, montés en diadème, en cape, en pagne... Si bien qu'à la fin il s'évanouit, littéralement saoulé de lavande.

Un matin de printemps, rue Venizelos. Le 1er mai 1936. Sans un mot, Marcel Philip prend ses fils par la main. Tous trois descendent silencieusement l'escalier. Au premier étage, le père gratte doucement à la porte. Dans la pénombre qu'entretiennent les volets fermés, Jean devine Anastasie qui sanglote, un mouchoir sur la bouche. L'interminable couloir. Dans sa chambre, la grand-mère repose, blanche comme la cire. Les enfants hésitent sur le seuil. Mais leur père insiste, les pousse en avant. L'un après l'autre, ils escaladent la couche, se servant du bois de lit comme d'un marchepied, et donnent à la morte le dernier baiser. Près de soixante ans après, Jean n'a rien oublié de ce moment. Comme s'il avait sonné la fin de l'enfance.

Dans les années vingt, à Cannes, un seul établissement scolaire paraît susceptible aux familles bourgeoises de recevoir leurs fils : l'institut Stanislas, tenu par les pères marianistes, et qui s'enorgueillit d'anciens élèves tels que le poète Guillaume Apollinaire ou l'aviateur Roland Garros. Gérard, que son frère a précédé d'une année, y est admis en classe de onzième, à l'automne de 1928. Parmi leurs condisciples, Louis Gendre, fils des propriétaires du Grand Hôtel, qui se fera connaître jusqu'à Hollywood sous le nom de Louis Jourdan, et Marcel Mithois, futur auteur dramatique.

Vaste bâtisse blanche, éclatante sous le soleil du Midi, flanquée d'une chapelle, Stanislas s'élève aujourd'hui à proximité de la voie rapide reliant Cannes à La Bocca, tandis qu'en face, sur la colline du Suquet, s'accroche le vieux Cannes. Une cour bitumée, d'antiques platanes aux troncs écailleux, quelques palmiers – les lieux ont peu changé. Sauf un bâtiment neuf, où s'abritent de nouvelles classes, un stade... Les fils Philip ont dû connaître le petit jardin d'agaves et de mimosas qui s'étage en contrebas du préau. Car ils sont restés là une dizaine d'années : Jean jusqu'en seconde, Gérard, lui, ne quittant Stanislas qu'à la fin de sa première, en juillet 1939.

« Nous étions internes, raconte Jean Philip, parce que, à l'époque, il était impensable que des garçons de notre milieu ne le soient pas. Nous avons eu une enfance dorée, c'est vrai. A la maison, il y avait domestique, chauffeur, femme de ménage. Cela ne nous a pas empêchés, pas plus Gérard que moi, de nous adapter à la vie parfois rude du pensionnat. »

Lever : six heures trente. Messe, petit déjeuner au réfectoire, récréation, étude, cours. Et le soir, à dix-sept heures, à la fin des classes, de nouveau étude, réfectoire, prière, extinction des feux... La monotone rigueur de l'internat.

Dans le dortoir, qui occupe le dernier étage, un simple rideau blanc sépare le pion de service des élèves endormis. Le matin, on garde sa chemise pour expédier une toilette de chat. C'est la règle. Les deux frères, habitués à une hygiène plus stricte, s'y plient cependant, par respect pour les prêtres. Respect tout relatif, qui ne les empêche pas de se joindre à leurs camarades pour râler contre la viande filandreuse et le riz collant que sert Platini, le cuisinier. Et pour faire tourner en bourrique le malheureux abbé Marcillac, gros poupon rose à lunettes, qui leur enseigne le latin, et dont ils tapissent le siège d'escargots ramassés dans le jardin. Consolation : le dimanche matin, après avoir dévotement communié, les pensionnaires se ruent au réfectoire, où les attendent chocolat et croissants qui, ce jour-là, remplacent le café au lait et le pain-beurre, ordinaire de la semaine. Et puis, en rang par deux, ils se dirigent vers le portail. Là-bas, de l'autre côté, assise au volant de sa Fiat rouge, Minou est déjà là...

Si Gérard est pieux, Jean l'est davantage. Toujours prêt à servir la messe de l'abbé Thimel, il s'avoue sensible aux fastes, même modestes, de la religion : les odeurs d'encens, les fleurs, l'aigre son de l'harmonium, les cantiques... Quand il sera grand, il veut être missionnaire, tandis que son cadet penche pour la médecine coloniale. En attendant, ils se sont enrôlés tous les deux dans la chorale de Stanislas : Jean est alto, Gérard contralto. Bref, deux petits garçons bien sages, qui font ensemble leur communion solennelle, le 5 mai 1932, en présence de l'évêque de Nice. Celui-ci, durant son prêche, enjoint aux enfants de demander pardon à leurs parents de la peine qu'ils ont pu leur faire. « Minou Philip a dit à son mari : "A moi, ils ne m'en ont jamais fait. Et à vous ?" Le père a souri. D'un seul mouvement, tous les enfants vêtus de bleu sont allés vers le fond de la chapelle. Minou a murmuré aux siens : "Ne me dites rien...", et elle a pleuré doucement[1]. »

Les jours de pluie, les élèves jouent sous le préau couvert. Le jeudi après-midi, par tous les temps, ils vont en promenade sous la conduite d'un père jusqu'à la Croix-des-Gardes : cinq kilomètres à l'aller, autant au retour – dur pour ces petites jambes ! Gérard s'en souviendra encore en 1950, quand il déclarera au magazine *Paris-Match* : « Cannes, pour moi, ça n'a jamais été une ville d'estivants. C'est la vieille ville mal pavée que traversait en rangs le collège Stanislas pour se rendre à la Croix-des-Gardes. » Chaque année, après la distribution des prix, les bons pères emmènent leurs potaches jusqu'à Mandelieu. A pied, bien sûr, et par la côte. Vers midi, la horde affamée s'arrête dans un restaurant et dévore des assiettées de salade de pommes de terre, dans un grand désordre de rires et de cris. « Gérard a été heureux, à Stanislas », dit Jean Philip.

Le 9 juillet 1929, quelques jours avant la promenade à Mandelieu, Gérard, qui termine sa classe de onzième, reçoit des mains de monseigneur Ricard, évêque de Nice, le premier prix de... récitation, devant Sylvestre Mellor, deuxième prix – Edmond Repetto et Pierre Porte obtenant respectivement le premier et le deuxième accessit. Hors ce prix, les archives de Stanislas ne mentionnent que rarement son nom, ce qui laisserait penser qu'il fut un élève moyen. Lui-même, d'ailleurs, a rarement évoqué ces années passées chez les pères. Et lorsqu'en 1946 il confie des souvenirs d'enfance à la revue *Cinémonde*, ses déclarations demeurent bien vagues : « J'allais me promener seul aux îles de

1. Paul Giannoli, *La Vie inspirée de Gérard Philipe*, Plon, 1960.

Lérins. J'adorais, quand le crépuscule tombait, rôder dans le vieux château fort où fut enfermé le Masque de Fer... Le vieux gardien, à force de me voir, m'avait pris en affection. » Or Jean Philip affirme que son frère était un bon élève : « Très studieux, il adorait lire, étudier. » Ce que confirme, dans une certaine mesure, l'examen du livret scolaire de Gérard. Pendant l'année scolaire 1937-1938 (classe de seconde A'), il obtient les classements suivants à l'issue des épreuves du troisième trimestre : 8e en composition française, 13e en version latine, 11e en thème latin, 11e également en histoire et géographie, 3e en anglais, 14e en mathématiques, 10e en physique et chimie. Sur un total de 26 élèves. Les commentaires des maîtres sont à l'avenant. M. Marty, qui enseigne le français et le latin : « A de la facilité ; travail et progrès satisfaisants. » M. Fabre, professeur d'anglais : « Très bon élève, travail très soutenu. » Tandis que le père Combes, qui dirige l'institut et dispense les cours de sciences physiques, conclut : « A fait des progrès. » Progrès que récompensent un prix d'honneur (de deuxième ordre, il est vrai) et le premier accessit d'anglais.

L'année suivante, au terme de la classe de première A', M. Fabre note, le 8 juin 1939 : « Très bon élève, travail très soutenu et appliqué. » Ses confrères lui emboîtent le pas. M. Raibaud (mathématiques) : « Élève assez bon qui a travaillé avec conscience et a bien réussi. » M. L'Houen (histoire) : « A bien travaillé. » Ce que M. Combes résume : « A travaillé sérieusement et a fait des progrès [1]. »

Des progrès, certes. Mais pas assez. Pas assez, en tout cas, pour que Gérard obtienne la première partie du baccalauréat. A laquelle il échoue, le 30 juin 1939.

Mais tant de choses, tant d'espoirs sont eux aussi en train d'échouer en ce début d'été. A commencer par la paix. Cette paix que, un moment, on a cru sauvée, à Munich, l'année précé-

1. Au troisième trimestre, les classements de Gérard sont les suivants : 10e en composition française, 13e en version latine, 8e en histoire et géographie, 10e en anglais, 10e en mathématiques, 14e en physique et 15e en chimie. La classe comprend 30 élèves. (Source : Archives Gérard-Philipe, Cinémathèque française.)

dente, quand Daladier et Chamberlain se sont entendus pour brader les Sudètes. Donner ces territoires à Hitler, ce n'était pas le rassasier : c'était au contraire lui ouvrir tout grand l'appétit ! Le 15 mars 1939, ses troupes entraient à Prague : cette fois, c'était le pays tout entier qu'il croquait.

La Tchécoslovaquie rayée de la carte, l'Albanie tombée aux mains des Italiens, il ne reste plus à l'Allemagne qu'à signer avec l'URSS un pacte de non-agression. Un de plus dans la liste des accords que les deux pays ont conclus chaque fois qu'ils s'y trouvaient contraints par des intérêts réciproques, qu'il s'agisse d'en tirer avantage ou de limiter les ambitions de l'autre. Le traité, signé le 23 août 1939, à Moscou, fixe secrètement les zones d'influence des deux États, dont la ligne de démarcation, au nord, se confond avec la frontière septentrionale de la Lituanie, tandis qu'en Pologne les rives de la Narew, de la Vistule et du San marquent la limite ouest des revendications territoriales soviétiques. De sorte que le 1er septembre, quand la Wehrmacht envahit la Pologne par l'ouest – provoquant ainsi la déclaration de guerre de la France et de la Grande-Bretagne –, l'armée Rouge, à l'est, peut elle aussi déclencher l'offensive : le 17 septembre, elle entre en Pologne. Conquise le 27, celle-ci est partagée entre les vainqueurs le 28. Pour la cinquième fois de son histoire. Comme un gibier que les chasseurs dépècent tandis qu'il tressaille encore.

Et puis tout s'arrête. Ni canonnade ni bombardement. On range les masques à gaz dans les armoires sans qu'ils aient servi. Et si on oubliait qu'il y a la guerre ? A Cannes, en tout cas, la vie continue.

2

Collé à la session de juin, Gérard va passer l'été en « boîte à bachot ». A l'institut Montaigne de Vence, sous la férule bienveillante de M. Couniou, que ses élèves ont affectueusement surnommé « Papa Couniou ». Avec lui, une vingtaine de garçons de son âge, bouclés jusqu'en septembre dans cette grande propriété. « Un grillage séparait de la forêt notre cour de récréation, raconte Gérard. Nous le percions toutes les nuits et ne revenions qu'à l'aube, avec l'odeur douce du mégot caché dans la poche[1]. » Ce qui apparemment ne l'empêche pas d'étudier dans la journée. Car ses maîtres, encore une fois, louent son travail : « Application soutenue », écrit le 20 septembre sur le livret scolaire son professeur de français, qui réitère ses dires à la rubrique latin : « Élève appliqué. » « A bien travaillé », affirme M. Perez, qui enseigne l'anglais, tandis que M. Martin, chargé des cours de mathématiques et de sciences physiques, reprend : « Bon élève, intelligent et travailleur. » Et M. Couniou conclut : « Un bon candidat, qui doit passer normalement. » Effectivement, il passe ! Et s'installe à l'institut Montaigne pour suivre la classe de philosophie. En effet, dès le mois d'octobre, Stanislas a été réquisitionné et transformé en hôpital militaire, tandis que les élèves étaient transférés dans un local vétuste du centre-ville, appartenant aux sœurs de Saint-Thomas de Villeneuve, et les classes de terminale provisoirement supprimées par manque de place. De son côté, Jean s'inscrit à l'école d'agriculture d'Antibes.

1. *Paris-Match*, 18 mars 1950.

Durant cette année de philosophie, Gérard est atteint d'une pleurésie de la base droite du poumon, dont il conservera toute sa vie les séquelles (elles lui épargneront toutefois, en 1943, la corvée du Service du travail obligatoire, le fameux STO). Pour le moment, cela lui fait découvrir un bonheur inconnu : l'externat. Tous les jours, Gérard retrouve la rue Venizelos et les dorlotements de la vie de famille. Ce qui ne l'empêche pas de bûcher son programme[1] et d'obtenir haut la main, le 29 juillet 1940, un baccalauréat série philosophie, avec mention « passable ». A l'oral de philo, en texte expliqué, il présente *L'Introduction à la médecine expérimentale* de Claude Bernard.

Mais au-delà du cercle enchanté qui va de Cannes à Vence en passant par Grasse, au-delà d'un décor familier de plages, de montagnes, de vergers et de champs fleuris, tout a changé. La « drôle de guerre » est finie. Le 17 juin, la France, prise à la gorge, a demandé l'armistice par la voix chevrotante du maréchal Pétain, président du Conseil. Depuis quelques jours en effet, ses armées ont commencé leur repli après plus d'un mois d'une désastreuse campagne militaire. Le 18, à Londres, le général de Gaulle lance en fin d'après-midi sur les ondes de la BBC, mises à sa disposition par Winston Churchill lui-même, l'appel qui deviendra fameux, mais que sur le moment peu de Français entendent. Et certainement pas les Philip.

Si Marcel Philip a toujours été fasciné par la politique, ce n'est pas de ce côté que vont ses sympathies. Après tout, l'Italie de Mussolini, de l'autre côté de la frontière, à deux pas, offre un modèle tentant. Membre important de la ligue fasciste des Croix-de-Feu sur la Côte d'Azur, il a vécu, comme beaucoup de chefs d'entreprise, l'arrivée au pouvoir du Front populaire, en 1936, comme une catastrophe. Craignant des nationalisations massives, il cède alors sa banque et fait construire un hôtel à Grasse, le Parc Palace. Édifié sur l'emplacement de l'ancienne propriété de la baronne Alice de Rothschild, cent quatre-vingts hectares de

1. Même si les effectifs de l'institut Montaigne sont réduits (12 élèves au 1er janvier 1940), il travaille particulièrement au dernier trimestre : 1er en philosophie, 1er en sciences naturelles, 4e en anglais, 5e en physique.

jardins lotis à la fin du siècle dernier, le Parc Palace, grand bâtiment crépi de rose sombre, porte bien son nom. Vastes salons, hauts plafonds, décoration luxueuse... C'est que Marcel voit loin. En fait, sous ces lambris somptueux, il souhaite aménager un casino. Mais les établissements cannois concurrents vont s'y opposer et il n'obtiendra jamais l'autorisation ministérielle nécessaire. Ce qui n'empêchera pas le Parc Palace de devenir, dès la fin des années trente, un centre important de la vie mondaine locale[1].

Le journaliste François Caviglioli, qui a rencontré Marcel Philip quelques mois avant sa mort, en 1973, a recueilli son témoignage : « Au cours d'un voyage à Marseille, un attroupement attire son attention sur le Vieux-Port. Sur une estrade, un homme vêtu d'une chemise bleue harangue la foule [...]. C'est Jacques Doriot, transfuge du parti communiste, qui prêche le national-socialisme français. Le père de Gérard est conquis[2]. » Plus que conquis. C'est une véritable révélation. Dès lors, il s'en va à son tour prêcher la bonne parole du PPF, ce parti populaire français que Jacques Doriot est en train de créer et qui prône simultanément ordre et révolution, culte du chef et antiparlementarisme, le tout sous étiquette d'extrême droite. Réunions, meetings, rencontres... De tréteaux en tréteaux, Marcel devient le voyageur de commerce d'un parti dont ses fils portent l'insigne et crayonnent les trois initiales à la craie sur les murs des WC de Stanislas. L'époque est violente, les échauffourées sont quotidiennes. Prudent, Marcel s'assure la protection de gardes du corps, une poignée de Corses dirigés par un certain Fabiani. Ce sont eux qui accompagnent les garçons au collège le lundi matin. Mœurs d'époque... Cette même année, à Marseille, le maire adjoint, Simon Sabiani, patron local du PPF, va plus loin dans le pittoresque et règne sur un milieu composite d'hommes de main, de truands et de politiciens[3].

1. Après la guerre, l'hôtel a été transformé en appartements. Il est désormais connu à Grasse sous le nom de Palais provençal.
2. François Caviglioli, *Paris-Match*, 10 février 1973.
3. Hervé Hamon, Patrick Rotman, *Tu vois, je n'ai pas oublié*, Éd. du Seuil, 1990.

Aussi, quand Charles de Gaulle s'écrie sur les ondes de la BBC : « Tout Français qui porte encore des armes a le devoir absolu de continuer la résistance[1] », Marcel Philip ne l'entend pas de cette oreille. Il a déjà choisi son camp : la collaboration. Le 10 juillet 1940, la Chambre des députés et le Sénat, réunis en Assemblée nationale, confient à Philippe Pétain, le « vainqueur de Verdun », largement octogénaire, le soin de préparer une nouvelle Constitution. Par 569 voix contre 80 et 20 abstentions. Ce qui lui laisse les mains libres pour organiser l'État français : « Notre défaite est venue de nos relâchements. L'esprit de jouissance détruit ce que l'esprit de sacrifice a édifié. C'est à un redressement intellectuel et moral que, d'abord, je vous convie. Français, vous l'accomplirez et vous verrez, je vous le jure, une France neuve surgir de votre ferveur[2]. » Le ton est donné, la « révolution nationale » est en marche, rupture radicale avec toutes les traditions républicaines. Elle ne se fait pas attendre longtemps : le 30 juillet, l'épuration des administrations commence avec une loi qui décide leur « francisation ». Mais l'essentiel reste encore à venir... Patience. L'avenir se prépare à Vichy, sous la marquise tarabiscotée des buvettes.

Notre jeune bachelier, son diplôme en poche, a-t-il conscience de tous ces changements ? Autour de lui comme en lui-même ? Pas sûr. N'a-t-il pas déjà fait, sans même vraiment s'en rendre compte, ses débuts sur scène ? En récitant un poème de Franc-Nohain, « Le poisson rouge », devant un public de dames mûres. A Grasse, où les Philip résident désormais de plus en plus fréquemment, au Parc Palace Hôtel, Minou s'est liée avec Suzanne Devoyod[3], ex-sociétaire de la Comédie-Française, qui s'occupe activement de bonnes œuvres. Alors qu'elle prépare une fête de

1. Extrait de l'appel radiodiffusé de Londres du général de Gaulle, le 18 juin 1940.
2. Philippe Pétain, message aux Français, 25 juin 1940.
3. Suzanne Blanche Julia Devoyod (1867-1954). Après une carrière au boulevard, elle débute à la Comédie-Française en 1907. Elle joue Arsinoë, Mme Jourdain, Philaminte... Appréciée d'Henry Becque, elle interprète Mme Vigneron dans *Les Corbeaux*. Elle fut notamment la vice-présidente de l'Œuvre des enfants du spectacle. Retraitée en 1936.

charité, un des jeunes interprètes de Mme Devoyod se dérobe. Prise de cours, celle-ci presse Gérard de remplacer au pied levé l'acteur défaillant. La vieille dame, dont on dit qu'elle fut naguère la maîtresse de Clemenceau, ne manque ni d'autorité ni de persuasion. Minou a raconté l'épisode : « Même dans les fêtes et représentations de collège, il avait toujours refusé, jusque-là, de monter sur les planches. Je me joins à Mme Devoyod et nous obtenons, non sans mal, son accord. Deux jours plus tard, à l'issue de la fête, Suzanne Devoyod me dit : “Savez-vous que votre grand fils a l'étoffe d'un comédien ?”[1]. »

Mais le lendemain, comme d'habitude, Gérard prend le car pour Vence. La vocation n'était pas au rendez-vous. Y sera-t-elle jamais ? « Il n'avait pas de vocation, rapporte Danièle Delorme, l'amie de ces années de jeunesse[2]. Pas plus que moi d'ailleurs. Plus tard, je me souviens, nous nous sommes plaints à Louis Jouvet de ne pas la ressentir. “Ne vous inquiétez pas, nous a-t-il répondu, la vocation, c'est ce qui vient peu à peu, en apprenant un métier. Quand on connaît son métier, on commence à l'aimer : c'est ça la vocation.” » On croit entendre Jouvet, sa voix brève, sa diction en rafales, son humour paradoxal. Paradoxe en moins, c'est à peu près ce que disait Gérard lui-même, en 1954, à un journaliste de la Radiodiffusion française qui l'interrogeait sur ses débuts : « Je voulais être médecin dans les colonies, puis avocat – mais ça c'était plutôt mon père qui le voulait –, et puis enfin, presque par hasard, comédien[3]. »

Mis au courant par Minou des compliments de Mme Devoyod, Marcel Philip hausse les épaules : « Ne dites pas de bêtises. » Vingt ans plus tard, quelques mois après la mort de son fils, il avouera à un reporter de *France-Dimanche* : « Je ne m'en cache pas, j'aurais préféré à l'époque que Gérard devienne avocat. »

Il sera donc avocat. Comme son père. Et, dès octobre 1940, il s'inscrit à l'institut d'études juridiques de Nice, dont le directeur, Louis Trotabas, est un proche des Philip. Le vent du changement

1. *Souvenirs et Témoignages*, *op. cit.*
2. Entretien avec l'auteur, mars 1991.
3. Enregistrement aimablement communiqué par Radio-Canada.

souffle sur la famille cet automne-là. L'entrée de l'Italie dans le conflit, le 10 juin, a eu pour conséquence – parmi beaucoup d'autres ! – la fermeture de l'école d'agriculture d'Antibes, et Jean voit s'éloigner à tire-d'aile tous ses projets d'avenir. Mais il aime la terre et ceux qui la travaillent. Magéjean est à deux pas : il s'y installe en compagnie des fermiers, M. et Mme Vassalo, qu'il seconde dans leur tâche. « Le soir, se rappelle-t-il, mon travail fini, je remontais au Parc Palace à vélo. A peine deux kilomètres. » Car toute la famille habite à présent à l'hôtel, dont Marcel Philip, en octobre 1940, prend personnellement les commandes. Sans pour autant renoncer à ses autres affaires. Jean Philip a gardé le souvenir de cet établissement luxueux, où allait bientôt se presser tout le gratin parisien, replié sur la Côte d'Azur après l'occupation par les Allemands de la zone nord. « Après une journée passée au mas à cultiver roses et jasmins, à accompagner les Vassalo tantôt au marché pour vendre les légumes, tantôt à la parfumerie pour livrer les fleurs, je croyais retrouver un autre monde au Parc Palace : lingères, serveurs, femmes de chambre… Et, au dîner, tout le monde en smoking et robe du soir. A la réception, M. Pérano buvait parfois un verre de trop, ce qui lui attirait les foudres de mon père ou celles de Jacques Eguizler, son codirecteur… Gérard et moi, nous jouions au tennis avec des jeunes gens qui sont devenus plus tard les patrons de la parfumerie locale. »

L'ambiance est joyeuse en effet, au Parc Palace Hôtel. Les surprises-parties se succèdent : Jean, au piano, fait danser les copains, tandis qu'« un gramophone fournit le fond sonore [1] ». Jeunes bourgeois de Cannes et de Grasse, qu'accompagnent leurs sœurs (Gérard aura un petit béguin, comme on dit encore à l'époque, pour deux d'entre elles, Jeanne Huitrique et Paméla d'Argens). Anciens condisciples de Stanislas : Jean Varas (il apparaît fugitivement à la fin du *Diable au corps*, dans le rôle du mari de Marthe, à qui François demande du feu sur le trottoir), et surtout Pierre Cros et Pierre Ladavière, nés tous deux en 1922,

1. Maurice Périsset, *Gérard Philipe*, Ouest-France, 1985.

le premier issu d'une vieille famille cannoise, le second fils de soyeux. Ces derniers forment un véritable clan avec les frères Philip : « les Trois Mousquetaires », comme ils s'appellent eux-mêmes. Il demeure de cette amitié un touchant et maladroit témoignage, composé par Pierre Cros au Parc Palace, un soir de décembre 1940 :

Ils étaient quatre

Les souvenirs d'enfance
Assiègent nos cerveaux
Et lorsque l'on y pense
Quel baume sur nos maux.

Bonne pâte et tranquille
Tu fus, Pierre, notre cœur
Point ne te fis bile
Et têtu sans rancœur
Tu fus pour nous l'ami.

Oh qu'il était bien mis
Ce Jean, et ses manies
Sa pipe et son trench-coat
Et aux lèvres une note
Égayaient ses amis.

L'autre, le plus petit,
Un bougonneur à souhait
Il avait beau rôle
Son bon cœur incitait
A être ses amis.
Observant sans rien dire
Ou bouffon faisant rire
Intime ou étranger
Travaillant sans crâner
C'est le dernier ami.

Revivrons-nous ô Pierre
Ces immortelles journées
Où les trois mousquetaires
Ne se quittaient jamais[1] ?

1. Texte communiqué par Jean Philip.

Sous les six strophes, une signature et une date : « Pierre Cros, 8. 12. 40, à Grasse. » Les grandes fraternités adolescentes se sont souvent scellées de la sorte, dans le lyrisme quoditien des faits et gestes, dans l'exaltation du poème partagé. Celui-ci nous peint, à l'avant-dernière strophe, un Gérard Philip[1] au seuil de sa dix-huitième année, semblable déjà aux portraits qu'en feront tout au long de sa vie les uns et les autres. Sa mère, qui insiste sur sa trop grande sagesse, sur ses interminables silences. Ses biographes[2], qui rappellent son goût marqué pour les numéros burlesques, les sketches d'improvisation : « Je suis chez le coiffeur », « Je suis pressé »... Dany Carrel, sa partenaire en 1955 et 1957 : « Il était d'une grande gaieté, joyeux, drôle, faisant des farces, et puis tout à coup il tombait dans la tristesse la plus profonde. Dans le même moment[3]. » Ou Geneviève Page, idéale héroïne des *Caprices de Marianne* en 1958 : « Il riait aux éclats puis devenait grave, sans transition[4]. »

L'astrologie tente d'expliquer ces sautes d'humeur. Au terme d'une longue étude[5], l'astrologue Aline Gorry conclut : « Le tempérament peut donc être marqué par une grande cyclothymie, avec des phases expansives, drôles, qui font du sujet un meneur, un amuseur, et d'autres phases dépressives, destructrices, où le sujet est muré dans sa souffrance. » Bref, en Gérard cohabitent l'ombre et le soleil, et c'est chacun de ces côtés qu'il montre tour à tour, trop sombre ou trop brillant, sans jamais parvenir à les faire coïncider. En cet hiver 1940-1941, qui pourrait imaginer que cette dualité, après tout commune à bien des êtres, éclora bientôt chez celui-ci sous la forme d'un singulier talent de comé-

1. Ce n'est qu'après ses débuts au théâtre, en 1942, qu'il ajoutera un « e » à son patronyme véritable.

2. Notamment Dominique Nores, *Gérard Philipe, qui êtes-vous ?*, La Manufacture, 1988.

3. Entretien avec l'auteur, janvier 1992.

4. Dans *Gérard Philipe de notre temps*, film de Monique Chapelle, 1962 (Maison Jean-Vilar, Avignon).

5. Réalisée en 1992 à la demande de l'auteur. L'astrologue ignorait l'identité du sujet. Signe solaire : Sagittaire, signe ascendant : Taureau. Dominante élémentaire : légère prédominance Feu-Eau, grande faiblesse de la Terre (pas de planètes en Terre). Carré entre Vénus et Mars. Saturne en dissonance de Pluton.

dien ? Personne, pas même les amis les plus proches, Pierre Cros ou Pierre Ladavière. Car le jeune homme semble avoir définitivement oublié ses timides essais théâtraux.

Au Parc Palace, Gérard habite le dernier étage. Son balcon donne sur la campagne grassoise, sur ses parcelles fleuries, ses mas aux tuiles rouges. Il lui arrive parfois, accoudé à la rambarde, de dégoiser quelques tirades, face à la mer qui ferme au loin le paysage. Mais sans beaucoup de conviction. Et c'est sagement qu'il prend chaque matin le car de Nice pour suivre les cours de l'école de droit. Sagement ?...

L'exode de 1940 a rabattu sur la Côte d'Azur une frange d'intellectuels et d'artistes, auxquels sont venus s'ajouter rapidement de nombreux affairistes. Commentant la situation, Maurice Chevalier s'exclame : « Nice connaît une période de boom extraordinaire, surpeuplée de réfugiés ; toutes sortes d'affaires importantes et mystérieuses s'y traitent à chaque heure. Les bars, restaurants, cabarets regorgent de personnages ne regardant pas à la dépense[1]. » Et Jean Cocteau note dans son *Journal*, le 14 avril 1943 : « Tout y coûte un prix fou. On se ruine avec la nourriture, les hôtels. Jeannot m'écrit qu'il paye 180 francs une soupe pour le chien[2]. »

C'est vrai que, comparée à l'austère zone occupée, la zone libre, bornée par une ligne qui paraît musarder de ville en ville – Mont-de-Marsan, Angoulême, Poitiers, Tours, Bourges, Moulins... –, mais dont le tracé, en fait, a été stratégiquement défini, est un véritable îlot de vie et de liberté : n'y trouve-t-on pas les livres interdits au nord, des films américains bannis des écrans parisiens, des magazines étrangers ? La moralisation de Vichy ne s'y applique pas encore. D'où cette foule turbulente de trafiquants de tout poil, mais aussi d'écrivains, de comédiens et de réalisateurs qui trouvent par ici, outre la liberté, la belle lumière méditerranéenne propice aux tournages en extérieur et des stu-

1. Cité par Gilles et Jean-Robert Ragache, *La Vie quotidienne des écrivains et des artistes sous l'Occupation, 1940-1944*, Hachette, 1988.
2. Jean Cocteau, *Journal, 1942-1945*, Gallimard, 1989.

dios bien équipés (comme ceux de la Victorine, à Nice, ou de la Nicea, à Saint-Laurent-du-Var). La production cinématographique française passe ainsi de 60 films en 1941 à 72 en 1942 et 82 en 1943.

Contagion ? Fascination pour un monde inconnu ? Brusque réveil d'une attirance jusque-là niée ? Ou le tout, lié à un manque de goût pour le droit ? Toujours est-il que Gérard, tout à coup, annonce à ses parents qu'il souhaite abandonner ses études et devenir acteur. Une bonne dizaine d'années plus tard, interrogé à ce sujet, il incriminera l'orgueil : « Cette vocation est née par vanité. Me voyant sans avenir bien déterminé, j'ai voulu avoir mon nom en grand sur les affiches[1]. » Mais il ajoutera aussitôt : « Alors je suis tombé sur un homme de métier, Marc Allégret, qui m'a envoyé dans un cours de comédie dirigé par Jean Huet, à Nice. Le Centre de cinéma Huet m'a fait comprendre que c'était avant tout une affaire de ténacité, de travail et de talent. Alors j'ai oublié l'affiche[2]. »

Marc Allégret, en cette année 1941, vient de tourner *L'Arlésienne*, d'après Alphonse Daudet. A l'affiche, deux des plus grands noms du cinéma français : Gaby Morlay et Raimu. Et un jeune premier qui monte, Louis Jourdan. Celui-ci, que Gérard a connu à Stanislas, a débuté en 1939, dans *Le Corsaire*, du même Marc Allégret. Il fait partie de ces jeunes comédiens que le réalisateur a contribué à révéler. Car si ce dernier a laissé un nom dans l'histoire du cinéma français, c'est surtout pour avoir tendu la main, tout au long de sa carrière, à de jeunes inconnus qui s'appelaient Simone Simon, Jean-Pierre Aumont, Michèle Morgan, Brigitte Bardot… Né en 1900, à Bâle, dans une famille protestante (son père est pasteur), diplômé de l'École des sciences politiques, Marc Allégret tourne son premier film, *Voyage au Congo* (1927), dans le sillage d'André Gide. Qui, de son côté, affirme dans son *Journal* n'avoir écrit *Les Faux-Monnayeurs* que pour conquérir l'estime du jeune homme.

1. Radiodiffusion française.
2. *Ibid.*

En 1941, ils sont tous deux sur la Côte d'Azur : Gide à Cabris, Allégret à Nice, où le directeur de *Paris-Soir*, Jean Prouvost, produit des films, associé à M. Gendre, le père de Louis Jourdan. « C'était fin 1941, début 1942, raconte Marc Allégret. J'avais dîné avec ma femme[1] chez les Chiris, les célèbres parfumeurs de Grasse. » Après le dîner, la conversation roule sur le spiritisme et la voyance. Anne-Marie Chiris propose alors à ses invités de se rendre au Parc Palace Hôtel, dont la propriétaire, dit-elle, lit dans les tarots d'une façon étonnante. « Ma femme accepte, ravie d'avance, poursuit Marc Allégret. Moi, je n'aime pas ça. On connaît toujours assez tôt les tuiles qui vous tombent sur le crâne. Enfin, nous nous sommes rendus chez cette personne[2]. » Le Parc Palace est en effet devenu un des rendez-vous les plus courus de la région (et Minou une femme en vue). Les hôtes célèbres s'y succèdent. André Gide lui-même a d'ailleurs précédé Marc Allégret. Venant de Cap-d'Ail, l'écrivain est arrivé à Grasse le 27 août. Le 10 septembre, il dîne au Parc Palace en compagnie de son jeune ami Gerald Maurois, employé dans une distillerie de parfum, et note : « Ce fut charmant ; tout fut charmant. Le repas servi dans un petit salon réservé dont les fenêtres donnaient sur la terrasse. Il faut se cacher du public, aujourd'hui, pour manger des écrevisses et de la viande en abondance[3]. » Logeant tour à tour au Grand Hôtel et à l'Adriatic, il revient au Parc Palace le 27 septembre, le temps d'une partie d'échecs.

Minou, une fois que les cartes ont parlé, entraîne Allégret à l'écart : « Mme Philip me confia son souci. Son jeune fils voulait abandonner ses études et devenir acteur. Son père, naturellement, s'opposait à ce projet. Que fallait-il faire ? Je sentais chez cette mère une grande tendresse tourmentée à l'idée de contrecarrer une vocation[4]. » Sans doute Minou est-elle convaincante : elle décroche un rendez-vous pour Gérard, le jeudi suivant, à Nice. Il

1. Nadine Allégret, née Vogel, est la sœur de Marie-Claude Vaillant-Couturier.
2. *L'Écran français*, n° 153, 2 juin 1948.
3. André Gide, *Journal, 1939-1949*, Gallimard, coll. « Bibliothèque de la Pléiade », 1954.
4. *Souvenirs et Témoignages*, *op. cit.*

est entendu qu'auparavant le jeune homme téléphonera à Marc Allégret. Ce qu'il fait dès le lendemain. Le réalisateur lui propose alors de préparer une scène d'*Étienne*, de Jacques Deval[1]. Étienne a dix-sept ans, il rêve d'être écrivain, mais son père exige qu'il devienne vétérinaire. Lorsque la mère d'Étienne découvre un billet de chemin de fer dans sa poche, celui-ci lui avoue qu'il songe à s'enfuir pour échapper au destin qu'on lui promet. Sauf si elle exige qu'il se soumette. Marc Allégret : « J'avais à dessein choisi une scène qui "collait" avec sa situation personnelle et dans laquelle – je pensais – ce jeune homme allait se vautrer et montrer d'un coup tous ses défauts[2]. » Cette scène au cours de laquelle la mère et le fils paraissent s'affronter scelle en réalité leur alliance tacite contre le père. Mais, tandis qu'il lui donne la réplique, Allégret est tout à coup frappé par la violence retenue, plus forte d'être étouffée, qui rayonne de ce grêle débutant inexpérimenté, au visage à la fois charmant et ingrat. « Avec pudeur, et cette sorte de réserve qu'ont les gens très sensibles, il freinait et calmait tour à tour son enthousiasme et l'expression de sa tendresse. Et je pensais aussi, en l'écoutant, que ce jeune homme avait en lui de rares réserves de pureté[3]. » « Pureté » : le mot reviendra souvent à propos de Gérard.

Persuadé d'avoir mis la main sur l'oiseau rare, Allégret l'oriente vers un de ses anciens assistants, Jean Huet, qui a ouvert à Nice le Centre des jeunes du cinéma, où se pressent nombre de fruits verts du spectacle. Gérard s'y rend, accompagné de Minou. « Tu as de la fougue », conclut Huet, après que Gérard eut brisé une chaise, cassé deux carreaux et déchiré son veston en « passant » une scène de *Britannicus*[4]. Dans l'autocar du retour, la mère et le fils ont le fou rire tandis qu'ils échangent les répliques d'une pièce que Gérard doit travailler. Pourtant, il sera peu assidu aux cours. « Il n'y venait pas très souvent », se souvient Marcelle

1. Jacques Deval (1890-1972) est l'auteur de plus de soixante pièces, parmi lesquelles *Tovarich*, *Mademoiselle*, *Ce soir à Samarcande*. Et *K. M. X. Labrador*, adaptée de H. W. Reed, que Gérard Philipe jouera en 1948 au Théâtre de la Michodière.
2. *Souvenirs et Témoignages*, *op. cit.*
3. *Ibid.*
4. *Ibid.*

Arnold[1], qui l'a connu chez Huet à cette époque. Sans doute par manque de temps, car tout cela se fait en cachette de Marcel Philip, qui croit son fils sagement assis sur les bancs de la faculté. Mais est-il vraiment dupe, ce père intraitable, lorsqu'il s'écrie, voyant Minou et Gérard cacher vivement à son approche la brochure qu'ils étudient : « Assez avec vos bêtises. Que Gérard fasse son droit » ?

Il ne le fera pas. Le sort en est jeté. Marc Allégret, qui de son côté fait également travailler secrètement le jeune homme, annonce bientôt à Minou qu'on peut lui faire confiance. Forte de quoi celle-ci affirme à son époux, sans perdre une minute : « Il ne faut pas forcer Gérard, Marcel. Je sais depuis cette nuit qu'il *est* destiné au théâtre[2]. » Et Marcel rend les armes devant cette devineresse si sûre d'elle et de son enfant.

Comédien ! Une nouvelle vie. Et comment mieux commencer cette nouvelle vie qu'en tombant amoureux d'une apprentie comédienne ? Danièle Girard n'a que quinze ans. « Visage de petite fille, nez retroussé aux narines ardentes, lèvres enfantines, corps de femme et une certaine façon d'exister qui fait tourner les têtes[3]. » Elle fréquente à Cannes le cours de comédie de Jean Wall, et n'a pas encore adopté le nom de scène sous lequel elle deviendra célèbre : Danièle Delorme. « Nous nous sommes rencontrés dans un car, entre Nice et Cannes, raconte-t-elle. Il m'a emmenée chez Huet, je l'ai présenté à Jean Wall. Nous passions des scènes ensemble. Il était déjà bourré de talent, et faisait crouler de rire son auditoire, notamment à la fin des repas, en disant des poèmes de Franc-Nohain[4]. »

Marc Allégret, lui, voit plus loin. Ce couple d'adolescents rieurs lui remet en mémoire un projet maintes fois caressé et toujours ajourné : adapter à l'écran le célèbre roman de Colette, *Le Blé en herbe*. Celui-ci, depuis sa parution en feuilleton, dans les colonnes du journal *Le Matin*, en 1922, n'a cessé de provoquer

1. Entretien avec l'auteur, mai 1991.
2. *France-Dimanche*, n° 701, janvier 1960.
3. Daniel Gélin, *Deux ou Trois Vies qui sont les miennes*, Julliard, 1977.
4. Entretien avec l'auteur.

le scandale : d'abord au sein du quotidien lui-même, contraint d'en interrompre rapidement la publication. Dix ans plus tard, Léopold Marchand[1] devra renoncer à le porter à la scène.

Durant l'été 1933, alors que Colette travaille aux dialogues de *Lac aux dames*, un des premiers grands succès d'Allégret, tous deux discutent longuement d'une éventuelle adaptation cinématographique du *Blé en herbe*. Sans doute à cause des correspondances évidentes entre les deux œuvres, notamment les personnages de Puck et de Vinca. De son côté, Simone Simon, vedette de *Lac aux dames*, confiait à la télévision française, en 1973, que Colette, la recevant à la Treille Muscate, sa maison de Saint-Tropez, se serait écriée en la voyant : « Voilà ma Vinca[2] ! » Ce n'est apparemment pas l'avis de Marc Allégret, qui, faute de dénicher les jeunes interprètes convenant aux personnages, a repoussé la réalisation d'année en année. Cette fois, avec Danièle et Gérard, il a enfin la certitude d'avoir trouvé le couple idéal : la grâce, la beauté, l'indispensable mystère, la sauvagerie... Il commence donc à les faire répéter. Mais rien n'est simple en ce printemps de 1942, même en zone libre. Et Marc Allégret doit renoncer, une fois encore, à tourner *Le Blé en herbe*[3]. De ce grand espoir avorté, il demeure quelques photos et un bout d'essai. Cette bande de travail est passée à la salle Drouot il y a quelques années, l'acheteur en a fait don à Danièle Delorme :

1. Léopold Marchand, un des rois du boulevard entre les deux guerres *(Mon gosse de père, Durand bijoutier, Le Valet-Maître)*, a adapté trois romans de Colette à la scène : *Chéri, La Vagabonde, La Seconde.*

2. « Au cinéma ce soir », 1er mars 1973, après la projection de *Lac aux dames.* Nulle trace de cette opinion chez Colette. Au contraire. Dans une lettre de la fin juillet 1933, adressée à Léopold Marchand, elle écrit : « Reçu la visite du petit Aumont et de Mlle Simone Simon, le gondin du film. Mais c'est un faux gondin, qui a des yeux durs cachés derrière des yeux enfantins. » (Le terme « gondin » désigne ici, dans le langage codé plein de jeux de mots et d'invention utilisé par Colette et Marchand, une « petite femme ».)

3. Dans une lettre datée du 5 octobre 1947 (*Lettres aux Petites Fermières*, Le Castor astral, 1992), Colette annonce : « Nous avons cédé [les droits] du *Blé en herbe*, enfin ! » Mais c'est finalement Claude Autant-Lara qui tournera le film en 1954, dans une adaptation de Jean Aurenche, Pierre Bost et Claude Autant-Lara lui-même. Avec : Edwige Feuillère, Nicole Berger et Pierre-Michel Beck. La censure n'avait pas désarmé : une trentaine de députés MRP intervinrent plus ou moins directement auprès du Centre national de la cinématographie pour obtenir l'interdiction du film !

« Depuis, la copie dort dans sa boîte métallique, avoue-t-elle, je n'ai pas le cœur de la regarder. C'est la société Minerve qui devait produire le film. Mais ses responsables, MM. Lebon et Sicre, se sont tout à coup avisés que ni Gérard ni moi n'avions un "nom", comme on dit. De plus, la censure a refusé le projet pour des raisons morales. Nous avons eu beaucoup de peine tous les deux. »

On trouve un écho de cette période dans une lettre que Jean Philip, alors réquisitionné par les Chantiers de jeunesse[1] à Die, dans la Drôme, adresse à son frère : « Suis content pour toi que ton essai ait bien marché et qu'à la fin du mois tu puisses enfin donner libre cours à ce qui va devenir ton métier. Je suis fier de toi, tu sais. J'ai lu dans l'édition de Grasse que tu prêtais ton concours au Cercle littéraire. Je regrette énormément de ne pouvoir t'entendre. Tiens-moi au courant de ton travail, j'aimerais te suivre ainsi que Dany[2], que j'aime beaucoup. Te souviens-tu le matin où j'entrais dans la chambre de Mamy et que tu m'apprenais ce qui venait de lui arriver[3] ? J'ai eu un grand choc en apprenant la mauvaise nouvelle. Tu aimes Dany comme j'aime Lucienne[4]. Et la seule fois où j'ai pu la sonder, elle n'avait d'yeux que pour toi[5]. »

Si l'idylle est au beau fixe, la carrière de Gérard, en revanche, marque le pas. Même s'il prête en effet son concours à de nombreuses manifestations d'amateurs. Il dit des poèmes au salon de thé Le Perroquet, situé 14 boulevard Thiers, ou dans la salle de théâtre du vieux casino municipal (devenu Palais des Congrès,

1. Créés en 1940 par le gouvernement de Vichy, les Chantiers de jeunesse reçoivent un statut définitif en janvier 1941, en remplacement d'un service militaire devenu impossible. Ils soumettent les jeunes gens de vingt ans habitant en zone sud à une période de huit mois de travaux forestiers ou agricoles, de manière à leur inculquer, dans le cadre du « redressement national », le sens du travail et de la discipline. Ils seront dissous en mai 1943, soupçonnés d'être devenus des foyers de la Résistance.

2. Dany : Danièle Girard, bientôt Delorme.

3. Le père de Danièle, M. Girard, étant parti à Londres rejoindre le général de Gaulle, Mme Girard venait d'être arrêtée et emprisonnée aux Baumettes. Elle sera déportée à Ravensbruck.

4. La future épouse de Jean Philip.

5. Archives Gérard-Philipe, Maison Jean-Vilar.

où une salle a reçu le nom de Gérard Philipe). Il participe également aux activités du cours artistique grassois de Germaine Dauphin. A Radio-Nice, c'est en vain qu'il tente de se faire engager par Robert Beauvais dans l'émission « La chance aux débutants ». Comme chanteur fantaisiste ! Le verdict de l'animateur est sans appel : « Celui-là, il ne fera jamais rien[1] ! » Dans la foulée, Beauvais congédie la speakerine, une brunette un peu trop ronde, au nez aquilin : Maryse Mourer. Quelques années plus tard, celle-ci, devenue une blonde sculpturale au nez mutin, se fera appeler Martine Carol. C'est en vain que Gérard hante les plateaux de la Victorine, où Jean Grémillon tourne *Lumière d'été*, Marcel Carné *Les Visiteurs du soir*... Partout, les équipes sont au complet. Jean Dréville, qui s'apprête à tourner *Les Cadets de l'océan*, cherche des visages nouveaux, comme on dit : il auditionne les élèves du Centre des jeunes du cinéma[2]. Gérard est du nombre, tout comme Jacques Sigurd, le futur scénariste, qui a raconté la scène : « Les aspirants vedettes se succédaient [...]. Lorsque vint son tour, un grand type dégingandé que personne n'avait jamais vu au cours monta sur l'estrade, s'assit avec désinvolture par terre, et commença le monologue de *Fantasio* : "Quel curieux métier que celui de bouffon[3]..." La torpeur qui avait fini par gagner l'assistance entière se changea brusquement en attention, et tous écoutèrent, stupéfaits, ce nouveau venu qui, en dépit de son manque de technique, faisait montre dans ce morceau périlleux de qualités exceptionnelles. Pour la première fois de sa vie, Gérard Philipe jouait la comédie. Aux éloges des cinéastes, il put croire que ce coup d'essai allait lui rapporter son premier contrat. Pourtant, mystère du cinéma, il ne tourna pas dans *Les Cadets de l'océan*[4]. »

Mystère en effet, car se bousculent au générique du film les

1. *Ciné-Revue*, n° 30, 26 juillet 1957.
2. Il semble que le Centre, crédité au générique du film, ait participé au financement en tant que coproducteur (les autres producteurs étant Gaumont et Datac).
3. Jacques Sigurd cite ici de mémoire le texte de Musset, qui est en réalité : « Quel métier délicieux que celui de bouffon ! »
4. Jacques Sigurd, in *L'Écran français*, n° 21, novembre 1945.

noms de jeunes espoirs parmi lesquels le sien ne serait pas déplacé : Jean Paqui, Mouloudji, Jean Claudio, Jean Gaven, Daniel Gélin, Jean Négroni… Du moins ces tentatives ont-elles le mérite de le familiariser avec la technique, dont il a tout à apprendre. « Chaque jour, rapporte le journaliste Jean-Marie Coldefy, il vient rôder autour du studio, assiste aux prises de vues, discute avec les techniciens et les acteurs[1]. » Car, depuis que Marc Allégret a mis en chantier *Félicie Nanteuil*, Gérard a ses entrées à la Victorine. A force de le voir, Claude Dauphin, vedette du film, le prend en amitié, l'écoute, le conseille… Et l'envoie à André Roussin, qui le dirige à son tour sur Louis Ducreux. Tous deux s'apprêtent à monter au casino de Cannes la dernière pièce de Roussin, *Une grande fille toute simple*, nouvelle production du Rideau gris, la compagnie fondée avant la guerre à Marseille par les deux hommes et qui a remporté un gros succès l'année précédente en créant dans la cité phocéenne un autre ouvrage de Roussin, *Am-Stram-Gram*, avec Micheline Presle en vedette.

Jusqu'à la fin de sa vie, Louis Ducreux conservera un vif souvenir de sa rencontre avec Gérard : « Ce spectacle nous avait été commandé par Marcel de Valmalette, directeur du casino de Cannes. A Nice, où je dirigeais les premières répétitions, André Roussin m'a parlé d'un garçon qui semblait avoir du talent et un désir passionné de faire du théâtre. J'ai donc reçu ce jeune homme, et je me souviens que je lui ai donné à lire une scène de la pièce ; il l'a jouée d'une manière tellement remarquable que je me suis écrié : “Si Marcel de Valmalette est d'accord, je vous engage tout de suite”[2]. »

Aussitôt dit, aussitôt fait. Et c'est Marcel Philip, désormais acquis aux projets de Gérard, qui signe le contrat de son fils mineur : un cachet de 500 francs[3]. Le soir de la première il ne sera pas le dernier à applaudir, tandis qu'à ses côtés Minou san-

1. *Le Miroir des vedettes*, n° 3, mai 1948.
2. Entretien avec l'auteur, 25 avril 1991.
3. *France-Dimanche*, n° 701, janvier 1960.

glote d'émotion et de joie. « Il était là tout seul, efflanqué, malheureux, les bras abandonnés le long du corps, raconte Claude Dauphin, son partenaire. Vingt ans, un regard brisé et une voix... Je n'ai jamais vu ça[1] ! » Tous les témoignages concordent : ce 11 juillet 1942, dans un rôle de quelques minutes, un comédien exceptionnel est né.

Minou a préparé, au Parc Palace, une petite fête pour la troupe : Madeleine Robinson, Claude Dauphin, Pierre Louis, Jean Mercanton, Marthe Alycia... Elle tire les cartes à chacun, annonce bonheur, argent, amour. Et Gérard, ivre de succès, déclame des fables de La Fontaine pimentées d'accent pied-noir, sort les uns après les autres tous ses numéros d'imitation. Bref, le petit débutant est devenu la vedette de la soirée.

Le lendemain, il retrouve la réalité. Et le travail. En participant au spectacle en deux parties donné en alternance au casino : *Poil de Carotte* et *A quoi rêvent les jeunes filles*. Danièle Girard – bientôt Delorme –, dirigée par Suzanne Després[2], fait merveille dans la pièce de Jules Renard, tandis que Gérard, après l'entracte, commence sans le savoir son long compagnonnage avec Musset. Après Cannes, *Une grande fille toute simple* part en tournée dans le Midi, à Nice, Marseille et Avignon, puis rejoint Lyon et la Suisse. A Marseille, un après-midi, le journaliste Sylvain Zégel entre au Théâtre du Gymnase, où la pièce se donne quatre fois, du 20 au 22 octobre. Au dernier acte, un jeune homme, qui n'a eu jusque-là que quelques répliques, dit un court monologue. « On ne voit plus que lui. Il occupe toute la place. Il ne la prend pas : il est. Et, plus de trente ans après, le souvenir de cet instant merveilleux vit dans le cœur, devant les yeux, aux oreilles de Zégel encore ébloui[3]. » Il est vrai que le rôle de Gérard est en or : un garçon de dix-huit ans, Mick, qui refuse

1. *In* Paul Giannoli, *La Vie inspirée de Gérard Philipe*, *op. cit.*
2. Suzanne Després, épouse de Lugné-Poe, fondateur du Théâtre de l'Œuvre, avait elle-même créé *Poil de Carotte*. Ses succès permirent à Lugné-Poe de monter des œuvres d'auteurs alors inconnus. Comme *Ubu roi*, d'Alfred Jarry, en 1896. Tous deux étaient des amis des parents de Danièle Delorme.
3. Jean-Jacques Gautier, « Gérard Philipe, héros de toutes les jeunesses », *Le Figaro*, 2 décembre 1975.

d'entrer dans les petites combines sentimentales des adultes, un amoureux qui se révolte en voyant les autres saccager l'amour. Un personnage pur auquel Gérard donnera sans calculer son authentique pureté. Par sa seule présence. « A cette époque, le premier mot qui nous venait à l'esprit en le voyant, c'était *pureté*. A quoi s'associait déjà un professionnalisme évident », souligne Louis Ducreux.

A Lyon, le jeune comédien fait une forte impression sur le metteur en scène Georges Douking. Qui lui recommande de l'appeler s'il vient à Paris. A Genève, sur le quai de la gare, Gérard demande à un voyageur inconnu : « Vous avez vu la pièce hier soir ? – Voui ! C'est formidable ! Voui, m'sieur ! », répond l'autre[1].

« Voui, m'sieur » : le mot va faire florès, véritable cri de ralliement de la troupe, jeté à tout propos. Retrouvant son partenaire Pierre Louis quelques années plus tard, Gérard s'écriera aussitôt : « Voui, m'sieur. »

Le succès est là sans doute, à portée de main. Peut-être même la gloire. Celle-là, pour l'accueillir, il faut un nom digne d'elle. Gérard Philip ? Philippe Gérard ? Ou même Gérard Philippe, comme on le verra écrit sur ses premières affiches ? Le 4 décembre 1942, le journaliste Georges Beaume écrit dans *Filmagazine* : « De Philippe Gérard, je ne sais rien, sinon que, dans un rôle épisodique d'*Une grande fille toute simple*, il affirme une telle sobriété, une telle simplicité d'expression, alliées à un physique extrêmement séduisant, qu'il demeure, malgré la grande valeur de ses partenaires, la révélation de la pièce. Le mot même de “comédien” semble déplacé lorsqu'il s'agit de Philippe Gérard. Sans doute lui manque-t-il beaucoup. Mais l'apparition de ce débutant suffit pour indiquer un tempérament peut-être exceptionnel et qui, s'affirmant un peu plus, nous vaudra l'un de nos meilleurs acteurs de demain[2]. »

Georges Beaume a bien vu. Et loin. Mais c'est Gérard Philipe

1. Paul Giannoli, *La Vie inspirée de Gérard Philipe*, *op. cit.*
2. Cité par Pierre Cadars, *Gérard Philipe*, Henri Veyrier, 1984.

avec un « e » (rajouté sur les conseils de Minou, pour faire un nom de treize lettres) qui va s'envoler pour le destin promis. Déjà il s'impatiente, pressé de rompre la chaîne, il piaffe… « Dès ses débuts, se souvient Jean Philip, il a été pris dans une sorte de tourbillon, et je ne l'ai plus beaucoup vu. »

3

La zone sud est maintenant occupée. Le 11 novembre 1942, trois jours après le débarquement anglo-américain en Afrique du Nord, l'armée allemande se déploie sur tout le territoire français. Surpris par l'« opération Torch », nom de code secret de l'expédition, les nazis ont réagi immédiatement en bouclant le pays. Du coup, l'allié italien, en paiement de ses bons services, reçoit un grand morceau du Sud-Est, correspondant *grosso modo* aux actuelles régions Provence-Côte d'Azur et Rhône-Alpes. Plus la Corse. Les déplacements sont difficiles dans cette France soumise à la loi de l'Axe : carburant rare, chemins de fer désorganisés. Le comédien René Lefèvre, en tournée dans le Midi avec *Jean de la Lune*, de Marcel Achard, s'entend répondre par un employé à qui il demande quand passe le train pour Sète : « Il passe quand il a un moment[1]. » Pourtant, les représentations d'*Une grande fille toute simple* à peine achevées, Gérard signe pour une autre série. Sa renommée est venue jusqu'aux oreilles du célèbre entrepreneur de spectacles Rasimi, qui cherche un jeune acteur pour jouer le rôle créé par François Périer dans la pièce d'André Haguet, *Une jeune fille savait*[2]. Gérard n'hésite pas : la jeune fille après la grande fille ! Alors, en plein hiver, commencent quarante jours d'une dure tournée : théâtres glacials, hôtels combles, restaurants de famine, trains bondés, salles

1. Rapporté par Gilles et Jean-Robert Ragache, *La Vie quotidienne des écrivains et des artistes sous l'Occupation, 1940-1944*, *op. cit.*

2. La pièce sera portée à l'écran par Maurice Lehmann en 1947, avec François Périer et Dany Robin.

d'attente des gares, où s'improvisent des bivouacs dans un chaos de valises et de couvertures… « Je me souviens d'une nuit passée dans un buffet de gare désolé, témoigne sa partenaire Svetlana Pitoëff. A l'aide d'une bouilloire qui ne me quittait pas, et que Gérard avait miraculeusement branchée sur quelque fil clandestin, j'ai fait du thé, ou tout au moins un breuvage bouillant qui a jeté dans cette pauvre nuit une note de luxe et de confort[1]. » De cette tournée, Marcelle Arnold a conservé une charmante photographie, prise devant le Parc Palace Hôtel, à Grasse. Toute la troupe s'est réunie autour de la famille Philip : Minou, Marcel et Jean. Et Gérard, qui sourit à son avenir.

Pourtant, il semble bien compromis, cet avenir. L'envahissement de la zone sud a fait apparaître la souveraineté du gouvernement de Vichy pour ce qu'elle est : une fiction. Désormais privé de la portion de territoire qui lui permettait de donner le change, le maréchal Pétain va de reculade en reculade face à l'occupant, tandis que Pierre Laval, son ministre, « s'acharne à préserver l'illusion en feignant d'accorder volontairement aux Allemands ce qu'en fait ils exigent[2] ». Entre autres, le Service du travail obligatoire. Après l'échec de sa politique de la « relève » (pour trois ouvriers français volontaires partant en Allemagne, un prisonnier pourra rentrer en France), Laval, dans le but évident de répondre aux exigences allemandes de main-d'œuvre, fait voter une loi instaurant le Service du travail obligatoire. Plus de 600 000 jeunes Français appartenant aux classes 40, 41 et 42 vont ainsi être contraints d'aller travailler dans les usines d'outre-Rhin ou, en France même, au service de l'organisation Todt qui construit les fortifications côtières.

Vichy ne badine pas avec le STO. Témoin cette « convocation » affichée dans les mairies : « En exécution des prescriptions de la loi du 16 février 1943 et du décret du même jour, tous les Français et ressortissants français du sexe masculin, nés entre le 1er janvier 1920 inclus et le 31 décembre 1922 inclus et domici-

1. *Souvenirs et Témoignages*, *op. cit.*
2. Serge Berstein, Pierre Milza, *Histoire du vingtième siècle*, t. 2, Hatier, 1987.

liés sur le territoire de la commune, devront se présenter aux opérations de recensement qui auront lieu à [ici, le nom de la commune], aux jours et heures indiqués. En cas d'absence, les parents ou autres membres de la famille sont tenus de se présenter aux lieu et place des intéressés, aux jour et heure sus indiqués. Les hommes qui ne se présenteront pas aux opérations de recensement seront, sauf excuses justifiées, classés d'office dans la catégorie "fort" et recevront immédiatement une affectation correspondant à cette aptitude physique. »

Quelques réfractaires préféreront le maquis au STO. Pas les frères Philip. Ce n'est pas le genre de la maison. Gérard prend les devants. Dès ce mois de février, il fait établir par un médecin cannois une attestation affirmant qu'il a été atteint de pleurésie trois ans plus tôt et que son état reste fragile : « 65 kg pour 1,83 m », précise le certificat[1]. Ce qui lui permettra d'échapper à la corvée[2]. Réformé, soit ! Mais que faire de cette liberté ? Une fois encore, le salut viendra d'un Allégret. D'Yves, frère cadet de Marc, un autre des six enfants du pasteur. Ex-assistant de son aîné, notamment pour *Lac aux dames*, Yves Allégret, né en 1907, n'a guère réalisé jusque-là qu'un « très joli court métrage intitulé *Prix et Profits, ou l'Histoire d'une pomme de terre*[3] », ainsi qu'un film détruit dans un incendie de laboratoire[4]. Et voici qu'on lui propose de reprendre la réalisation d'un film abandonné par Jean Choux, *La Boîte aux rêves*. Cette histoire d'une riche héritière s'installant incognito chez quatre copains partageant le même appartement est née de l'imagination de Viviane Romance, qui, peut-être lassée de ses rôles de vamp, souhaite s'essayer à la comédie. Mais la dame est capricieuse : elle récuse les uns après les autres scénaristes et réalisateurs. Pour finalement choisir Yves Allégret. L'affaire n'aurait pas laissé grande trace dans l'histoire du cinéma si, à cette occasion, Gérard Philipe n'avait

1. Archives Gérard-Philipe, Cinémathèque française.
2. Une seconde attestation, identique, est établie en juin 1943.
3. Simone Signoret, *La nostalgie n'est plus ce qu'elle était*, Éd. du Seuil, 1976.
4. *Tobie est un ange*. Scénario d'Yves Allégret et de Pierre Brasseur. Avec Pierre Brasseur, Rellys, Henri Guisol et Janine Darcey.

fait ses premiers pas devant la caméra. Un bien petit pas cependant, puisqu'il n'apparaît qu'au début du film, furtivement, perdu dans un groupe de personnages. Et même un pas de clerc : quand le film sortira, en juillet 1945, il aura déjà derrière lui des rôles bien plus importants que celui-là.

D'Yves, Gérard repasse à Marc, qui prépare *Les Petites du quai aux Fleurs*, sur un scénario de Marcel Achard. Le slogan publicitaire du film ne ment pas : « La révélation de nouveaux talents. » On y découvre en effet, à côté d'Odette Joyeux, Bernard Blier ou Louis Jourdan, valeurs déjà consacrées, les visages de Danièle Delorme, Colette Richard, Gérard Philipe... Et Jacques Dynam : « J'ai rencontré Gérard à Paris, en mai 1943. Marc Allégret l'avait convoqué pour les essais du film[1]. Une fois ceux-ci terminés, nous sommes repartis pour le tournage à Nice[2]. » C'est dans le train qui ramène Gérard sur la Côte d'Azur que Bernard Blier le découvre : « Il était dans un compartiment et mangeait un casse-croûte ; je le reverrai toute ma vie avec sa petite gamelle : c'était un enfant comme on en voit à la sortie des lycées[3]. » Nice, à cette époque, c'est Hollywood, sauf « qu'on s'y ruine et qu'on y crève de faim[4] ». Ce qui n'empêche pas Jacques Dynam, que ses amis surnomment « Kaki », de s'extasier. Au studio de la Nicea, sur le plateau voisin, Jean Delannoy et Jean Cocteau terminent *L'Éternel Retour*. La ville regorge de vedettes. C'est l'été, la vie est douce malgré la présence italienne, d'ailleurs débonnaire. Chaque jour, le tournage s'interrompt à midi et demi. Libre alors aux jeunes interprètes de déjeuner au soleil, de paresser sur la plage. « Gérard arrivait en courant, raconte Henri Alekan, chef opérateur du film. Il n'empruntait jamais l'escalier de bois, mais dévalait la jetée et

1. C'est durant cette courte période parisienne que Gérard rencontre par hasard Douking, qu'il a si vivement impressionné à Lyon. Le metteur en scène, qui prépare la distribution de *Sodome et Gomorrhe* de Jean Giraudoux, qu'il doit monter à l'automne au Théâtre Hébertot, lui propose le rôle du jardinier, avec l'accord du directeur, Jacques Hébertot.

2. Entretien avec l'auteur, 1er mai 1991.

3. Interview inédite, Archives Gérard-Philipe, Cinémathèque française.

4. Jean Cocteau, *Journal, 1942-1945*, *op. cit.*

surgissait au milieu du cercle familial avec de grands cris qui mettaient mes enfants en joie. C'était un grand enfant débordant de vie et qui faisait aussitôt la conquête de tous[1]. »

Un grand enfant parfois bien insupportable. Qui mène les chahuts et organise des farces pas toujours du meilleur goût. Comme ces plantes vertes subtilisées dans le hall du Négresco qu'il installe en cachette dans la chambre qu'occupent Danièle Delorme et Colette Richard. En poussant leur porte, toutes deux crurent entrer dans une forêt vierge...

Si les « Petites » (Danièle Delorme, Colette Richard et Simone Sylvestre, à qui, selon Jacques Dynam, Gérard s'intéresse alors beaucoup) habitent un palace, les garçons, eux, se contentent d'un modeste logement, le « taudis » comme ils l'appellent. En effet, après être d'abord descendus à l'hôtel Imperator, Gérard Philipe et Jacques Dynam, devenus inséparables, préfèrent louer un petit appartement en ville. On y mène joyeuse vie. Les danseuses du ballet de Monte-Carlo emplissent à toute heure l'escalier d'un joyeux brouhaha, et les Petites viennent rendre visite à leurs camarades. Même Marcelle Praince et André Lefaur, personnes d'âge respectable, y déjeunent parfois sans cérémonie. « Nous vivions dans une atmosphère de gaieté permanente, se souvient Jacques Dynam. Nous étions terriblement insouciants. Jamais une seconde de tristesse, jamais un mot sur les événements : Gérard ne parlait pas de politique, c'était un sujet dont il se moquait éperdument[2]. »

Résumons : 1,83 mètre, 65 kilos. Deux grands yeux de fille, un éclat de rire planté dans la gorge comme un morceau de verre, l'insouciance, l'inconscience même. Trop grand, trop frêle, trop gai, trop pur... Allons, la mue n'est pas finie.

Depuis qu'il loge en ville avec ses amis comédiens, Gérard retourne moins fréquemment au Parc Palace. C'est Minou qui vient visiter son fils sur le tournage. Jean Philip, de son côté, s'est

1. *Souvenirs et Témoignages*, *op. cit.*
2. Jean Philip déclare de son côté : « Pendant la guerre, il ne critiquait ni les idées ni l'attitude de notre père. Il n'avait aucune conscience politique. »

également éloigné de la demeure familiale. Afin d'échapper au STO, il s'est installé en Normandie, à La Gentilhommière, propriété familiale située à Cintray, dans l'Eure, entre Verneuil-sur-Avre et Breteuil. Des prairies, des bocages, des vaches, une jument : Jean trouve là de quoi contenter son goût de la terre. Marcel s'est arrangé pour que son fils bénéficie d'un statut d'agriculteur rendant indispensable sa présence sur le domaine. De sorte que Jean, par deux fois convoqué devant la commission, se retrouve lui aussi définitivement exempté du STO.

Au Parc Palace, l'ambiance a changé. Depuis un peu plus de six mois qu'ils occupent la région, les Italiens, du moins leurs chefs, ont fait de l'hôtel leur quartier général. Après leur départ, une rumeur va naître à Grasse, s'enfler, se propager…

Car ils s'en vont ! Au cours des conférences d'Aufa (Maroc, janvier 1943) et de Washington (11-25 mai), les Alliés ont fignolé leur plan stratégique, dont le premier volet est le débarquement en Sicile. L'opération se termine le 16 août, avec la prise de Messine, au terme d'une campagne de trente-neuf jours. Coup de théâtre : à peine le débarquement achevé, le régime fasciste s'effondre en quelques heures, telle une de ces colossales statues en toc qu'il affectionne. Une grande confusion s'ensuit sur toute la péninsule. Ramené sur le devant de la scène, le roi Victor-Emmanuel III confie les affaires au maréchal Badoglio. Celui-ci, affectant de poursuivre la guerre aux côtés des nazis, négocie secrètement avec les Alliés les conditions d'un armistice qui sera tenu secret jusqu'au 8 septembre. Le lendemain, la Ve armée américaine débarque à Salerne.

Conséquence de l'armistice Badoglio, comme on l'appellera : les Italiens évacuent la Côte d'Azur. Jacques Dynam : « Nous tournions les derniers plans du film lorsqu'ils ont levé le camp. La musique défilait en tête, suivie de soldats en uniforme marchant au pas, puis de soldats sans vareuse… Pour finir dans une véritable débandade ! » Les troupes hitlériennes qui les remplacent les feront presque regretter. Rafles, arrestations, contrôles : la Gestapo, telle qu'en elle-même, prend la situation en main. Est-ce alors que la rumeur se forme ? Cinquante ans après, elle n'est pas éteinte. La voici, telle qu'on la raconte encore. A Paris comme à Grasse. Et en priant l'auditeur de garder le silence sur ses sources d'information.

Proche des Italiens par ses convictions politiques, Marcel Philip aurait reçu en dépôt le trésor de l'armée d'occupation. Après le renversement des alliances – qui se traduisit notamment, le 13 octobre, par la déclaration de guerre de l'Italie à l'Allemagne –, les services secrets italiens auraient tenté de remettre la main sur ce trésor. En vain. Pressé de tous côtés, tant par les fascistes que par les républicains, Marcel Philip se serait alors placé sous protection allemande. Point final ! On remarquera au passage qu'il n'est nulle part fait allusion au sort du fameux trésor. Qu'est-il devenu ? Mystère. Rien dans le train de vie des Philip, à ce moment ou plus tard, ne permet d'imaginer que Marcel ait pu le détourner à son profit. Au contraire. Voilà qu'il quitte brusquement Grasse et le Parc Palace du jour au lendemain – ce départ inopiné, qui ressemble en effet à une fuite, n'est sans doute pas étranger à la rumeur. Destination : Paris. Un hôtel, encore. Ou plutôt une pension, établissement modeste qui accueille, rue de Paradis, des industriels du Nord de passage dans la capitale : le Petit Paradis. Rien de très glorieux dans ce déménagement.

A Nice, le film se termine. Les deux amis se séparent en se promettant de se revoir. Dynam s'apprête à rejoindre Lyon, où il doit jouer *Colinette*, de Marcel Achard. Gérard, lui, est attendu à Paris pour les représentations de *Sodome et Gomorrhe*.

Cette pièce, que Jean Giraudoux lui a proposée un jour de juin 1942, Edwige Feuillère a longtemps hésité à l'accepter. Pierre Renoir, Jean Marchat et Jean Servais, quant à eux, n'ont pas tergiversé : ils ont successivement refusé le principal rôle masculin, effrayés peut-être par un texte qui prétend faire le procès de l'égoïsme humain. « Elle n'était pas facile à distribuer, en effet, cette pièce, affirme Edwige Feuillère[1]. Lucien Nat, Lise Delamare

1. Edwige Feuillère, *Les Feux de la mémoire*, Albin Michel, 1977. De son côté, Douking, répondant aux questions d'Anne Philipe (*Souvenirs et Témoignages, op. cit.)*, dit : « Nous étions parvenus à équilibrer toute la distribution. » Preuve que ce ne fut en effet pas facile.

et Gaby Sylvia acceptèrent les rôles de Jean, Ruth et Dalila [...]. On devait enfin me présenter un jeune comédien inconnu [...]. Un jeune homme, encore dans la grâce de l'adolescence, avec une étrangeté physique et vocale qui évoquait l'étudiant slave, s'avançait vers moi. Un sourire ambigu, d'une timidité menaçante, me fit décréter : "C'est l'Ange. Ce n'est pas le jardinier, c'est l'Ange !" » Mais voilà que Svetlana Pitoëff affirme à son tour : « J'ai dit : "Un ange ? Il n'existe qu'un seul acteur qui puisse le faire"[1]. » Et Douking : « C'est tout de suite à Gérard que j'ai pensé pour interpréter l'Ange[2]. » Bref, après coup, tous veulent l'avoir découvert le premier. Et s'il avait raison, celui qui dit en choisissant de garder l'anonymat : « Marcel Philip est entré dans le bureau de Jacques Hébertot : "Vous voulez avoir du charbon cet hiver ? Oui ? C'est facile, confiez donc le rôle de l'Ange à mon fils" » ? Qui sait ?

Quoi qu'il en soit, c'est bien Marcel, une fois encore, qui signe le contrat de son fils, car il s'en faut de quelques semaines que celui-ci soit majeur. Lise Delamare se souvient de ces moments : « Nous venions de signer nos engagements. On nous a réunis pour la première lecture de la pièce. J'ai été frappée par la grâce de ce jeune homme, la classe aussi, son élégance corporelle ; il avait quelque chose d'immatériel[3]. »

Grâce, élégance. Et cette pureté, « ces réserves de pureté[4] ». Le portrait se précise, les traits se fixent. A moins que les témoins n'aient perdu à la longue le souvenir de leur première impression, l'enrichissant à posteriori d'émotion, créditant le débutant des qualités du comédien parvenu à maturité. « Dès les premières répétitions, racontait volontiers Georges Douking, je fus émerveillé de la manière spontanée et de la sûreté avec lesquelles il interprétait les moindres suggestions. [...] Je me souviens de lui avoir demandé des attitudes et des gestes inspirés des primitifs italiens. Comme je le souhaitais, il parvint sans effort à les styliser sans en perdre la grâce[5]. »

1. *Souvenirs et Témoignages, op. cit.*
2. *Ibid.*
3. Entretien avec l'auteur, novembre 1990.
4. Marc Allégret, in *Souvenirs et Témoignages, op. cit.*
5. *Ibid.*

De fait, c'est un personnage de Donatello qu'Edwige Feuillère croit apercevoir sur la scène, le soir de la première : « Sa haute et juvénile silhouette blanche était encore allongée par une simple draperie que Christian Bérard faisait couler de son épaule[1]. » Quant aux spectateurs : « Grâce à des jeux de lumière, une silhouette d'abord bleu foncé, puis bleu clair, puis blanche soudain se détachait d'un fond de scène sombre, et j'ai encore dans l'oreille les inflexions de cette voix prophétique qui parlait d'eau pure et de mort[2]. »

« Il n'y a pas d'eau pure ici ? J'ai soif ! », dit l'Ange de Sodome descendu parmi les hommes. Dans le public, un frisson passe : « Tout le monde a plongé le nez dans son programme, pour savoir le nom de l'interprète », se souvient Suzanne Dodin[3], qui deviendra beaucoup plus tard une des rares intimes du couple Philipe.

Au soir de ce 11 octobre 1943, celui qui revient saluer le public sur la scène du Théâtre Hébertot, à l'issue de la représentation donnée au profit de l'Œuvre du livret de Caisse d'épargne du prisonnier, celui-là, quasi inconnu deux heures auparavant, est désormais célèbre : « L'Ange radieux avait enlevé la ville d'assaut. Il n'était plus bruit que de son charme un peu penché, de sa voix nasale, souvent cinglante ; des mèches sombres qui lui tombaient sur les yeux, et qu'il rejetait en arrière, avec le geste bref du cheval qui encense. Paris, ville amoureuse, avait trouvé à qui se donner[4]. »

Tout le monde, cependant, n'est pas aussi indulgent, et Jean Cocteau, qui assiste à l'avant-première du 10 octobre, ne mâche pas ses mots dans son *Journal* : « Si le titre était "Passez l'hiver au Maroc", les choses se présenteraient sous un autre angle. Mais on s'étonne d'un titre pareil, en face du verbiage mondain que les spectateurs écoutent avec béatitude. [...] L'Ange est charmant. C'est la première fois qu'il joue. Son nom est Gérard Philipe[5]. »

Les projecteurs à peine éteints, Gérard descend au pas de

1. Edwige Feuillère, *Les Feux de la mémoire*, *op. cit.*
2. Maurice Périsset, *Gérard Philipe*, *op. cit.*
3. Entretien avec l'auteur, février 1991.
4. Georges Beaume, *Vedette sans maquillage*, La Table ronde, 1954.
5. Jean Cocteau, *Journal, 1942-1945*, *op. cit.*

course des Batignolles, pressé de retrouver le groupe qui s'est reformé autour de lui. Il abandonne le théâtre glacé, où ses partenaires achèvent de se dépouiller d'oripeaux bibliques signés Christian Bérard : Tony Taffin, François Chaumette, Jean Lanier, François Richard, Yvonne Bermon. Et Bernadette Lange, sa petite fiancée du moment, qu'il embrasse longuement en coulisses, appuyé aux portants, entre deux scènes. Un soir, arrivant sur le plateau, alors qu'il la quitte à peine, il ne peut cacher au public, à cause du maillot blanc qui le moule étroitement, tout l'intérêt qu'il porte à Mlle Lange… « Ce fut un éclat de rire général », se souvient Lise Delamare.

Et peut-être, tandis qu'il se hâte par les rues noires de l'Occupation, sourit-il en pensant que c'est dans la logique des choses qu'un ange retourne au paradis. Ce paradis-là, le Petit Paradis, fréquenté par les lainiers du Nord, M. Philip en a fait une pension pour artistes : Simone Signoret et Yves Allégret, Jacques Dynam et son frère, Daniel Gélin et sa sœur, Danièle Delorme, Simone Sylvestre… tous transfuges de la Côte d'Azur. Dans la grande salle à manger vieillotte, les repas sont des fêtes ; surtout lorsque Marcel Philip revient, les bras chargés de victuailles, d'une visite à La Gentilhommière. A minuit, la table débarrassée, Minou, qui a momentanément délaissé les cartes au profit du spiritisme, convoque les esprits. « Un soir, c'est à moi qu'un esprit s'adressa, dit Daniel Gélin, la table épela le nom de mon grand-père maternel. J'en fus très troublé. Ce jeu devint vite une obsession ; nous le pratiquions tous les soirs et même dans la journée[1]. »

Au Petit Paradis, Gérard habite une mansarde au dernier étage, à laquelle on accède par un couloir en courbe. Là, devant ses amis assis par terre autour de lui, le jeune homme improvise de folles histoires. Ces fables, ces contes, ces récits imaginaires, c'est comme une drogue pour lui. Tous les témoins insistent sur cet aspect. Ainsi, Tony Jacquot, qui l'a connu alors aux soirées de Lise Delamare : « Il avait une sorte de génie ; on lui soufflait

1. Daniel Gélin, *Deux ou Trois Vies qui sont les miennes*, *op. cit.*

un thème et il improvisait. » « Soirées » : un bien grand mot sans doute pour ces réunions impromptues, organisées après la représentation dans le grand appartement qu'occupe à l'époque la comédienne, rue Pasquier, et qui jouxte celui de ses parents (alors réfugiés dans le Midi), dont il n'est séparé que par une porte condamnée. Ces soirs-là, elle déverrouille la porte et la fête commence... « J'avais découvert, dans les placards de ma mère, quantité de bocaux de haricots blancs, raconte Lise Delamare. Je leur faisais donc de grands plats de haricots et tard dans la nuit nous jouions aux charades. Nous, c'est-à-dire ceux d'Hébertot, François Chaumette, Tony Taffin, Jean Lanier, Gaby Sylvia, Gérard. Et d'autres, comme Michel Auclair, qui venait du Théâtre des Mathurins... On s'amusait énormément. On riait[1]... »

Comme si de rien n'était. Car, les autres soirs, Lise Delamare enfourche sa bicyclette pour porter les messages de la Résistance. « On riait beaucoup. » Cette manière de tutoyer le danger, de l'oublier... Tout en restant vigilant cependant. Ni Lise ni ses camarades, même si Gérard n'en parle jamais, n'ignorent les sympathies de Marcel Philip : « Très bel homme, se souvient-elle, mais trop bien vêtu. On s'habillait de bric et de broc alors, avec ce que l'on trouvait. » Edwige Feuillère elle-même, sans d'ailleurs y voir malice, se rappelle, trente-trois ans après, en évoquant Minou, une femme élégante dans son manteau de vison, aux poignets chargés de bracelets de diamants[2]. Comme si l'élégance trop voyante du couple Philip, tranchant sur la grisaille d'un peuple parisien mal nourri et mal vêtu, l'isolait, le cernait d'une sorte de gros trait. Bref, le dénonçait.

Depuis le mois d'octobre, Gérard est inscrit au Conservatoire. Bien que Jacques Hébertot ait tenté de l'en dissuader. Malgré sa notoriété naissante ou, au contraire, à cause de cette notoriété, il est tout à fait conscient de son inexpérience. Après tout, son bagage est mince : quelques mois d'assiduité plus ou moins grande

1. Entretien avec l'auteur, novembre 1990.
2. Edwige Feuillère, *Les Feux de la mémoire*, *op. cit.*

dans un cours d'art dramatique ne font pas un comédien. Par ailleurs, ses études se sont arrêtées de bonne heure[1]. Il lui faut apprendre. Peu de temps après la générale de *Sodome et Gomorrhe*, il se présente donc aux examens d'entrée au Conservatoire, où des membres du jury, dont Béatrix Dussane, reconnaissent l'Ange qu'ils ont vu quelques jours plus tôt sur la scène du Théâtre Hébertot. Gérard ne s'est guère mis en frais pour la circonstance : il ressert en effet à ses juges le fameux monologue de *Fantasio* qu'il interprétait à Nice, au printemps de 1942, lorsqu'il cherchait des engagements cinématographiques. Mais cette fois la magie joue. Mme Dussane : « Il nous a véritablement étonnés. Ce monologue en demi-teinte, extrêmement difficile, plein de mélancolie et d'ironie tout à la fois, il l'a volontairement terminé en le laissant en suspens, comme un morceau de musique qui ne retombe pas sur la tonique. Il était loin d'être le très bel homme qu'il est devenu. Il était maigre, dégingandé, la voix encore un peu dure. Mais déjà ce regard… Le jury était assis derrière une table en fer à cheval. D'un seul regard de l'extrême gauche jusqu'à la droite par où il sortait, il nous a ramassés exactement comme un pêcheur dans son filet ! Dès ce moment, il s'est affirmé comme l'acteur poétique qu'il allait être[2]. »

18 voix sur 19 au premier tour. 16 sur 21 au deuxième. Gérard est admis dans la classe de Denis d'Inès[3], qui a repris, en 1940, celle de Louis Jouvet, parti en Amérique du Sud. Formé dès l'âge de quinze ans à la rude école du café-concert, avant d'interpréter le mélodrame dans les salles de Montparnasse et de Belleville, Denis d'Inès est entré à la Comédie-Française en 1914. Cet homme, dont on pourrait attendre la plus grande liberté d'esprit, s'est en fait institué le gardien inflexible de Molière : « Quand il avait dit “Molière”, il avait tout dit, cela en devenait un vrai

1. L'écrivain Georges Perros le qualifie même d'« autodidacte » (in *Souvenirs et Témoignages*, *op. cit.*).

2. « Il y a quarante ans, Gérard Philipe mettait en scène et interprétait *Lorenzaccio* au Festival d'Avignon », France Culture, 18 juillet 1992.

3. Joseph Victor Octave Denis, dit Denis d'Inès (1885-1968), sociétaire en 1920, retraité en 1953. Professeur au Conservatoire, il a formé entre autres Jean-Paul Roussillon, Michel Aumont, Jacques Toja.

plaisir de le taquiner en lui passant du Giraudoux ou du Claudel, histoire de l'entendre renifler un "Comprends pas" qui valait son évidence. Gérard et ce Monsieur-cher-Maître, on ne pouvait imaginer couple plus mal assorti. Les choses se gâtèrent assez vite[1]. » Sous la houlette du Monsieur-cher-Maître, Gérard passe toutefois en janvier 1944, avec *Quitte pour la peur* d'Alfred de Vigny, un brillant examen, où il obtient une rarissime mention « très bien ».

31 janvier 1944. Giraudoux est mort. Septicémie. « Sur son lit de mort, Jean n'a plus rien de son air de malice. Son visage tendu, maigre, busqué, ne montre plus que les lignes essentielles[2]. » Durant la journée, la radio a propagé la nouvelle de sa mort. Dans sa loge minuscule, ouverte à même le plateau, Edwige Feuillère, comme tous les soirs, a revêtu sa robe de scène jaune. « La salle est pleine, se souvient-elle. L'assistance entend faire de cette représentation l'hommage des Français à une gloire française. Quelqu'un, devant le rideau, demande une minute de silence, et de ne pas applaudir, ni pendant la pièce ni à la fin. Dans ce petit théâtre, ce sont les obsèques nationales du poète[3]. »

Pleine, la salle le restera de longs mois. Dans une lettre du 25 mars, Jacques Sigurd fait allusion aux « foules admiratives qui applaudissent *Sodome* ». Gérard se partage entre le Théâtre Hébertot et le Conservatoire. Sans oublier les facéties qu'il orchestre presque chaque soir au Petit Paradis. Farces, mystifications, blagues plus ou moins douteuses. Comme si, le rideau tombé, le diable s'emparait de l'Ange ! Tout lui est bon, même l'actualité. Le 11 mars, une épaisse fumée s'échappant de l'immeuble situé 21 rue Le Sueur, à Paris, alerte pompiers et police. Dans la maison, on découvre des restes macabres. Le locataire, un certain docteur Petiot, a pris la fuite. Une des grandes affaires criminelles du XXe siècle commence, dont les journaux font aussitôt leur une.

1. Georges Perros, in *Souvenirs et Témoignages*, *op. cit.*
2. Jean Cocteau, *Journal, 1942-1945*, *op. cit.*
3. Edwige Feuillère, *Les Feux de la mémoire*, *op. cit.*

Le soir même, rue de Paradis, tous entourent Gérard, à peine rentré du théâtre : Dynam, Signoret, Delorme… Lentement, d'une main sur laquelle se devinent encore des traces de fard, il forme le numéro de Mme Mélinand, la mère de leur camarade Monique. Une voix dit : « Allô », à l'autre bout du fil, et Gérard, d'un geste sec, fait taire les rires. « Allô, madame Mélinand ? Ici la police. Nous surveillons le docteur Petiot en fuite et nos informateurs nous signalent qu'il aurait franchi la porte de votre immeuble[1]… » Suit une série de recommandations, plus terrifiantes les unes que les autres, comme d'ouvrir portes et fenêtres pour mieux attirer l'assassin, que les forces de l'ordre terrasseront dès qu'il se sera introduit dans l'appartement. Cachée dans un placard, Mme Mélinand a tremblé toute la nuit.

Même si l'on entrevoit désormais la victoire au bout du tunnel, la guerre semble s'éterniser en ce printemps de 1944. Et peser de plus en plus lourdement sur les Français. Prisonniers, déportés au titre du STO, volontaires, ouvriers réquisitionnés : c'est une main-d'œuvre estimée à 2 600 000 hommes dont l'absence se fait maintenant cruellement sentir dans le pays, où la production industrielle n'a cessé de diminuer depuis l'armistice[2]. Moins d'ouvriers dans les usines, certes, mais aussi moins de paysans travaillant la terre, alors que les prélèvements de produits de première nécessité (viande, produits laitiers, céréales) se font de plus en plus lourds. (On considère aujourd'hui que, au cours de ces années, 17 % de la production agricole ont ainsi été drainés vers l'Allemagne.) D'où un rationnement très strict du ravitaillement. En 1942, le Parisien reçoit à peine 8 kilos de pain par mois, alors qu'il en consommait 13,5 en 1939, 3,5 kilos de pommes de terre au lieu de 15 avant la guerre, et 720 grammes de viande contre 3,5 kilos. Deux ans plus tard, les rations se sont

1. Paul Giannoli, *La Vie inspirée de Gérard Philipe*, *op. cit.*

2. Par rapport à un chiffre 100 en 1939, l'indice de la production industrielle évolue de la manière suivante : 68 en 1941, 62 en 1942, 56 en 1943, 43 en 1944. Sur cette production, les occupants prélèvent encore 34 %. (Sources : Serge Berstein, Pierre Milza, *Histoire du vingtième siècle*, *op. cit.*)

réduites comme peau de chagrin : 300 grammes mensuels de viande et 200 grammes de matières grasses. Un tel régime, appliqué dans toute sa rigueur, a de quoi affamer la population, qui ne dispose plus que de 1135 calories par jour, alors qu'un adulte doit en absorber entre 2400 et 3000[1]. A moins d'avoir recours au marché noir. Mais les prix y atteignent bientôt des sommets inaccessibles à la plupart. Durant la période avril-juin 1944, le kilo de bœuf à rôtir, dont le cours légal est de 70 francs, se négocie entre 150 et 200 francs. Le litre de lait, qui coûte normalement 4,60 francs, atteint 12 et même parfois 30 francs, tandis que la douzaine d'œufs se vend 120 francs (valeur : 43 francs) et le kilo de beurre 450 francs (prix légal : 77 francs)[2]. En fait, il n'y a pas de limites. Le 28 septembre 1944, la romancière Colette écrit à des amies : « J'ai acheté un kilo de beurre 750 francs et aujourd'hui, par un hasard miraculeux, douze œufs à 18 francs l'œuf. Et je ne me plains pas, oh non[3] ! »

A ces inconvénients viennent s'ajouter les bombardements aériens, de plus en plus fréquents à mesure que l'issue de la guerre se précise. Afin de désorganiser les convois allemands, les Alliés pilonnent nuitamment gares de triage, voies ferrées, nœuds ferroviaires. Quelquefois, les projectiles ratent leur cible. Dans la nuit du 18 au 19 avril, à Noisy-le-Sec, un raid fait 464 morts.

La nuit suivante, c'est au tour de la gare de la Chapelle : 304 immeubles détruits, 641 morts, plus de 2000 blessés. Il est une heure du matin, la bande du Petit Paradis, alertée par le vacarme, s'élance dans l'escalier. La maison, les vitres tremblent. Gérard et Daniel Gélin débouchent les premiers sur le toit. Là-haut, le spectacle est terrible. Et grandiose. L'horizon flambe : éclairs, embrasements, vrombissement des avions, sifflements. « Gérard, lui, semble devenu fou. Il saute, danse, pousse de grands cris, et soudain pose le pied sur la verrière qui abrite la cour…

1. On note dans ces années une recrudescence de la tuberculose et de diverses carences chez les adolescents, tandis que la mortalité infantile s'accroît.
2. Source : INSEE.
3. Colette, *Lettres aux Petites Fermières*, *op. cit.*

Les vitres cèdent et s'éparpillent avec fracas. Je n'ai que le temps de l'attraper par le bras. C'est à peine s'il s'aperçoit du danger qu'il vient de courir, tant est saisissante cette vision d'Apocalypse[1] ! » L'Ange de *Sodome*, qui précipite le feu du ciel sur les humains, vient de retrouver son élément sur le toit-terrasse d'un hôtel du IXe arrondissement !

Il exagère un peu, l'Ange ! Il en rajoute dans la pureté et dans l'intransigeance. Comme ce jour où Daniel Gélin vient faire la paix, alors qu'ils sont en froid depuis quelque temps. Une histoire toute bête. Gérard, entrant à l'improviste dans la chambre de son camarade, l'a découvert couché près d'une charmante personne. Présentations, poignées de mains. Gérard : « Vous êtes très jolie, mademoiselle. » Daniel, dans un élan de générosité : « Tu la veux ? » Fuite effarouchée de Gérard, dont les pas claquent dans le couloir. Et grand silence fâché.

Donc, Gélin vient faire la paix. « Mais qu'est-ce qu'il y a ? Explique-toi ! – Au fond, c'est toi qui as raison, répond Gérard. Moi, je n'arrive pas à vieillir. Il ne faut pas faire attention. Moi, au fond, je suis un ange[2]… »

En attendant, l'Ange fait du porte-à-porte et court le cachet. Salle Pleyel, il prête son concours, comme on dit, à des récitals de poésie : il s'agit de déclamer des vers sur lesquels évoluent des danseurs. Ce jour-là, il doit jouer une scène de *Phèdre*, tandis que dansent Renée Jeanmaire, future Zizi, et Roland Petit. Soudain, le trou noir. On s'arrête, on reprend. Deuxième trou, exactement au même endroit. La salle frémit, murmure. Gérard ne résiste pas au troisième trou. Plantant là partenaire et danseurs, il s'enfuit en coulisses dans un grand reniflement de larmes… Ni ce jour-là ni jamais, il ne jouera *Phèdre*. Et pourtant, que n'aurait-il pas fait du rôle d'Hippolyte ! L'intransigeant, le pur, l'intouchable Hippolyte…

1. Daniel Gélin, *Deux ou Trois Vies qui sont les miennes*, *op. cit.*

2. « Il y a quarante ans, Gérard Philipe mettait en scène et interprétait *Lorenzaccio* au Festival d'Avignon », émission citée. Daniel Gélin a également raconté la scène dans son volume de souvenirs, *Deux ou Trois Vies qui sont les miennes*, *op. cit.*

4

« Je n'oublierai jamais cette générale étouffante, par une température d'été. Dans la salle exiguë et comble, chacun ruisselait et s'épongeait. [...] On investissait Sainte-Mère-Église et les combattants tombaient en masse au pied des falaises normandes, mais l'événement du mois était la pièce de Jean-Paul Sartre [1]. »

Le 10 juin, en effet, au Théâtre du Vieux-Colombier, Jean-Paul Sartre présente *Huis clos*, sa deuxième pièce. Un salon second Empire, une cheminée et un bronze de Barbedienne, trois canapés : un jaune, un vert, un bordeaux – et « L'enfer c'est les autres »...

L'enfer, c'est surtout la côte normande, où, depuis quatre jours, les Alliés luttent sans relâche pour prendre pied sur le continent. L'opération lancée contre la Sicile, en juillet 1943, par les Anglo-Américains n'était que la première étape d'un vaste plan de reconquête de l'espace européen. La conférence de Québec, qui se tient du 17 au 24 août, jette les bases de l'étape suivante. Malgré l'opposition de Winston Churchill, partisan d'un débarquement dans les Balkans, c'est la thèse américaine d'une invasion de l'Europe par l'ouest, déjà avancée en mai lors de la conférence de Washington, qui est retenue. Date envisagée : 1er mai 1944. Nom de l'opération : Overlord. En vue de quoi le général Eisenhower est nommé commandant des forces suprêmes des troupes alliées dès décembre 1943. En quelques mois, l'état-major va devoir résoudre des problèmes apparemment insolubles en un tel laps de temps : équipement, armes, carburant... Tous seront réso-

1. André Roussin, *Rideau gris et Habit vert*, Albin Michel, 1983.

lus. Un pipe-line, immergé sous la Manche, ravitaillera les troupes sur place, deux ports artificiels, à Saint-Laurent-sur-Mer et surtout à Arromanches, permettront le transit du matériel. Et le 6 juin, à six heures vingt, sautant des barges à fond plat sous les tirs allemands, l'infanterie d'assaut déferle sur les plages normandes, rebaptisées à l'américaine « Omaha Beach », « Utah Beach »… Un front marin de dix-sept kilomètres, avec un bateau tous les soixante-dix mètres : le plus grand débarquement de tous les temps a commencé. Le soir même, cinq divisions américaines, trois britanniques et deux canadiennes se sont ancrées entre les embouchures de l'Orne et de la Vire. Les opérations de débarquement se poursuivront jusqu'au 12 juin. 80 000 hommes au total, dont plus de 2 000 vont trouver la mort sur les galets normands.

Huis clos, donc. Gros succès de presse. Même si certains spectateurs ont été surpris par le ton de la pièce : « Après *Les Mouches*, je m'attendais à du Giraudoux. Et qu'est-ce qu'on m'offre ? Du Kafka[1] ! » Un succès, malgré l'acte qu'on donne en deuxième partie, après l'entracte. Ce *Souper interrompu* de Paul-Jean Toulet sera d'ailleurs vite relégué à « la place qui aurait dû toujours être la sienne, en lever de rideau[2] ». Le directeur du théâtre, Anet Badel, ayant négligé de modifier les affiches, de nombreux spectateurs attribueront les répliques de Toulet à Sartre… Et s'étonneront de leur insipidité. En tout cas, Gérard Philipe a eu, comme on dit, le nez creux. Car c'est à lui qu'on a d'abord proposé le rôle travesti de la Merveilleuse, que jouera Tony Jacquot. Pas longtemps, puisque *Le Souper interrompu* est lui-même rapidement interrompu et remplacé par *Le Tombeau d'Achille*, d'André Roussin.

Le 13 et le 14 juin, Gérard, bien qu'il ne soit qu'en première année, est admis à participer aux concours de sortie du Conservatoire, qui ont lieu cette année-là au Théâtre de l'Odéon. Sur la scène, que les coupures de courant plongent parfois dans l'obscu-

1. Guillaume Hanoteau, *Ces nuits qui ont fait Paris*, Fayard, 1971.
2. *Ibid.*

rité, il donne huit fois la réplique à ses camarades : Scapin, Ruy Blas, Octave, Cœlio… Quant à lui, il s'est réservé le personnage de Valentin *(Il ne faut jurer de rien)* et, une fois encore, le monologue fétiche de *Fantasio* qui avait tant frappé Mme Dussane. « Je me souviendrai toujours de ce drôle de Fantasio, raconte Pierre Bertin. Ma parole ! A croire qu'il se moquait de nous, le jury. Pas trace de tradition, d'application, dans ce qu'il faisait. Du chiqué ! De la facilité ! Une belle nature qui donnait l'impression de n'en faire qu'à sa tête. C'était exceptionnel mais très anormal. D'ailleurs, il n'a eu qu'un second prix de comédie[1]. »

Ce qui n'empêche pas l'impétrant de consoler Zanie Campan, qui vient de rater sa scène de *La Mégère apprivoisée*. Zanie est une personnalité en vue : mariée à l'éditeur Jean Aubier, elle a participé trois mois plus tôt à la lecture publique du *Désir attrapé par la queue*, six actes loufoques signés Picasso, donnée dans l'appartement de Michel Leiris, quai des Grands-Augustins. Avec des acteurs de choix : Jean-Paul Sartre, Simone de Beauvoir, Raymond Queneau… Et Albert Camus à la régie. Un véritable événement parisien qu'aplaudissent Jean-Louis Barrault, Jacques Lacan, Armand Salacrou, Georges Braque.

« "J'ai raté ma Mégère… Mauvaise… mauvaise… à jeter dehors", sanglote Zanie Campan, accrochée à Gérard, tandis qu'elle essuie ses larmes aux revers de son veston[2]. » Et sans doute n'est-il pas insensible aux charmes de la jeune éplorée.

Insensible ? Sensible ? Une curieuse correspondance échangée avec Jacques Sigurd, son ami le plus proche, et dont il ne reste hélas que les lettres de ce dernier, aborde la question de front. Missives souvent rageuses et comme pleines d'un dépit d'amoureux éconduit, qui nous renseignent toutefois sur le caractère du jeune comédien : « C'est la première fois depuis que nous nous connaissons que tu as vis-à-vis de moi une attention qui me touche profondément », lit-on dans une de ces lettres. Dans une autre : « Je n'avais dès le début aucune illusion sur toi. Je savais

1. *In* Paul Giannoli, *La Vie inspirée de Gérard Philipe*, *op. cit.*
2. *Ibid.*

comme tu étais superficiel, égoïste et profondément sec. » « Lutte contre ton égoïsme et contre ta sécheresse. Tu peux t'en guérir, mais il faut agir maintenant. Veux-tu devenir un type très bien ou un salaud ? Tu es à même de choisir. Dans quelques mois il ne sera peut-être plus temps. Alors lutte maintenant, force-toi, empoigne le taureau par les cornes, fais-le sans en avoir envie, presque à contrecœur. Autrement, quoi que tu fasses, tu resteras toujours moralement un fils à papa dans le mauvais sens du mot. Et crois-tu pouvoir être profondément et sincèrement un bon comédien si tu as dans la poitrine un bloc de marbre ? » Ce conseil enfin : « Méfie-toi de ton côté brillant. Il est utile, il faut le garder, mais méfie-t'en comme de la peste. Je te souhaite de rencontrer l'amour. C'est une chose que j'aurais voulu voir. J'aurais voulu te voir aimer et être aimé de la façon que je désire pour toi. J'aurais voulu te voir marié, heureux [1]... » Ce dernier souhait, le signataire le verra se réaliser. Mieux, il ne sera pas étranger à sa réalisation.

Au Petit Paradis, l'été a dispersé les locataires. Simone Signoret, Yves Allégret, Daniel Gélin et Danièle Delorme se sont repliés en Haute-Marne, à La Sapinière, cette maison où les enfants Allégret passaient autrefois leurs vacances. Le départ a été rapide. Surtout pour Signoret et Allégret, qui ont quitté Paris en hâte. Affaire de Résistance ? Pas du tout. « Déménager à la cloche de bois d'un hôtel-restaurant dont le patron est collabo, en y laissant un énorme drapeau, ce n'est pas résister », plaisante Simone Signoret dans *La nostalgie n'est plus ce qu'elle était*. Une occasion que l'on saisit, c'est tout. En outre, Allégret est recherché par le STO. Comme Daniel Gélin, qui les rejoint à La Sapinière quelques jours plus tard. Gérard est resté seul à Paris. Depuis le débarquement, les Alliés ne cessent de progresser sur le territoire français : Bayeux, Isigny sont libérés. Le 27 juin, c'est au tour de Cherbourg, de Caen le 9 juillet. La percée d'Avranches, le 30, ouvre aux troupes alliées le chemin de la

1. Archives Gérard-Philipe, Maison Jean-Vilar.

Bretagne, puis, au prix d'un vaste mouvement d'enveloppement, la route de Paris. Mais les Parisiens ont été plus rapides. Alors que le général Von Choltitz, commandant en chef de la Wehrmacht, se prépare à repousser l'assaut, ce sont les Parisiens qui l'attaquent. De l'intérieur. « L'insurrection ? C'est une suite d'escarmouches, de brefs assauts, nés d'une situation momentanée. Un dépôt est-il abandonné par les Allemands ? Les FFI l'occupent. Une patrouille s'éloigne-t-elle ? Elle est attaquée[1]. »

Les Forces françaises de l'intérieur, créées en mars afin de regrouper les combattants de la Résistance, sont en effet à l'origine du mouvement insurrectionnel. Par la voix de leur chef, le colonel Rol, qui, le 19 août, ordonne à ses troupes d'Ile-de-France « d'attaquer les Allemands isolés ou les détachements légers, de créer un état d'insécurité permanent chez l'ennemi et d'interdire ses mouvements[2] ». 1 500 volontaires l'entendent. Parmi eux, Gérard. L'influence de Jacques Sigurd, résistant de la première heure, n'est peut-être pas étrangère à cet engagement tardif pour une cause qui, jusque-là, n'a guère semblé préoccuper Gérard. Encore que dans la liesse d'abord secrète, puis de plus en plus visible, qui agite le cœur des Parisiens à l'approche de la victoire, bien des vocations aient pu éclore... Qui sait ? Dans toute insurrection, ne faut-il pas faire la part du romantisme de la poudre et du combat de rue ? Hors de toute idéologie...

Mais n'oublions pas que cette libération, tant attendue par les uns, est pour les autres l'annonce de temps difficiles. Pour le propriétaire de l'Hôtel du Petit Paradis, par exemple. Gérard ne peut pas ignorer les dangers que son père va courir, lorsqu'il se présente aux portes de l'Hôtel de Ville, le 20 août au matin, en compagnie de ses amis Jacques Sigurd et Michel Auclair. Avec eux, des centaines d'hommes, qui ont appris que les FFI s'étaient rendus maîtres du bâtiment et qui viennent à la rescousse. « Nous étions à peine une quinzaine au début de l'insurrection, et plus d'un millier à la fin », ironise aujourd'hui Roger Stéphane[3], alors

1. Pierre Bourget, *Paris 1940-1944*, Plon, 1979.
2. *Ibid.*
3. Entretien avec l'auteur, avril 1991.

commandant militaire de l'Hôtel de Ville. Roger Stéphane, jeune journaliste à peine rescapé des prisons allemandes, a rejoint dès le 19 la préfecture de police, premier centre administratif occupé. Affecté à la porte donnant sur le parvis de Notre-Dame, il est blessé au bras lors d'une sortie et conduit à l'Hôtel-Dieu. Où les médecins n'auront pas le temps de l'opérer : rappelé d'urgence à la préfecture, il est aussitôt désigné pour s'emparer, avec une quinzaine de militants, tous policiers insurgés, de l'Hôtel de Ville. L'opération a lieu dans la nuit. Avec rien : quelques revolvers, quelques fusils, trois mitraillettes... « J'ai tout de même eu un moment d'humeur, et j'ai fait remarquer à mes chefs qu'il y avait quatre façades au bâtiment. Trois mitraillettes, ça n'en faisait même pas une par facade ! »

C'est au matin du 20 que Roger Stéphane découvre Gérard, tandis qu'il fait afficher son « ordre du jour n° 1 » sur les portes des grands salons de réception : « Le comité FFI de l'Hôtel de Ville tient à féliciter personnellement ses camarades qui ont transformé en une victoire complète l'attaque allemande sans qu'il y ait eu de pertes parmi les nôtres. Deux Allemands ont été tués, deux blessés et trois autres capturés. Les munitions prises à l'intérieur des camions conquis nous permettent d'assurer maintenant la défense de l'Hôtel de Ville. »

« Je n'ai jamais eu beaucoup de voix, mais ce matin-là, après avoir tant crié pendant toute la nuit, je n'en avais plus du tout, se souvient Roger Stéphane. Comment donner un ordre collectif ? Il me fallait trouver un porte-voix, en quelque sorte. Gérard Philipe était devant moi, son visage m'a plu, je l'ai choisi. Je suis resté six jours et six nuits sans dormir, et pendant tout ce temps il ne m'a pas quitté d'une semelle, retransmettant à voix haute ce que je lui chuchotais à l'oreille. On me faisait chaque jour une piqûre de caféine et une autre d'huile camphrée. Je crois qu'on les faisait aussi à Gérard. Il s'agissait de tenir et de tenir encore. »

On retrouve un écho de ces journées de fatigue et de joie dans les notes de Jean Cocteau prises sur le vif : « La radio encore mal organisée en cachette, sous l'œil des Allemands, nous apporte le reportage des jeunes hommes éreintés, bafouillant de fatigue et d'émotion. On se bat dans tous les quartiers aux barricades. J'avais laissé Roger Stéphane, le premier jour, devant l'Hôtel de Ville après avoir vu hisser le drapeau français sur les tours de Notre-Dame, au milieu d'une foule qui vendait et achetait des insignes tricolores. Stéphane s'est battu à l'Hôtel de Ville et a été blessé au bras et nommé capitaine de la Résistance [1]. »

A l'Hôtel de Ville, l'état-major insurrectionnel réussit des miracles quotidiens – ne serait-ce qu'en nourrissant deux fois par jour cette troupe braillarde. Et Gérard distribue scrupuleusement les bons de vin et de sandwichs. Jean Marin, qui fut avec Maurice Schumann la « voix » des ondes libres de la BBC, vient rendre visite aux insurgés. Retour de Londres, il s'apprête dès le mois d'août à animer un nouveau poste de radio à Rennes. « L'insurrection de Paris eût pu être héroïque. Le fait est qu'elle fut surtout joyeuse », déclarait il y a trente ans Roger Stéphane [2]. Avec le temps, il n'a pas changé d'avis. Sauf pour rappeler quelques moments plus graves : « Les différents groupes qui composaient la troupe de l'Hôtel de Ville, venus d'horizons divers, ne s'entendaient pas toujours très bien entre eux. Il y avait des membres des GMR, les groupes mobiles de réserve, les CRS de l'époque en fait, des policiers de la Ville de Paris, des gars des équipes nationales, un peu pétainistes sur les bords, etc. » Une idée germe alors dans la tête de Stéphane : ce qui manque à cette armée de volontaires, c'est un uniforme ! Sous la tenue réglementaire, ils oublieront leurs divergences. Aussitôt, il fait réquisitionner un stock de bleus de mécano au Bazar de l'Hôtel de Ville. Et met tous ses hommes en cotte de travail !

Le 23 août, cependant, la 2e division blindée des Forces françaises libres, commandée par le général Leclerc, fonce sur Paris : 16 000 hommes dans 4 000 véhicules parcourent 200 kilomètres dans la journée. Car le temps presse. Les FFI parisiens ont fait savoir qu'ils redoutaient de ne pouvoir résister à une attaque sérieuse des Allemands. Le 24, les troupes sont à Meudon. Le

1. Jean Cocteau, *Journal, 1942-1945*, *op. cit.*
2. In *Souvenirs et Témoignages*, *op. cit.*

soir, dans le grand réfectoire de l'Hôtel de Ville, Roger Stéphane « monta sur la table entre les gamelles de nouilles. Gérard Philipe grimpa sur un banc, et nous entendîmes la voix de l'Ange de *Sodome et Gomorrhe* de Giraudoux proclamer, après un bredouillis cassé et inaudible du commandant aphone : "Les premiers chars de l'armée française franchissent en ce moment la Seine au cœur de Paris !" Aucun texte dit par Gérard ne fut jamais davantage acclamé[1] ».

Dans Paris, la fièvre est à son comble. « Ils sont à Antony !... Ils sont sur les hauteurs de Châtillon... Non, ils se battent encore... Ils réparent la route pour faire passer les tanks... Ils sont entrés... Ils entrent[2]... » Dans l'après-midi du 25, Leclerc reçoit la reddition de Von Choltitz. Paris est libre.

Deux certificats, l'un signé du lieutenant Jacq, chef-adjoint FFI du sous-secteur Seine, l'autre de Robert Chauvez, président de l'Amicale des résistants et combattants de l'Hôtel de Ville de Paris, rappellent que, en ces journées décisives, la « conduite de Gérard Philipe fut digne d'éloges[3] ». Dont acte.

Ses brevets de bonne conduite, Gérard les a rangés dans un classeur. Et les a vite oubliés. Mais quand il lui faut, deux ans plus tard, alors qu'il tourne *Le Diable au corps*, traduire d'un geste l'agacement d'un gamin trop vite grandi, c'est dans un souvenir de ces journées héroïques qu'il puise. Il se rappelle un jeune résistant de l'Hôtel de Ville à qui l'on a refusé un bon de ravitaillement et qui, de dépit, a fait un tour complet sur lui-même, en pivotant sur un seul pied.

Oubliés, donc. Sauf que, dans l'immédiat, il conserve de l'épisode une sorte de combativité nouvelle. Et pour commencer, alors qu'il entre en deuxième année du Conservatoire, il demande à changer de professeur. Lassé sans doute des méthodes de Denis d'Inès, c'est dans la classe de Georges Le Roy qu'il souhaite poursuivre son enseignement. Ce qui lui est d'abord refusé par Claude Delvincourt, directeur du Conservatoire, qui lui notifie, le

1. Claude Roy, *Nous*, Gallimard, 1972.
2. Colette, *L'Étoile Vesper*, Genève, Milieu du Monde, 1946.
3. Archives Gérard-Philipe, Cinémathèque française.

10 octobre, que, après consultation de Denis d'Inès, « il ressort que M. Gérard Philipe n'a pas de raisons sérieuses pour demander son changement d'une classe dans laquelle il a jusqu'à présent parfaitement réussi et que, dans ces conditions, son changement ne saurait être accordé[1] ».

Mais Gérard ne s'en tient pas là et adresse aussitôt à son maître un véhément pneumatique, où il lui reproche notamment de le retenir de force. Piqué au vif, celui-ci réplique le 14 par une lettre mordante dans laquelle il affirme n'avoir « jamais retenu personne de force ». Et il continue : « C'est moralement que je n'admets pas vos raisons ; inacceptables en toute bonne logique d'un élève à qui mon enseignement n'a fait connaître que des succès, et qui ne "méconnaît pas" (ce sont les termes de votre pneumatique) tous les progrès que je vous ai fait faire l'année dernière ! Vous devez, cher Monsieur Gérard Philippe *[sic]*, avoir des raisons plus substantielles pour accomplir un acte dont vous ne semblez pas réaliser l'inélégance. » Et la lettre, fort longue, s'achève sur un trait d'ironie, comme si le signataire soupçonnait quelque intrigue : « Enfin, ne m'en veuillez point trop, même si un reste de ma fatale empreinte influe sur votre réussite de juillet prochain, laquelle vous mènera, je vous le souhaite – et la classe que vous avez choisie a depuis quelques années chance heureuse –, à la Comédie-Française[2]. »

Entre les deux hommes, les ponts sont coupés. Et, le 23 octobre, Claude Delvincourt adresse de nouveau une note à l'élève rebelle. Sobre, celle-là : « Monsieur Philip *[sic]* passe de la classe de M. Denis d'Inès à la classe de M. Le Roy. » Gérard a gagné. Il a gagné plus qu'un maître : un second père, si c'est être père qu'enseigner, révéler, soutenir... Car Georges Le Roy, tout au long de la carrière de Gérard, se tiendra dans l'ombre à ses côtés. L'épouse du comédien, elle-même, en témoignera : « Ce professeur a eu une influence énorme sur lui. Il lui a appris véritablement l'amour du théâtre[3]. »

1. *Ibid.*
2. *Ibid.*
3. Anne Philipe, *L'Événement du Jeudi*, 9-15 juillet 1987.

Quand Georges Le Roy entre à la Comédie-Française, en 1908, il a vingt-trois ans. Au Conservatoire, il a été l'élève de professeurs dont les noms, aujourd'hui, sonnent comme une légende : Sarah Bernhardt, Mounet, Laugier... Parrainé par Mounet-Sully, il débute au Français dans le rôle d'Oreste *(Andromaque)*. Mais c'est son interprétation des héros de Musset, auxquels il prête une sensibilité fiévreuse, qui laissera les plus grands souvenirs. En 1911, il publie une *Grammaire de la diction* et, bientôt, un *Traité de diction française*. Professeur au Conservatoire à partir de 1929, il a formé plusieurs générations de comédiens[1]. « C'est à Georges Le Roy que je dois le plus, disait Gérard Philipe. Il surplombait les auteurs et réchauffait les rôles d'une connaissance psychologique. Il m'apprit aussi à me tenir droit, le jarret tendu, face à la vie[2]. »

Jusqu'à la fin de ses jours, en 1965, Georges Le Roy évoquera fidèlement la mémoire de son élève. En 1960, fouillant dans ses souvenirs, il rapporte qu'un jour, à la fin du cours, alors que tous quittaient lentement la salle, Gérard, sans un mot, bondit sur le rebord de la fenêtre et, de là, dans la cour. Deux mètres plus bas. Sans dégâts, fort heureusement. Sauf une légère claudication[3]. Cette gaminerie, toujours ! Ces fous rires incontrôlables !

Comme ceux qui le saisissent chaque soir, au même moment, sur la scène du Théâtre Gramont. Où, depuis le 8 novembre, Gérard joue *Au petit bonheur*, comédie de Marc-Gilbert Sauvajon. Avec lui, dans un décor représentant une salle de restaurant, Odette Joyeux, sa partenaire des *Petites du quai aux Fleurs*, l'ami Jacques Dynam et Sophie Desmarets. Un rire terrible, ravageur, qui gagne peu à peu ses camarades, les figeant sur place, secoués de hoquets et de sanglots.

Un critique dramatique demandera même à la troupe, dans son article, de faire preuve d'un peu plus de conscience professionnelle. Sans succès.

1. Edwige Feuillère, notamment, fait allusion à son enseignement dans ses souvenirs *(Les Feux de la mémoire, op. cit.)*.
2. *Souvenirs et Témoignages, op. cit.*
3. *Ibid.*

Pourtant, l'heure est grave pour la famille Philip. A Paris comme à Grasse. Là-bas, à Magéjean, les FFI ont poussé cette porte derrière laquelle, naguère, Marcel Philip mesurait ses fils, taillant d'année en année des encoches dans le bois tendre. C'est lui qu'ils cherchent. On l'a dénoncé. Ce n'était pas nécessaire. Le Parc Palace, rendez-vous voyant des occupants, constituant à lui seul une charge écrasante. A Paris, Marcel Philip, qui, contrairement à beaucoup de ses amis, n'a pas suivi les Allemands, se cache. Il va de logement en logement pour échapper à ses poursuivants. En vain : l'épuration a commencé.

L'occupant disparu du paysage, la colère populaire a vite explosé à l'encontre de ceux que la rumeur prétend, à tort ou à raison, coupables de collaboration. Femmes tondues, marquées à l'encre d'une croix gammée ou promenées nues par les rues, arrestations, coups, exécutions sommaires... C'est pour mettre un frein à ces représailles, qui parfois tournent au règlement de comptes, que seront établies, en novembre 1944, une Haute Cour de justice, destinée à juger les principaux responsables du gouvernement de Vichy, et des chambres civiques chargées d'instruire les actes de collaboration.

Tandis que Marcel et Minou courent d'abri en abri, tandis qu'ils sursautent chaque fois qu'on sonne à la porte d'un de ces logis de fortune, tandis que Marcel serre dans son poing le revolver qui ne le quitte plus, l'étau se referme... Fin octobre, la traque s'achève. « C'est un homme voûté qu'une traction noire emmène vers le camp de Saint-Denis où grouille une faune inquiète, promise aux prisons et à la mort, et où les coupables côtoient les imprudents[1]. »

Le prisonnier donne vite de ses nouvelles. Une carte postale du modèle le plus banal, sans illustration, datée du 7 novembre 1944, arrive bientôt de Saint-Denis : « Je peux écrire une carte de sept lignes chaque dix jours ; tu peux me répondre de même. Je pense que Mamy va mieux maintenant. Tu as très bien fait de la garder ; il faut me remplacer, l'entourer ; surtout si Jean part.

1. François Caviglioli, *Paris-Match*, 10 février 1973.

Malgré l'absence de Papy il faut continuer la tradition de soutien de la tribu familiale avec chacun un courage débordant[1]. » Barrée par le cachet de la censure du camp, la carte est signée « Papy ». Au recto, l'adresse de l'expéditeur : « Fernand Guillot, chambre 130, Centre d'hébergement, Saint-Denis. » Et celle du destinataire : « Philipe-Gérard, chez Sigurd, 7 rue du Dragon, Paris. » Car Gérard, qui a déserté la rue de Paradis, partage désormais le deux-pièces-cuisine de Jacques Sigurd, à Saint-Germain-des-Prés. Sous le faux nom qui cache mal sa honte, Marcel restera onze mois en prison : Saint-Denis, Fresnes...

Minou, pendant ce temps, va faire l'objet d'un véritable racket. Dès l'arrestation de Marcel, le défilé des « amis » a commencé. L'un prétend pouvoir le faire libérer, l'autre l'aider à fuir, un troisième... En échange de fortes sommes, bien sûr, que Minou, folle d'inquiétude, consent à verser. Mais tous les biens du condamné ont été placés sous séquestre. Et Minou, vite à court d'argent, doit vendre robes de couturiers, fourrures, bijoux... De son côté, Gérard se démène comme un diable pour faire jouer ses relations. Il possède de nombreux amis parmi les ex-résistants. Son crédit est intact auprès d'eux : lui-même s'est illustré à l'Hôtel de Ville, lors de l'insurrection de Paris... A force d'acharnement, il obtient enfin la libération conditionnelle de son père. En attendant que s'ouvre le procès. Celui-ci sera bref et le verdict sans pitié : la mort. Mais la cour n'a pu juger que par contumace, Marcel est loin déjà. Sur la route d'Espagne.

C'est ici que l'on retrouve la légende. Elle affirme, cette légende, que c'est Gérard lui-même qui a aidé son père à passer la frontière espagnole. Elle donne des dates, des détails... Tous invérifiables. Marcel Philip lui-même (ou son porte-parole !), quelques semaines après la mort de son fils, racontait sa fuite au reporter de *France-Dimanche* qui l'avait retrouvé dans son exil. Récit bien romanesque, qu'il faut sans doute considérer avec circonspection. « Je me rappelle chaque détail de cette nuit. On venait de me condamner à mort par contumace. J'avais choisi de

1. Archives Gérard-Philipe, Maison Jean-Vilar.

fuir la France. Deux heures de marche me séparaient de la frontière d'Espagne. Soudain, dans la vallée déserte, j'ai entendu l'écho d'un harmonium. Jusqu'alors, je n'avais pas eu le loisir d'y penser. Brusquement je me suis souvenu : demain allait être Noël. On était le 24 décembre 1945. La nuit était presque bleue au-dessus du col du Perthus. Je marchais péniblement dans la neige haute. De temps en temps je me retournais pour voir si personne ne me suivait. Cependant je n'avais plus peur : j'entrevoyais enfin l'issue de cette longue aventure. Et puis, à un brusque tournant de la piste en lacets, j'ai aperçu les phares d'une voiture arrêtée sur le versant français. Au volant de l'automobile qui m'avait amené, celui qui m'avait conduit avait choisi de rester là pour m'encourager jusqu'à la fin, dans cette nuit glacée, par sa présence. Il avait 23 ans ; c'était Gérard. C'était mon fils. Il venait de me sauver la vie[1]. »

Deux raisons capitales s'opposent à la version présentée dans ce récit. A l'époque, Gérard ne sait pas encore conduire. Comment aurait-il pu se trouver au volant de l'automobile en question ? Seconde raison : Gérard joue alors *Caligula* au Théâtre Hébertot. Pouvait-il se dispenser d'assurer la représentation du 24 décembre ? De son côté, Jean Philip rapporte que sa mère lui a maintes fois raconté qu'elle avait caché de l'argent dans la doublure d'un sac à dos afin que son mari puisse payer les passeurs.

L'histoire est trop belle. L'article, sur deux pages, s'orne de photos de famille, clichés de Gérard adolescent, de Marcel et de Minou enlacés... De sorte qu'il faut bien croire que les journalistes n'ont pas eu à franchir la frontière pour recueillir ce témoignage : on les a renseignés à Paris.

La cour de justice des Alpes-Maritimes, siégeant à Grasse, n'a retenu aucune circonstance atténuante : le 24 décembre 1945, Marcel Philip, inculpé d'intelligence avec l'ennemi et d'appartenance à un groupe antinational, est condamné à la peine de mort par contumace, à la dégradation nationale et à la confiscation de

1. *France-Dimanche*, n° 701, janvier 1960.

tous ses biens. Le jugement est annoncé en dix lignes dans la presse locale, entre ceux d'un agriculteur de Collongues et d'un étudiant de Cannes-La Bocca, condamnés le même jour pour les mêmes raisons. Il est vrai que de telles affaires sont alors monnaie courante en France, où l'on estime qu'au cours de cette période 40 000 personnes environ ont été privées de leurs droits civils et politiques. Sur 163 077 dossiers instruits par des tribunaux réguliers, 30 % se sont soldés par un non-lieu, 17 % par un acquittement, 25 % par la dégradation nationale. Dans 24 % des cas, des peines de prison, de réclusion ou de travaux forcés ont été appliquées. Enfin, des condamnations à mort ont été prononcées dans 4 % des cas.

Quelques journaux cependant, dont *Le Patriote de Grasse*, rendent compte de l'événement de manière plus détaillée : « Marcel Philip, 52 ans, administreur du Parc Palace à Grasse, est une personnalité qui prit de l'importance pendant l'occupation nazie. Il était délégué régional et membre du comité directeur du PPF des Alpes-Maritimes. Philip avait pour ami intime Doriot et rencontrait souvent Darnand à Paris, où il se rendait fréquemment. De plus, il recevait chez lui des officiers allemands. A Grasse, Philip fut l'auteur de l'arrestation de nombreux résistants et, notamment, de plusieurs communistes. »

C'est ce même article, découpé par une main anonyme, que Gérard reçoit quelques jours plus tard au Théâtre Hébertot[1], collé sur une feuille blanche à côté d'un écho qui, lui, rend compte des « audiences du jour à Grasse ». Dessous, cinq lignes : « Et voici ce que tout le théâtre a reçu ainsi que vous-même ; il est même des articles plus "vedette" et plus gracieux. Et il sera arrêté un jour ou l'autre et ce jour-là sera un jour de joie pour tout Grasse[2]. »

Gérard ne reverra plus jamais son père ailleurs que dans l'exil espagnol. Car Marcel Philip ne reviendra en France qu'en 1969, dix ans après la mort du comédien. Amnistié, en application de

1. Où il joue *Caligula*, d'Albert Camus.
2. Archives Gérard-Philipe, Maison Jean-Vilar.

l'article 6 de la loi du 31 juillet 1968. L'avis de grâce, daté du 25 janvier 1969, porte le numéro 7649 S 68. Certes, ils se verront plusieurs fois à Barcelone : Gérard y conduira sa mère, sa femme, ses enfants. Courtes visites – et tant de choses à se dire que, finalement, on ne se dit rien…

« Hélas ! le père absent, c'est le fils misérable », affirme Victor Hugo dans *La Légende des siècles*. Misérable, non. Différent. Et comme orphelin. Désormais, Gérard prendra ses meilleurs amis parmi ses aînés : René Clair, Jean Vilar – hommes d'expérience et de savoir en qui il semble chercher un substitut paternel.

Mais, pour l'heure, c'est un homme nouveau qui voit le jour en cette veille de Noël. Nouveau, vraiment ? Un homme, tout simplement. Douloureusement, le chien fou devient un homme. Celui qui a traversé le Front populaire, la guerre d'Espagne et l'Occupation sans paraître s'y intéresser, lui, le résistant de la dernière heure, a commencé sa rude métamorphose. Au bout du passage, bien loin encore : l'engagement politique, l'engagement syndical. Pour racheter les péchés paternels ? Qui peut le dire ?… Et c'est peut-être cette mue, cette pénible métamorphose de l'enfance sacrifiée, que devine en scène l'actrice Margo Lion, pendant la représentation de *Caligula*, à travers le trouble de son partenaire : « Il avait la gorge serrée, il respirait avec peine. Je sentais qu'il cherchait à se dominer, à surmonter son angoisse ou son chagrin. J'ai cru un moment qu'il allait éclater en sanglots. […] Il y avait une passion désespérée dans son jeu[1]. »

1. *Souvenirs et Témoignages*, *op. cit.*

5

Flash-back : janvier 1945. Passé minuit, le rideau tombé, Gérard erre dans les sous-sols du Théâtre Gramont, en quête d'une chaise cassée, d'un vieil élément de décor, d'un meuble jeté au rebut – bref, de quelque chose qui brûle. Et réchauffe. Car la chaleur des fous rires qu'il pique chaque soir en scène s'éteint avec les projecteurs d'*Au petit bonheur*. Et on gèle rue du Dragon.

Tandis qu'on se bat encore dans les Ardennes et sur les rives du Danube, Paris grelotte. Et jeûne. L'hiver 1944-1945 est celui de la grande famine : « Matériellement, la situation avait empiré depuis l'année passée ; les transports étaient désorganisés ; on manquait de ravitaillement, de charbon, de gaz, d'électricité [1]. » Dans une lettre du 28 avril, où il annonce à Gérard la naissance de son fils Patrice, Jean Philip, bien que encore bouleversé par l'accouchement difficile de son épouse, n'oublie pas de préciser : « Je t'ai envoyé hier un pot de rillettes par la poste et par la gare un colis d'œufs. Accuse-moi réception. »

7, rue du Dragon, deuxième étage. Derrière la porte palière, un petit couloir où s'ouvrent deux autres portes : l'une est celle de Marcelle Arnold, l'amie de Nice, revenue à Paris, l'autre donne accès au deux-pièces-cuisine que partagent Gérard et Jacques Sigurd. Celui-là même où se sont réfugiés Simone Signoret et Yves Allégret en quittant le Petit Paradis : « On l'avait loué pour deux fois rien, mais il y avait de bonnes raisons pour ça. C'était la boîte aux lettres d'un des plus gros réseaux de la Résistance [2]. »

1. Simone de Beauvoir, *La Force des choses*, Gallimard, 1963.
2. Simone Signoret, *La nostalgie n'est plus ce qu'elle était*, *op. cit.*

Minuit et demi, une heure moins le quart... Gérard rentre, sa maigre provision de bois de chauffage sous le bras.

Rue du Dragon, comme naguère rue de Paradis, le grand plaisir de Gérard est de mystifier au téléphone des correspondants inconnus. Et « Tante Marcelle », comme il l'appelle, lui apporte une aide précieuse : elle est la voix. La voix ensorceleuse. « Nous appelions des numéros au hasard, raconte Marcelle Arnold. Je me souviens de l'un d'eux : Sablons 12 44. Au bout du fil, un homme répondait : toujours le même. Il s'occupait de chevaux. Je me décrivais comme une superbe créature, vêtue d'un somptueux déshabillé et allongée sur des peaux de panthère... Il voulait me voir, il me suppliait, fou d'amour[1] ! »

D'autres fois, avec d'autres correspondants, Gérard prend lui-même l'appareil. Non sans une certaine cruauté. Témoin ce dialogue :

« Allô ! dit Gérard en contrefaisant sa voix. C'est Monsieur ! Nous rentrerons tard, Madame et moi.

– Monsieur me l'a déjà dit, répond la petite bonne.

– Nous ne serons pas seuls. Nous amenons des amis à dîner.

– C'est qu'il n'y a rien, Monsieur !

– Ouvrez les boîtes de sardines, les paquets de pâtes, tout ! »

Fin de la communication. Le lendemain, Gérard rappelle. Un homme décroche. Et Gérard :

« Alors, le dîner était bon ? »

Dialogue téléphonique avec le général X. La conversation s'éternise, des deux côtés on fait assaut d'amabilité.

« Mon général, je dois vous dire quelque chose.

– Quoi donc, mon petit ? répond l'officier avec bienveillance.

– Mon général, je crois que vous avez une bonne tête de con ! »

Humour zazou, sans doute... Ce qui ne l'empêche pas de présenter, très classiquement, Octave *(Les Caprices de Marianne)* aux examens du Conservatoire de janvier 1945. Ni d'être engagé par Jean Marchat et Marcel Herrand, directeurs du Théâtre des Mathurins, pour jouer la pièce de René Laporte, *Fédérigo*. Poète,

1. Entretien avec l'auteur, mai 1991.

romancier, René Laporte a été lié au mouvement surréaliste, ce qui explique le ton de son ouvrage, adapté d'une nouvelle de Prosper Mérimée. Créé le 3 mars 1945, *Fédérigo* offre à Gérard un rôle très semblable à celui qu'il tenait dans *Sodome et Gomorrhe* : le Prince blanc. Et qui risque de le cantonner dans les emplois angéliques et les interprétations poétiques. Mais il rencontre là une partenaire qu'il n'a fait jusqu'ici que croiser : Maria Casarès.

Il en est là lorsque, un soir, le réalisateur Georges Lacombe vient le voir dans sa loge des Mathurins. Il s'apprête à porter à l'écran un roman fantastique de Pierre Véry, *Le Pays sans étoiles*, et souhaite confier le rôle principal au jeune comédien. Qui accepte aussitôt, bien qu'il soit conscient qu'une fois encore on attend surtout de lui une présence romantique. Mais les représentations de *Fédérigo* se poursuivant durant tout le printemps et une partie de l'été, c'est en juillet et août seulement qu'ont lieu les prises de vues. Alors que Gérard lorgne déjà du côté d'un personnage qui va se révéler capital pour sa jeune carrière, en lui permettant de renouveler ses emplois : Caligula.

La guerre est finie. Le 7 mai, la Wehrmacht a signé sa capitulation à Berlin. Il reste maintenant à faire les comptes. Combien de morts ? 40 millions ? 50 millions ? Plus ? En tout cas, le conflit le plus sanglant de l'Histoire. Sanglant, Caligula l'est aussi. Couvert de sang. Albert Camus s'est inspiré de l'histoire du jeune tyran romain pour illustrer un des aspects de sa conception de l'absurdité : l'interrogation humaine face au silence du monde. Comme dans *L'Étranger* ou *Le Mythe de Sisyphe*. Ces trois ouvrages, ses « trois absurdes », comme il les appelait, on sait que Camus souhaitait les publier comme il les avait écrits, c'est-à-dire simultanément. Début 1941, tous trois étaient achevés. Dès le mois de mars, Camus adressait *L'Étranger* et *Caligula* à Jean Grenier, son ancien professeur devenu son ami. Grenier trouva le roman « très réussi », encore qu'il s'avouât gêné par l'ambiance kafkaïenne de l'histoire (rappelons que le même reproche sera fait à Sartre, en juin 1944, lors de la présentation de *Huis clos*). En revanche, il demeura perplexe devant la pièce,

« un peu trop romantique » à son goût. Et il s'interrogea : que donnerait-elle sur scène[1] ? Sur ce point, Simone de Beauvoir nous renseigne : « J'avais assisté au *Caligula* de Camus, qui, à la lecture, m'avait laissée froide. Gérard Philipe transfigurait la pièce[2]. » Ce rôle qu'il souhaitait de toutes ses forces depuis que Sigurd lui avait fait lire la pièce, c'est le hasard qui va le lui donner. Le hasard et la chance.

« Pendant que je tournais *Le Pays sans étoiles*, raconte-t-il, se place un événement qui, peut-être, a décidé de ma carrière. J'avais appris que Jacques Hébertot allait monter le *Caligula* de Camus. Je décide de tenter ma chance. Un soir, à six heures, en sortant du studio, je me présente à Hébertot. J'avais conservé mon maquillage. C'était de la préméditation : on m'avait dit qu'Hébertot me trouvait l'air fatigué et je ne voulais pas lui donner l'occasion d'en faire à nouveau la remarque. Je lui exposai donc le but de ma visite :

« – Mais, mon petit, me dit-il, tu n'y penses pas ! Qu'est-ce que tu voudrais être dans cette pièce ?

« – Caligula.

« Il se récria :

« – Mais tu es un ange, pas un démon !

« – Permettez-moi au moins d'essayer.

« – Je regrette, ce n'est pas possible, Caligula est engagé. Ce sera Henri Rollan.

« – Bon. Mais, le cas échéant, pensez tout de même à moi, si vous faites une tournée, par exemple.

« Quatre jours après, Henri Rollan attrapait une insolation en Afrique et devait renoncer au rôle. Je vais voir Camus qui se déclare d'accord pour que je le reprenne. Et je suis engagé par Hébertot[3]. »

1. Bernard Pingaud, « La part obscure de *L'Étranger* », *Le Monde*, 17 juillet 1992.
2. Simone de Beauvoir, *La Force des choses*, *op. cit.* A ce moment, et surtout après *Le Diable au corps*, Gérard Philipe est l'acteur préféré de Beauvoir (rapporté par Deirdre Bair, *Simone de Beauvoir*, Fayard, 1991).
3. Propos recueillis par Jean Nery, in *Ciné Révélation*, 24 mars 1955.

« Tu es un ange, pas un démon... » Nombreux sont les spectateurs qui le pensent aussi. Mais au soir de la générale, le 26 septembre, quand Gérard fait son entrée en scène, c'est l'étonnement qui saisit l'assistance. Cette haute silhouette, drapée dans la tunique ocre dessinée par la costumière Marie Viton, cette tempête de cheveux sombres, cet air malcontent, cette fêlure... C'est le démon en effet, l'ange du mal, le prince des ténèbres, qui vient de triompher de l'ange immaculé dont chacun gardait le souvenir lumineux...

« Le protagoniste, M. Gérard Philipe, semble un futur Jean-Louis Barrault, écrit le critique Robert Kemp dans *Le Monde*. Même fièvre, et une silhouette fine et rare. L'intelligence en éveil ; et animant chaque mot. Sa voix n'est pas encore solide. Sa diction est d'une netteté implacable ; et il en profite. » Mme Dussane : « Il donna l'impression que la recherche d'un absolu et d'un infini toujours refusés, que la quête de la lune, tourment en apparence purement intellectuel, avaient causé chez Caligula une souffrance déséquilibrante[1]. » De son côté, Pierre de Boisdeffre note : « Ce fut le miracle de *Caligula*. Mais, au-delà du tyran pervers et mythomane auquel un adolescent de génie prêtait un physique de jeune premier, [...] il me semble que ce qu'il y eut de meilleur dans la France de la Libération se retrouvait dans ce jeune visage. » Bien plus tard, se confiant à Henri Rode pour le magazine *Cinémonde*, Minou avouera : « Quand Gégé jouait *Caligula*, quelle angoisse en moi ! Sortant de scène, il restait halluciné un long moment, comme perdu, épuisé. A cette époque, il était d'autant plus fougueux, fou de son art, qu'il s'y précipitait pour oublier la tragédie familiale que nous vivions. Un soir, j'ai entendu le décorateur Christian Bérard, saisi de la même crainte que moi, murmurer : "Son talent est extravagant, mais cet enfant va se tuer, c'est trop lourd"[2]. »

Dans ce Paris de l'après-guerre, le théâtre explose littéralement. Si le public court à Hébertot voir Gérard Philipe dévider,

1. Dussane, *Notes de théâtre*, Lardanchet, 1951.
2. *Cinémonde*, n° 1581, 24 novembre 1964.

jusqu'aux limites du vraisemblable, le fil de la liberté humaine, il se précipite aussi à l'Athénée, où Louis Jouvet, rentré d'Amérique, présente en décembre la pièce-testament de Jean Giraudoux, *La Folle de Chaillot*. Jouvet a beaucoup hésité sur le parti à prendre, avant de monter *La Folle*. Sa première idée est de réunir auprès de la titulaire du rôle, Marguerite Moreno, tout le gratin du théâtre français : Raimu, Pierre Blanchar, Bernard Blier... Et Gérard Philipe, dont on commence à parler. Tous dans de petits rôles, ou du moins des rôles de second plan. « Il y a eu une réunion à l'Athénée, un dimanche, après la matinée de *L'École des femmes*, raconte Bernard Blier dans un entretien inédit datant de 1960[1]. Jouvet nous a dit : "Voilà, les enfants, il y a quatre lignes à l'acte I et deux lignes à l'acte II, etc." Gérard et moi, nous avons lu ces quatre lignes du I et ces deux lignes du II. Mais je sentais qu'il se moquait complètement de cette lecture. En sortant, il m'a dit : "Tu viens faire un carton ?" Je me souviens très bien de cette volonté évidente d'oublier un moment déplaisant. Et je me suis aperçu ensuite, en le connaissant mieux, qu'il avait effectivement une façon très personnelle d'effacer les choses qui l'ennuyaient. »

Mais cet enthousiasme du public est impuissant à faire bouger le théâtre. Les structures du théâtre. Le succès reste l'apanage de quelques salles parisiennes. Des principes comme ceux du théâtre populaire ou de la décentralisation, pourtant énoncés depuis une cinquantaine d'années, demeurent lettre morte. Alors que la plupart des objectifs décrits par le général de Gaulle dans son discours prononcé au palais de Chaillot en septembre 1944 sont en cours d'élaboration (nationalisation des sources d'énergie, création des comités d'entreprise, élargissement de la sécurité sociale à tous les salariés...) et qu'ils modifient le paysage social français en le faisant entrer dans l'ère moderne, la culture, négligée, reste absente de ces grandes mutations. Et il faudra attendre les années cinquante pour que soit véritablement mise sur pied une politique nationale susceptible de répondre, sur une grande échelle, à la

1. Archives Gérard-Philipe, Maison Jean-Vilar.

demande des spectateurs. Ce sera l'heure des centres dramatiques de province, celle aussi du Théâtre national populaire.

Ayant déjà déclaré forfait, en juin, au moment de se présenter au concours de fin d'année[1], Gérard, au mois d'octobre, renonce définitivement au Conservatoire. Le 27 octobre 1945, Claude Delvincourt accuse réception de sa lettre de démission datée du 22. Et, le 31 octobre, une note adressée à « M. Philipp » *[sic]* précise que, en vertu de l'article 66 du règlement, celui-ci « n'ayant pas rejoint ses classes à la date du 8 octobre est considéré comme démissionnaire ».

Qu'a-t-il besoin, désormais, de l'enseignement du Conservatoire ? Il triomphe au théâtre, le cinéma s'intéresse à lui... Et Marlene Dietrich en personne, amenée par son amie Margo Lion, vient lui rendre visite rue du Dragon. Marcelle Arnold est présente : « Marlene superbe, élégante, escortée de sa fille qu'elle avait habillée en gamine, sans doute pour se rajeunir ! »

Aussi s'autorise-t-il quelques plaisirs. Et d'abord celui de tourner bénévolement pour Alain Resnais. Leur amitié s'est nouée naguère en zone libre, à Nice, et le jeune réalisateur demeure maintenant à deux pas de Gérard, rue du Dragon. La copie du court métrage qu'ils tournent ensemble, *Schéma d'une identification*, est perdue. Sans doute irrémédiablement. Dommage. Gérard, en smoking, jouait le rôle d'un jeune noceur, confronté à François Chaumette dans celui d'un ouvrier. Même si le film est à l'époque resté inédit, il a fait toutefois l'objet de quelques projections publiques. Le 28 janvier 1946, Alain Resnais confie au bureau de poste de la rue de Vaugirard une carte écrite recto-verso et adressée à Gérard Philipe. Précieuse correspondance, qui nous renseigne à chaud sur l'état d'esprit du réalisateur vis-à-vis de son interprète :

« Je n'aime pas dire les choses en face – d'autant plus que ce soir je viendrais après bien d'autres. Alors voilà. Je suis très, mais très content

« a) parce que tu es très bien – mais très bien.

1. A l'issue de sa seconde année.

« b) parce que beaucoup espéraient que tu te casserais la gueule et que... n'est-ce pas ?

« c) parce que surtout – à plusieurs reprises – tu m'as surpris. Je veux dire : ce ne fut pas mieux que mon attente, mais parfois ce fut différent, et c'est ça qui est épatant.

« Ton ami,

« Alain. »

Il faut croire que l'expérience a séduit Gérard. Il recommencera quelques mois plus tard, avec *Ouvert pour cause d'inventaire*, autre court métrage du même auteur et qui demeurera tout aussi inédit que le précédent. Entre les deux, il trouvera le temps de caser une tournée de *Caligula* dans les sous-préfectures bretonnes et charentaises ! Sans grand succès d'ailleurs.

C'est à cette époque que le critique Georges Sadoul, alors codirecteur avec le poète Pierre Emmanuel de l'hebdomadaire *Les Étoiles*, le rencontre pour la première fois, à Saint-Germain-des-Prés, devant les Deux-Magots, où Gérard traîne un soir, tard, en compagnie de Jacques Sigurd : « Je crois qu'il ne me dit pas plus que quelques mots. Je gardai de lui le souvenir d'un garçon assez timide, pas cabot pour un sou, cinq minutes entrevu durant une de ces nuits de Paris, sitôt après la Libération. Pas une voiture dans les rues, un désert de macadam où les premières feuilles commençaient à poindre, boulevard Saint-Germain, sous la lumière encore avare des lampadaires électriques[1]. »

Ce jeune homme, « pas cabot pour un sou », aurait pourtant de quoi l'être. Ne vient-il pas tout juste d'achever le tournage de *L'Idiot* au studio de Boulogne ?

« Alors que je jouais *Caligula*, je suis mis au courant d'un projet de film qui m'intéresse tout particulièrement : il s'agit de l'adaptation de *L'Idiot* de Dostoïevski. Je m'étais promis de jouer le rôle du prince Muichkine depuis les premiers jours où Marc Allégret m'avait envoyé travailler chez Jean Huet, à Nice. Mais la distribution était déjà arrêtée : les vedettes étant Madeleine Robinson, Jean-Louis Barrault et Pierre Brasseur. Or, voilà que

1. Georges Sadoul, *Gérard Philipe*, Lherminier, 1984.

ce projet de distribution n'aboutit pas. Au cinéma, les combinaisons financières sont reines. Au nom de Madeleine Robinson, on substitue celui d'Edwige Feuillère. Jean-Louis Barrault s'était retiré et Georges Lampin, qui devait réaliser le film et m'avait vu dans *Caligula*, réussit à convaincre le producteur qu'il faut me faire jouer le rôle du Prince. Je suis enfin engagé – malgré le peu de renom que j'avais – après des essais de composition destinés à me vieillir. J'avais vingt-trois ans.

« Pendant la journée, j'étais Muichkine au studio et, le soir, Caligula sur scène. C'était fatigant évidemment, mais j'étais ravi. Et je mangeais double pour conserver mes forces. Du point de vue moral, je me trouvais d'ailleurs très bien de cette dualité. Les deux personnages se complétaient en effet : le prince du Bien et le prince du Mal qui, tous deux, se rejoignaient finalement dans une pureté exacerbée. Je retrouvais grâce à l'un l'équilibre que l'autre aurait pu me faire perdre et chacun d'eux se logeait, en définitive, dans une partie différente de la sensibilité dramatique. Au début, j'ai été surpris, je l'avoue, quand Georges Lampin a voulu donner un air de Christ à mon personnage, mais, par la suite, j'ai reconnu que son idée était bonne. *L'Idiot* a bien été ma première vraie expérience du cinéma. C'est dans ce film que j'ai commencé à sentir mon métier. L'accueil qu'on m'a fait à la sortie a été très bon et il m'a surtout été agréable parce que je sentais, par exemple, que mes camarades de cours m'approuvaient comme défendant les idées de notre génération [1]. »

C'est vrai. Toute une génération va se reconnaître en Gérard Philipe, alors que celui-ci accède peu à peu au vedettariat. Celle de l'après-guerre. Celle qui, bientôt, découvrira son propre reflet dans les personnages qu'il incarne – cynisme et romantisme mêlés. D'où sa prodigieuse renommée. Dont *L'Idiot* pose, en quelque sorte, les premières pierres.

Le film sort vite sur les écrans. Dès le 7 juin il est programmé à Paris, au cinéma Colisée, sur les Champs-Élysées, et à l'Aubert-

1. Propos recueillis par Jean Nery, *Ciné Révélation*, 24 mars 1955.

Palace, sur les Grands Boulevards. Dans l'ensemble, la critique reproche aux adaptateurs, Georges Lampin et Charles Spaak, de n'avoir pu saisir l'œuvre dans toute sa complexité, tout en reconnaissant que la tâche était impossible : « Le sujet, proprement dostoïevskien, résidait au-delà », note Luc Estang, dans *Les Étoiles*, le 25 juin. La palme, c'est à Gérard Philipe qu'on la décerne. Car, entouré de comédiens tels qu'Edwige Feuillère, Marguerite Moreno ou Lucien Coëdel, il réussit le prodige de leur rafler la vedette à tous. « Il y a lui... et les autres », constate Jacques Doniol-Valcroze dans le numéro de *Cinémonde* du 18 juin. Et il poursuit : « Les gens qui l'ont vu à la scène dans *Caligula* savaient déjà que c'était un très grand acteur. Le grand public va maintenant l'apprendre de façon étincelante... On tremble à l'idée que l'on pourrait nous gâcher un tel talent. »

Titulaire d'un pareil satisfecit, Gérard peut songer au repos. Aussi bien, voilà des mois qu'il n'a pas pris de véritables vacances, et sa santé s'en ressent. Emporté dans le tourbillon du travail dès son arrivée à Paris, il n'a guère eu le temps de mettre pied à terre : *Sodome et Gomorrhe*, *Fédérigo*, *Au petit bonheur*, *Caligula*, *L'Idiot*... En deux années, il a enchaîné succès sur succès. Les soucis ne lui ont pas manqué non plus. Et il émerge à peine du drame paternel lorsque, au mois d'avril 1946, Jacques Sigurd l'entraîne dans les Hautes-Pyrénées, chez son amie Nicole Fourcade.

Celle-ci n'est pas vraiment une inconnue pour Gérard. Il l'a rencontrée en 1943, à Nice, où elle résidait alors. Ils se sont vus plusieurs fois à Paris [1]. Elle est venue dans sa loge, un soir, après la représentation de *Caligula*.

Anne Marie Nicole Ghislaine Navaux est née à Bruxelles, le 20 juin 1917, de parents belges qui divorceront peu après sa naissance. La romancière Dominique Rolin se souvient d'elle à l'école Daschbeeck, qu'elles fréquentaient toutes deux : « Une enfant ravissante aux yeux immenses. » Elle épouse en 1938 le

1. Alain Fourcade se souvient d'être allé rendre visite à Gérard, en compagnie de sa mère, à diverses reprises, bien avant ce séjour pyrénéen. Notamment dans un hôtel, rue Servandoni, où l'acteur habita peu de temps.

sinologue et futur diplomate François Fourcade, qui lui donne un fils, Alain, né peu avant la guerre. Grande (1,70 mètre), mince, le visage effectivement mangé par les yeux, c'est une intellectuelle, même si elle n'a pas fait d'études universitaires. Son passeport, à l'époque, la définit comme « sans profession ».

A Guchen, petite localité pyrénéenne de la vallée d'Aure, la famille Fourcade possède une propriété. C'est là que Nicole s'installe, tandis que Gérard descend à l'auberge du village, coupant ainsi court aux ragots. Promenades, lectures, conversations... Est-ce au cours de ce séjour printanier que les jeunes gens sentent naître en eux le tendre attachement qui les liera bientôt ? Ni l'un ni l'autre ne l'ont jamais démenti. C'est en tout cas la première fois que Nicole Fourcade apparaît de la sorte, en pleine lumière, aux côtés de Gérard. Et puis, la perspective du prochain départ en Chine de la jeune femme a de quoi attiser leurs sentiments : ce qu'on risque de perdre n'est-il pas doublement attirant ? Dans quelques semaines, en effet, Nicole doit rejoindre son époux, chargé d'une mission culturelle auprès de l'ambassade de France à Nankin, alors capitale du maréchal Tchang Kaï-chek. Après ce premier séjour, elle y repartira et y demeurera cette fois une année. Puis au retour demandera le divorce.

Ils en sont là, lorsque parvient à Guchen un télégramme du producteur Paul Graetz, proposant au comédien de faire des essais pour le rôle de François dans l'adaptation cinématographique du *Diable au corps* que prépare Claude Autant-Lara.

Vingt-trois ans après sa parution, le roman de Raymond Radiguet, publié en 1923, l'année même de la mort du jeune romancier, a gardé intacts sa force et, pour certains, son parfum de scandale. C'est que la guerre, encore une fois, est passée par là, mûrissant à la hâte des enfants qui n'y étaient pas préparés. « Mais comme il n'existe rien d'assez fort pour nous vieillir malgré les apparences, c'est en enfant que je devais me conduire dans une aventure où déjà un homme eût éprouvé de l'embarras [1]. »

C'est cette jeunesse, précisément, qui gêne Gérard. Il se croit

1. Raymond Radiguet, *Le Diable au corps*, Grasset, 1923.

trop vieux pour incarner le héros de Radiguet. Celui-ci a dix-sept ans à peine à la fin de la Première Guerre mondiale. Gérard, lui, à la fin de celle-ci, a déjà plus de vingt-trois ans. Il hésite, relit le roman, demande à Nicole son avis. Mais il lui faut bien vite l'admettre : malgré la différence d'âge, il reconnaît dans le personnage « un de ces frères d'élection, un de ces cadets que les romans nous offrent[1] ». Et Nicole, inaugurant ainsi le rôle de conseillère qu'elle ne cessera plus de tenir auprès de lui, le persuade d'accepter l'offre de Paul Graetz. C'est dit, il tournera *Le Diable au corps* ! Télégramme, vacances interrompues, retour précipité, prise de contact à Paris avec Claude Autant-Lara, essais…

Mais l'affaire traîne, semble-t-il, car le 12 juin, entre un écho sur le cinéma français en Allemagne (où l'on préfère, paraît-il, *Falbalas* aux *Visiteurs du soir* et *La Marseillaise* à *L'Éternel Retour*) et un « people », comme on dirait aujourd'hui, consacré à Charlie Chaplin, *L'Écran français*, sous le titre « Autant-Lara trouve un sujet, mais cherche un comédien », annonce : « Depuis deux mois, Claude Autant-Lara cherchait un sujet de film. Il vient enfin d'en choisir un : *Le Diable au corps*, le roman de Raymond Radiguet. Jean Aurenche et Pierre Bost travaillent actuellement à l'adaptation et aux dialogues de ce film dont le premier tour de manivelle sera donné dès le mois d'août. » Le hasard fait bien les choses ! Dans la colonne voisine, sous la rubrique « Croquis à l'emporte-tête », c'est un portrait de Gérard Philipe que le lecteur découvre… Comme si le magazine souhaitait apporter une solution aux recherches d'Autant-Lara : « Il possède le "don" au sens complet du terme. Ce don, sa plénitude ont presque quelque chose d'anormal chez un être si jeune. Car, humainement, il est encore en formation. Il possède des qualités exceptionnelles, mais il est encore soumis aux jeux des influences les plus contradictoires. Il est à l'âge difficile où l'on se cherche, et ces mots de Camus qu'il disait dans *Caligula* : "qu'il est dur, qu'il est amer, de devenir un homme", il pourrait

1. *Souvenirs et Témoignages*, *op. cit.*

les faire siens. Ils résumeraient à merveille les luttes constantes de sa nature, oscillant entre les élans généreux et la plus grande sécheresse... » On s'étonne d'une telle pénétration, de la qualité du jugement, d'un si subtil équilibre entre la louange et la critique. Sauf lorsqu'on sait que derrière le signataire, un certain « Minotaure », se cache en fait Jacques Sigurd.

Cette justesse d'opinion, on la retrouve – en plus désintéressée – chez Micheline Presle, indiscutablement à l'origine de l'engagement de Gérard pour le film : « Je l'ai découvert, comme beaucoup, en 1942, au casino de Cannes, dans *Une grande fille toute simple*. Il m'a semblé exceptionnel. Et je me souviens avoir demandé son nom à l'issue de la représentation. Puis, à Paris, j'ai vu les deux films qu'il a tournés, *Le Pays sans étoiles* et *L'Idiot* : il se dégageait de lui une présence, une sorte d'aura, bref un charisme particulier. Je trouvais ce comédien passionnant[1]. »

Car Micheline Presle a toujours eu la passion des comédiens. Elle n'a pas attendu les débuts de Gérard Depardieu ou ceux d'Anouk Grinberg pour s'intéresser aux nouveaux talents. Ni pour éventuellement provoquer leur présence à ses côtés – sur scène ou devant la caméra. C'est ce qui va se passer avec Gérard Philipe.

Sacrée grande vedette en quelques films, Micheline Presle tourne sans arrêt entre 1940 et 1944 et « devient la jeune fille française[2] ». En 1944, précisément, Jacques Becker lui donne, avec *Falbalas*, dont l'action se situe dans une maison de couture, un rôle qui va marquer le cinéma français. Le résultat ne se fait guère attendre – et arrive sous la forme d'un télégramme disant à peu près : « Vous ai vue dans *Falbalas*. Aimerais vous rencontrer pour film. » Signé : Paul Graetz. « J'ai donc signé avec Paul Graetz, poursuit Micheline Presle, un contrat qui m'autorisait à choisir en accord avec lui : le sujet, le metteur en scène, le scénariste, le partenaire et l'opérateur... Après avoir organisé une projection de *Douce* pour Graetz, j'ai fait engager Autant-Lara,

1. Entretien avec l'auteur, décembre 1991.
2. Françoise Ducout, *Séductrices du cinéma français, 1936-1956*, Henri Veyrier, 1978.

Aurenche et Bost, dont j'appréciais le travail. Nous avons cherché un sujet. C'est Paul Graetz, un jour, qui m'a demandé si j'avais entendu parler du *Diable au corps*. Or, ce livre, c'est Jean Cocteau lui-même qui me l'avait donné ; je l'avais trouvé remarquable, bien sûr. Trop, même, pour oser envisager une adaptation ; par crainte qu'on ne l'abîme, sans doute. Ils ont tout de même travaillé sur le projet. Et quand ils m'ont lu les cinquante premières pages, j'ai été très émue. Alors s'est posée la question de l'interprète masculin, le héros de Radiguet. Moi, déjà, je savais que je ne pouvais faire le film qu'avec Gérard. Aujourd'hui encore, il m'est impossible d'expliquer mes raisons : je ne le connaissais pas, je ne l'avais même pas rencontré ; je l'avais seulement vu au théâtre et au cinéma. On a parlé de Serge Reggiani, acteur que j'aime beaucoup pourtant, de Marc Cassot, mais je m'obstinais. Je me souviens avoir dit à Graetz : "Vous savez, Paul, je ne peux faire ce film qu'avec Gérard Philipe." C'est alors qu'il l'a convoqué pour des essais… »

Des essais ? « Précédé et suivi par des concurrents ayant tous à dire le même texte volontairement difficile, gêné par le maquillage, tiraillé par les assistants, handicapé comme tous les débutants par la procédure rébarbative des essais [1] », il l'emporte cependant haut la main sur ses challengeurs. Un dernier détail, toutefois, chiffonne la production : ses oreilles, décidément trop décollées. Qu'à cela ne tienne : on les collera ! Et Gérard subit une nouvelle séance de maquillage. Retour sur le plateau. Premier essai : oreilles décollées. Second essai : oreilles collées à l'aide d'un petit cachet de cire. Or, à l'insu de presque tous (Micheline Presle, seule, a vu son geste, et c'est elle qui raconte l'anecdote), il s'empresse de les décoller. Un léger coup de l'index sur chaque lobe suffit. Cependant, tout le monde trouvera les oreilles beaucoup plus photogéniques dans la seconde série d'essais. Alors qu'elles sont parfaitement identiques sur toutes les prises… Elles le resteront pendant tout le tournage, du mois

1. *Souvenirs et Témoignages*, *op. cit.*

de septembre au mois de novembre : dès qu'il quitte la salle de maquillage, Gérard les décolle !

Le matin, la voiture du studio vient le chercher rue de la Grande-Chaumière, chez Nicole, où il passe fréquemment la nuit. Le film est entièrement tourné en décors et marque le début de la fructueuse collaboration d'Autant-Lara avec le décorateur Max Douy. « La maison de la famille Jaubert, raconte celui-ci, l'église, la maison de Marthe, les rues en perspective qui permettent la rencontre de Gérard Philipe et du mari de Micheline Presle, le lycée-hôpital, tout cela, constitué d'éléments mobiles, ne faisait qu'un seul décor sur le terrain de Boulogne. Un très grand décor, 200 mètres sur 150 à peu près. On a mis trois mois pour le construire, et on avait bien 120 ouvriers[1]... »

Le 13 octobre 1946, la France se donne une nouvelle Constitution. La IVe République est née. Vincent Auriol, élu le 16 janvier 1947, sera son premier président. Elle a douze années à vivre. Qui peut deviner que le jeune homme aux allures d'éternel adolescent n'en a pas beaucoup plus devant lui et qu'il demeurera, dans l'histoire de ce siècle, l'acteur symbole de ces années cinquante qui s'approchent ?

Personne. Surtout pas lui. S'il souffre d'un mal, en cette fin d'année, c'est de solitude. Nicole est loin, sur les routes de Chine. Papy se morfond à Barcelone. Jean, le grand frère, cultive roses et jasmins dans le mas qu'il s'est offert à Grasse, avec sa part de l'héritage de leur grand-mère[2]. Minou, de son côté, afin de sauver de la confiscation les derniers biens qui lui restent, s'est résolue, la mort dans l'âme, à demander le divorce. Elle l'obtient sans peine, et le jugement est rendu par le tribunal de la Seine, le 19 février 1947. La voilà seule désormais. Peut-être Gérard se souvient-il alors de la recommandation que son père lui faisait dans la carte expédiée du camp de Saint-Denis ? « Il faut me remplacer, l'entourer, il faut continuer la tradition de soutien de

1. Max Douy, in *Positif*, n° 244-245, juillet-août 1981 ; cité par Freddy Buache, *Claude Autant-Lara*, Lausanne, L'Age d'Homme, 1982.
2. Un immeuble que Claire Philip a laissé à ses deux petits-fils et qu'ils ont vendu.

la tribu familiale avec chacun un courage débordant. » C'est donc à lui, maintenant, de veiller sur Minou.

Alors, adieu Saint-Germain-des-Prés... Cette fois, c'est dans le XVIIe arrondissement qu'il emporte ses pénates ! Rue de Tocqueville, au numéro 22, l'appartement qu'il déniche ouvre sur les arbres d'une cour ombragée. Trois pièces paisibles : dans l'une il vivra, dans l'autre il dormira. Et dans la troisième Minou s'installera. Le vœu est accompli : « Il faut me remplacer, l'entourer... »

Mais il n'est pas dit qu'il renonce à l'enfance pour autant. Ni à ses privilèges. Le 31 décembre, alors qu'il se rend au studio où, pour la première fois, *Le Diable au corps* va être projeté en copie de travail continue, il s'arrête dans la rue à un étal de jouets. Devant lui, des monceaux de billes, des osselets, des cordes à sauter, des petits soldats... Il hésite un instant, entre dans la boutique, d'où il ressort quelques instants plus tard, un petit paquet blanc à la main. Claude Autant-Lara raconte : « Nous étions tous réunis dans la petite salle de projection du studio. Gérard était là, avec tout le monde, aussi nerveux et aussi muet que les autres, le regard tendu vers l'écran. A la fin du film, il se retourna simplement vers moi et me sourit gravement, mais ce fut tout. » Alors il défait l'emballage du paquet, en extrait une sorte de petit cadre, sur lequel il verse un liquide, souffle dessus... Et des bulles, des bulles superbes, roses et bleues, s'envolent autour de lui... « Il s'était offert un petit cadeau de fin d'année, conclut Autant-Lara, et c'était de cette manière, en jouant avec nous, qu'il venait nous dire qu'il était heureux [1]. »

1. *L'Écran français*, n° 106, 8 juillet 1947.

6

« Il s'installe et meuble ses trois pièces avec goût. Il y transporte ses livres, sa magnifique collection de disques choisis avec soin. Sa maman vient le rejoindre, arrangeant une pièce, mettant des fleurs ici, un bibelot là, apportant cette indispensable note féminine à la personnalité dont Gérard Philipe a su imprégner son intérieur. Petit à petit, on s'organise rue de Tocqueville. Gérard se lève tard, lit son courrier, qui est volumineux, et répond gentiment à toutes les lettres d'admirateurs, envoyant sa photo dédicacée [1]. »

Et voilà comment, dans ces années, on écrit la vie des vedettes ! Car Gérard est à présent une authentique vedette. Un jeune premier qui partage avec Jean Marais et Georges Marchal les suffrages du public (devant Henri Vidal, Roger Pigault et Michel Auclair). Désormais, ses faits et gestes passionnent les échotiers. Les journalistes racontent qu'il porte le plus souvent des chemises à grands carreaux. *Ciné-Digest*, en juin 1949, nous apprend que sa mère lui apporte au lit, chaque matin, un porto-flip, qu'il dévore journaux et livres qui lui tombent entre les mains, et qu'il prépare lui-même des soufflés au fromage qu'il déguste ensuite en tête à tête avec Minou, tandis que la radio diffuse en sourdine des airs à la mode... *Paris-Match*, plus précis, décrit son décor familier : « L'appartement est un minuscule îlot de trois pièces, perdu dans un immeuble 1900. Les pièces ressemblent à des boudoirs. Tentures rouges, samovar et cuivres

1. Jean-Marie Coldefy, *Miroir des vedettes*, *op. cit.*

précieux, recoins peuplés de bibelots, fourrures, cuisine pour poupées, abat-jour sentimentaux sur lesquels les visiteurs inscrivent leurs signatures. Atmosphère très "charme slave". Musset, Verlaine, Baudelaire, Balzac et Proust en reliures éclatantes. Dans un placard, de vieux bouquins de philo, des liasses de lettres et une pile de Série noire [1]. »

Minou casée, l'appartement installé, il est temps de rallier Rome, où l'attendent Christian-Jaque et l'équipe de *La Chartreuse de Parme*. Après un crochet par la Savoie, à Notre-Dame-de-Bellecombe. Où le rejoint, début février, une bien curieuse missive : « Mon vieux Gérard, tu t'écris, tu voudrais bien te considérer – mais il n'y a rien à faire –, tu fais tout ce que tu peux pour te voir sous un certain angle, mais ça ne marche pas. Tu commences à réaliser que tu ne changeras pas, malgré tout tu feras semblant de croire au miracle – tu maquilles tout le temps. Je t'emmerde. Gérard. »

Expédiée rue de Tocqueville, la lettre est renvoyée par Minou à l'adresse savoyarde du destinataire. Qui n'est autre, on l'a deviné, que l'expéditeur ! Enfantillage ? Plutôt, selon Anne Philipe et Claude Roy, qui publient le document, « le témoignage de cette division intérieure, de ce grand débat de soi avec soi qui est le temps de la jeunesse [2] ». Sans doute. Avec, toutefois, quelque chose en plus. Car ce qui frappe aujourd'hui dans ces lignes, c'est certes la jeunesse, mais aussi qu'elles pourraient avoir été écrites par le héros du *Diable au corps* lui-même. Lui aussi, il « maquille tout le temps ». Dans les restaurants, en renvoyant les bouteilles sous le prétexte que le vin sent le bouchon. En vivant une histoire d'amour qui le dépasse et le contraint à feindre d'être à la hauteur… Bref, c'est comme si le comédien ne parvenait pas à quitter un personnage dont on murmure déjà, dans Paris, qu'il est le couronnement de sa jeune carrière. Rumeur accréditée par Autant-Lara lui-même : « Enfin, j'ai plaisir à vous dire que vous pouvez dormir en paix, car vous êtes très bien, par-

1. *Paris-Match*, 18 mars 1950.
2. *Op. cit.* La lettre n'existe plus dans les Archives Gérard-Philipe conservées tant à la Cinémathèque française qu'à la Maison Jean-Vilar d'Avignon.

ticulièrement bien même, dans *Le Diable*... Tous les jours, toutes les projections nous en apportent la confirmation », écrit-il à Gérard le 31 janvier 1947, alors que le film est au montage[1]. Là, en revanche, tout ne va pas pour le mieux : « C'est toujours une lutte acharnée, âpre, avec Graetz dont la suffisance n'a d'égale que la sottise ! » Comme c'est souvent le cas, le producteur entend bien dire son mot dans l'élaboration du film. Et, comme d'habitude, ce mot n'est pas exactement celui que souhaiterait entendre le metteur en scène... D'où conflit : « Si j'avais été faible, notre film fût devenu, peu à peu, de concession en concession, une chose informe, adoucie, une catastrophe, quoi... Mais le ciel a fait que la résistance physique ne m'a pas manqué, heureusement ! »

Heureusement, en effet.

« A Rome, j'avais retrouvé la silhouette filiforme, le profil nettement découpé, le sourire clair et ingénu, les grands yeux de ciel et le regard nostalgique de Gérard Philipe[2] », raconte Maria Casarès, qui arrive dans la Ville éternelle le 16 mars 1947. En même temps que le chaud printemps romain.

« *La Chartreuse de Parme*, note Pierre Cadars[3], fait partie de ces films qui, des années durant, ont fait les belles heures des ciné-clubs. » C'est en effet l'exemple type – plus que *Le Rouge et le Noir*, sans doute – des vertus et des limites de l'adaptation au cinéma des chefs-d'œuvre de la littérature. Au lycée Voltaire, par exemple, à la fin des années cinquante, soit une bonne décennie après le tournage, Henri Agel, professeur de lettres et critique cinématographique renommé, organisait volontiers des projections de *La Chartreuse de Parme*. Les classes de première, ravies d'échapper ainsi à la routine des cours, venaient y réfléchir en délégation sur les avatars cinématographiques de Fabrice et de la Sanseverina. La séance ne s'achevait pas sans qu'un sujet de dissertation soit proposé aux potaches : « Vous comparerez le film

1. Archives Gérard-Philipe, Cinémathèque française.
2. Maria Casarès, *Résidente privilégiée*, Fayard, 1980.
3. *Gérard Philipe, op. cit.*

que vous venez de voir au roman de Stendhal. Vous direz dans quelle mesure il vous semble fidèle à l'œuvre initiale », etc.

La Chartreuse de Parme est le premier film français d'après guerre entièrement tourné en Italie. Grosse production, gros budget, grosse distribution. Bref, tout pour plaire au plus large des publics. A commencer par la somptuosité des costumes (Georges Annenkov), des décors (Jean d'Eaubonne). Et par le sujet lui-même, que les adaptateurs (Pierre Véry, Pierre Jarry et Christian-Jaque) tirent volontiers vers l'action et le mouvement, au détriment, sans doute, de l'esprit stendhalien.

Les comédiens ont bien perçu ce gauchissement. Dans leurs chambres de l'Albergo della Città, Gérard et Maria Casarès s'emploient à repérer dans le roman les dialogues originaux qui leur semblent avoir été inutilement remaniés : Stendhal, pensent-ils, n'a nul besoin d'être vulgarisé (aux deux sens du mot) pour être compris de tous. Studieuses recherches qui vont les rapprocher. Alors qu'en 1945, tandis qu'ils jouaient *Fédérigo* au théâtre, ils étaient demeurés sinon étrangers, du moins éloignés l'un de l'autre, ils vont se lier ici d'« une belle amitié lumineuse, légère et poétique [1] ». C'est le temps des confidences. Maria doit bientôt se marier, mais un deuxième homme, l'acteur Jean Servais, encombre sa vie. Gérard, lui, ne parvient pas à oublier Nicole, et un jour, sur le plateau, c'est son nom qui lui vient aux lèvres, irrésistiblement, au lieu de celui de Clélia, l'héroïne du film. Ainsi, conclut Casarès, « nous savions l'un et l'autre d'où venaient la mélancolie qui assombrissait doucement l'un et les transes qui agitaient l'autre [2] ». Mélancolie qui n'empêche pas Gérard de renouer avec son goût des farces…

L'été, l'Albergo della Città se transforme chaque soir en un bruyant restaurant-dancing. Les deux comédiens, réfugiés dans la chambre de Maria, ont du mal à se concentrer sur leur travail, tandis qu'en bas, dans la cour, l'orchestre joue à tue-tête. Excédé cette nuit-là, Gérard court au lavabo, emplit un verre d'eau,

1. Maria Casarès, *Résidente privilégiée*, *op. cit.*
2. *Ibid.*

revient à la fenêtre, l'ouvre, jette l'eau. Un deuxième verre, un troisième, un quatrième... « Jusqu'au moment où quelqu'un vient frapper à la porte de la chambre. *"Avanti !"* Et à la question posée par un gérant de l'hôtel, hirsute, la réponse de Gérard, nette : *"Si, sono io"*, pendant qu'il se tenait debout dans la pénombre, habillé... comme à la ville ? ou portant encore la cape noire de Fabrice del Dongo[1] ?... »

Le lendemain, 10 juin, chassé de l'Albergo, Gérard s'installe à l'hôtel Éden.

Tandis que Gérard est à Rome, *Le Diable au corps* a pris le chemin de Bruxelles. Pour sa première mondiale, il va y affronter le jury du Festival international. Affronter, c'est bien le mot. Car l'ambiance est tumultueuse. En pleine projection, l'ambassadeur de France, comme pour marquer sa désapprobation, quitte la salle. Aussitôt, les auteurs du film envoient à la presse un communiqué que *Le Figaro* publie dès le 23 juin : « Nous ne savons pas encore pourquoi M. Brugère, ambassadeur de France en Belgique, a quitté la salle du Festival pendant la projection de notre film. Mais nous savons déjà que ce geste est interprété par la société productrice de la façon suivante : elle nous demande de couper dans le film certains passages et certaines répliques qui nous paraissent essentiels pour que notre œuvre garde l'esprit et le ton que nous avons voulu lui donner... » Et c'est vrai que, aussitôt, s'engouffrant dans la brèche ouverte par le geste de l'ambassadeur, l'offensive, menée par les ligues catholiques et les associations d'anciens combattants, fait rage contre le film, paradoxalement reprise par quelques critiques communistes qui reprochent à l'œuvre un pessimisme excluant toute prise de conscience sociale et révolutionnaire.

C'est pourtant du camp des opposants qu'on viendra à la rescousse du film. Le 25 juillet, dans *Témoignage chrétien*, le révérend père Pichard engage la polémique : « *Le Diable au corps* existe et c'est un chef-d'œuvre. Il peut présenter certains dangers

1. *Ibid.*

dont se sont alarmés les catholiques. Mais des gens qui ne veulent pas de bien à l'Église ont esquissé une manœuvre. Se servant de ce chef-d'œuvre comme bélier et des catholiques comme repoussoir, ils cherchent à exploiter l'affaire à nos dépens. » Les catholiques ne doivent pas tomber dans le piège qu'on leur tend, explique le religieux. S'ils s'obstinent à condamner le film, leurs ennemis pourraient bien en venir à l'applaudir dans le seul but de battre en brèche la morale chrétienne. Au mois de septembre, alors que le film est programmé à Paris dans trois grandes salles (le Normandie, l'Olympia, le Moulin-Rouge), Jean Cocteau prend le relais, de toute son autorité. Celui qui, personne ne l'ignore, fut l'ami de Radiguet et qui, en 1943, commémorant le vingtième anniversaire de la disparition du jeune romancier, déclarait : « vingt ans que la sottise, la paresse le laissent dans l'ombre. Il peut dormir tranquille. Son œuvre est une éternelle jeunesse [1] », celui-là est entendu lorsqu'il écrit dans *La Revue du cinéma* : « On a insulté le livre comme on insulte le film, ce qui prouve que le film est digne du livre. »

Sans ce branle-bas d'attaques et de ripostes (et en d'autres temps), *Le Diable au corps* aurait peut-être remporté le grand prix à Bruxelles. Il doit se contenter du prix de la Critique internationale, ce qui n'est déjà pas si mal. Mais Gérard, lui, se voit décerner le prix d'interprétation, premier trophée de sa carrière. Ravie, Micheline Presle lui écrit aussitôt sa satisfaction. La lettre, datée du 18 juin 1947, vaut la peine d'être largement citée – elle met en effet l'accent sur l'accueil fait au film malgré les attaques dont il est l'objet : « Je reviens de Bruxelles, où le film a eu un très gros succès et où tout le monde (dont moi) vous a beaucoup regretté. C'est un très gros succès pour vous, mon Gérard. J'en suis heureuse, vous serez quelqu'un de grand et certainement encore plus "adulé" qu'avant. Vous êtes trop intelligent, je pense, pour changer et ne plus être vous-même. *Le Diable au corps* est un film sensationnel, Gérard, c'est une chose qui soulèvera beaucoup de controverses, peut-être presque

1. Jean Cocteau, *Journal, 1942-1945*, *op. cit.*

autant que le livre. Mais c'est très beau, très humain et, par cela même, cruel et immoral (très immoral, messieurs les conformistes !). Pour moi (et je ne suis pas la seule), c'est le plus beau film que j'aie vu depuis bien longtemps et… j'ai pleuré[1] ! ! ! »

De son côté, Claude Autant-Lara ne ménage pas non plus les compliments à son interprète. Dans un article de *L'Écran français*, publié le 8 juillet sous le titre « Mon ami Gérard n'a pas volé son prix », il dresse le bilan de leur rencontre. Certes, tout ne s'est pas toujours bien passé entre eux durant le tournage : « Je me suis souvent heurté à lui », reconnaît-il. Mais il insiste sur la loyauté du comédien, qui l'a toujours soutenu dans ses luttes contre les producteurs ou les ligues bien-pensantes. Et il conclut : « C'est pour tout cela réuni que je suis aujourd'hui heureux que Gérard ait eu un prix. Car, pour ce film, il a lutté et parfois même souffert à nos côtés. Vous vous souvenez Gérard de cette nuit, dans le vent, en extérieur, par moins quinze degrés, sur le pont ? Et Gérard, arrosé, trempé jusqu'aux os, à la gare de La Varenne… Gérard qui tousse, Gérard malade… Oui, ce prix, il ne l'a pas volé. »

Il ne l'a pas volé, en effet. Et Autant-Lara, déjà, rêve à la suite des événements… Lettre du 7 août 1947, adressée à Rome : « Mon désir le plus ancien et le plus vif, vous le savez, est de donner vie à ce *Rouge et le Noir* pour lequel Aurenche a dressé une continuité remarquable. C'est, je le sens, un film du moment et qui "marquerait" le coup, de la façon dont il est conçu, comme notre *Diable*. Seulement, il n'y a qu'un Julien Sorel et, je parle sans vaine flatterie, vous le savez, c'est vous. Bien plus et bien mieux que Fabrice, à mon sens. Or, je sais votre réaction, qui est de ne pas tourner deux Stendhal coup sur coup. Bien que regrettant profondément cette réaction, dans le fond je la comprends parfaitement, croyez-le. Elle est juste et saine. Plutôt donc que de tourner ce sujet avec un "approximatif", je préfère le remiser, sans le perdre de vue, pour le remettre à plus tard – mais à un peu plus tard seulement –, pour le faire avec vous, lorsque vous

1. Archives Gérard-Philipe, Maison Jean-Vilar.

vous sentirez comme moi l'envie passionnée de le tourner. Ce qui viendra, j'en suis sûr[1]. »

Autant-Lara devra cependant attendre 1954 pour réaliser son cher projet, sans cesse programmé et sans cesse ajourné. Au cours de ces années, il signera trois contrats – tous rompus – avec trois producteurs différents, s'échinant à convaincre distributeurs, producteurs et acteurs... A commencer par Gérard Philipe lui-même... Ce qui fera dire à Autant-Lara, beaucoup plus tard, un soir de décembre 1981, alors qu'il présente *Le Rouge et le Noir* à Lausanne, devant une salle comble : « Il y a dans une vitrine de l'exposition que la Cinémathèque suisse m'a fait l'honneur de me consacrer une lettre autographe de Gérard Philipe qui, de sa petite écriture fine, me dit que le personnage de Julien Sorel ne l'intéresse pas et qu'il refuse. Et ce n'est que par le plus grand des hasards, une manière de miracle, que *Le Rouge et le Noir* s'est fait ! Un jour, beaucoup plus tard, un jour où personne n'avait de sujet pour Gérard Philipe, même Gérard Philipe[2] ! »

Ça non plus, il ne l'a pas volé, Gérard ! Car Autant-Lara n'invente rien. La pièce à conviction est une lettre du réalisateur, conservée dans les archives du comédien : « Je voudrais que nous bavardions quelques instants du *Rouge et le Noir* qui est un projet qui revient très fort, avec un producteur qui n'a pas l'air sot – tout arrive – et qui a de puissants moyens... » Dans la marge, de sa « petite écriture fine », l'acteur a noté : « Répondu le 5 mars : non[3]. »

« Ne pas tourner deux Stendhal coup sur coup. » D'accord. Encore faut-il terminer celui qui est en cours. Et qui s'éternise, dans une Rome incendiée par l'été. Mais Gérard prend son mal en patience : s'il est à Rome, c'est qu'il l'a voulu. Il pourrait tout aussi bien se trouver à Hollywood. En effet, *Le Diable au corps*

1. Archives Gérard-Philipe, Cinémathèque française.
2. Cité par Freddy Buache, *Claude Autant-Lara*, *op. cit.*
3. Gérard Philipe notait fréquemment sur les lettres reçues la date de sa réponse et l'essentiel du contenu.

triomphe aux États-Unis, et les producteurs californiens se sont empressés de l'appâter à l'aide d'un « beau » contrat. Peine perdue : « Je suppose, déclare-t-il alors, que le travail est très différent à Hollywood. J'imagine que chacun a un travail déterminé et qu'il le fait à l'exclusion de tout autre. J'imagine que les acteurs également font toujours et indéfiniment le même travail[1]. »

Il veut du changement ? *La Chartreuse* le comble : course à cheval, descente en rappel des dix-huit mètres de la tour Farnèse, scènes de bal, duels... Sans oublier les écueils psychologiques d'un rôle complexe, qui font d'ailleurs l'objet de vives polémiques entre le comédien et Christian-Jaque, son metteur en scène : « Il était têtu comme une mule, dit celui-ci. Comme en plus il avait une force de persuasion incroyable, il fallait lutter pour ne pas se laisser influencer[2]. »

Un moment interrompu par les tracas financiers que connaît la production, le tournage reprend de plus belle aux studios de la Scalera, où, en pleine canicule, les comédiens souffrent le martyre sous leurs lourds costumes Restauration. Début juillet, Gérard appelle Minou près de lui. Maria Casarès, de son côté, a fait venir son père. « La chaleur à Rome se faisait incandescente, se souvient-elle, le vacarme des klaxons et la trépidation des Vespa éclataient, insoutenables. Dans les rues de la pleine lune, Minou, Gérard, mon père et moi cherchions, en calèche, la fraîcheur de la nuit[3]. » Gérard, qui fréquente peu l'équipe du film (à part Georges Annenkov, qu'il accompagne dans ses visites de la ville), voit beaucoup Maria, en revanche. Et entre ces deux êtres jeunes, insatisfaits, bien qu'épris chacun de son côté, arrive ce qui devait arriver... Pourtant, tous deux résistent encore. Ils sont à Côme, où l'on tourne au bord du lac, courant août, les extérieurs du film. Casarès raconte : « Une amie chère à lui comme à celle qui allait devenir sa femme fit irruption un jour tel un messager précieux, juste à temps, pour nous préserver de la

1. Propos cités sans indication d'origine in *Souvenirs et Témoignages*, *op. cit.*
2. *Ibid.*
3. Maria Casarès, *Résidente privilégiée*, *op. cit.*

chute. Immédiatement, je l'ai invitée à partager ma chambre – je disposais de deux lits –, et Marianne B. est restée auprès de moi comme l'épée symbolique trouvée par le roi Marc dans la couche de Tristan et Isolde[1]. »

Côme, Milan et de nouveau Rome. Où tout se dénoue enfin : « Mais ce n'est qu'à l'Albergo della Sibylle que nous avons enfreint l'un et l'autre une interdiction que, sans nous le dire, nous avions voulu nous imposer. C'est là que nous avons laissé la part la plus rare de notre belle amitié ; mais c'est là aussi où nous avons gagné [...] la disponibilité totale et nécessaire à chacun pour retrouver son chemin. Le surlendemain, Gérard quittait Rome pour Paris[2]. »

A Paris, précisément, la situation sociale n'a cessé d'empirer depuis le printemps, tandis que se met en place, tant bien que mal, le nouvel ordre de l'après-guerre. Lancée par des militants trotskistes, contre l'avis de la CGT, une grève aux usines Renault a déclenché la crise. Le 25 avril, en effet, les ateliers 6 et 18 cessent le travail à Boulogne-Billancourt afin d'obtenir une augmentation horaire de 10 francs. Prise de court, la CGT hésite, puis, faisant volte-face, appelle au débrayage. Les quatre ministres communistes du cabinet Ramadier soutiennent alors ouvertement le mouvement, prenant ainsi position contre le gouvernement auquel ils appartiennent. Réaction immédiate du président du Conseil : le 4 mai 1947, en accord avec le président de la République, Paul Ramadier révoque les ministres communistes, qui sont remplacés quelques jours plus tard par trois socialistes et un MRP.

Bien que le travail ait repris à la Régie dès le 19 mai, la situation demeure confuse et les arrêts de travail se succèdent ici et là : à EDF-GDF, chez les cheminots... De sorte que le 4 juin, à la tribune de l'Assemblée nationale, Ramadier s'élève avec violence contre « cette sorte de mouvement giratoire de grèves qui se développe comme sous la direction d'un chef d'orchestre clan-

1. *Ibid.*
2. *Ibid.*

destin ». Deux jours plus tard, comme pour lui donner raison, des arrêts de travail dans les transports immobilisent peu à peu tout le pays. Le 13 juin, c'est au tour des fonctionnaires du service public de se mettre en grève, bientôt imités par les employés des banques et des grands magasins. Le 23, les mineurs du Pas-de-Calais débrayent, suivis par les ouvriers de Citroën…

La trêve estivale qui s'amorce avec la reprise progressive de l'activité est rapidement compromise par l'insuffisance du ravitaillement et la diminution de la ration de pain, qui est ramenée le 27 août à 200 grammes par jour. Aussi, quand Gérard Philipe rentre de Rome, au mois de septembre, les troubles ont repris : grèves chez Peugeot, Berliet, Michelin, dans les transports, la métallurgie, la marine marchande, les PTT… Dans la capitale, les Parisiens s'entassent sur les bancs inconfortables des camions de l'armée qui sillonnent les rues, tandis que les rames de métro et les autobus restent au dépôt.

Fin novembre, dans une France quasi paralysée, on estime à 2 millions le nombre de grévistes. C'est alors qu'une vingtaine de fédérations ouvrières CGT, dirigées par des communistes, se constituent en « comité central de grève ». Ce qui va à l'encontre des souhaits émis par la tendance Force ouvrière du syndicat, opposée à toute politisation excessive. Accusée de trahison, cette dernière réplique en dénonçant l'« aventure sans issue » dans laquelle la majorité communiste entraîne la CGT. Dès lors, la rupture est consommée : le 18 décembre, la minorité FO, socialiste, réunie en conférence nationale, quitte la CGT. Force ouvrière est née.

Entre Casarès et Philipe, ce n'est pas la rupture. Tout juste une « amitié endommagée », qu'ils vont tenter de rétablir par tous les moyens. Le meilleur étant encore le travail. Et lorsque Maria Casarès rejoint Paris à son tour, le 1er octobre 1947, c'est pour retrouver Gérard sur la scène du Théâtre Édouard-VII. Ils vont y jouer *Les Épiphanies*, première pièce d'un jeune inconnu, Henri Pichette. Du moins le croit-elle, car les choses ne se passeront pas aussi simplement que prévu.

Héritier spirituel de Rimbaud et d'Antonin Artaud, qu'il a d'ailleurs approché, Henri Pichette appartient à cette génération – vingt ans en 1944 – dont la prime jeunesse a été écrasée par la guerre, qui s'est battu avec les armées de Rhin-et-Danube et qui voit poindre au loin, en ces temps de guerre froide, la menace d'une autre apocalypse. C'est donc la guerre et, d'une manière plus générale, toutes les oppressions que dénonce sa pièce. Tout comme le recueil poétique qu'il publie, cette même année 1947, sous le titre provocant d'*Apoèmes*.

Gérard a fait sa connaissance durant les représentations de *Caligula*. Amené par Georges Vitaly, le jeune poète lit alors au comédien quelques-uns de ses textes, car « sa poésie, bruit et fureur, n'est pas de celles qui se révèlent à la lecture sous la lampe : cela requiert la voix et l'oreille [1] ». Une grande amitié va naître, doublée d'une admiration réciproque. De sorte que Pichette, lorsqu'il entreprend le poème dramatique des *Épiphanies*, en communique les premières pages à Gérard Philipe. Douze pages exactement, où court, tracée à l'encre rouge, une sage et ronde écriture de maître d'école contrastant avec le lyrisme, le lumineux désordre du verbe. Gérard est tout de suite emballé. Il croit reconnaître le ton, l'exaltation, la violence, en un mot le nouveau langage qu'attend sa génération. Et, tandis qu'il s'apprête à rejoindre l'Italie et *La Chartreuse*, il fait promettre à Pichette de lui envoyer la suite du texte. Ce qui sera fait, page à page. Jusqu'à la dernière. A Rome, Maria Casarès lit *Les Épiphanies*. Et tombe à son tour sous le charme. Ce que commente leur partenaire, Renée Faure : « A cette époque, j'entrais au Français, j'ai essayé de les décider, Maria Casarès et lui, à m'y rejoindre, mais tous deux s'apprêtaient alors à jouer *Les Épiphanies*, qu'ils venaient de découvrir, et cela seul les intéressait [2]. »

A Paris, Gérard ne perd pas son temps. A peine est-il rentré que la pièce a déjà trouvé une scène, le Théâtre Édouard-VII, où

1. Dominique Nores, *Gérard Philipe, qui êtes-vous ?*, *op. cit.*
2. *Les Lettres françaises*, n° 801, 3 décembre 1959.

Pierre Bétaille, le directeur, l'accepte avec enthousiasme. Sans même la lire. Gérard Philipe et Maria Casarès à l'affiche, c'est-à-dire deux vedettes tout auréolées de leurs succès cinématographiques ! Que demander de mieux ? Le 22 octobre, les deux hommes signent un contrat qui précise notamment : « Monsieur Gérard Philipe touchera par représentation 7,5 % des recettes nettes. La pièce débutera entre le 15 et le 20 novembre pour se terminer le 14 décembre. Il y aura sept représentations par semaine, mais Monsieur Bétaille se réserve le droit de faire des matinées supplémentaires les jeudis, samedis et lundis. Dans toute la publicité, le nom de Gérard Philipe figurera en premier. »

Tout va donc pour le mieux jusqu'au 30 octobre, jour où Pierre Bétaille, assis dans un fauteuil d'orchestre, assiste à la quatrième répétition. Catastrophe. Dérouté par le style de Pichette, où « se mêlent si curieusement les insultes et les cris d'espoir [1] », atterré, il cherche une échappatoire. Il explique alors à toute la troupe qu'il s'est trompé dans les dates, que Sacha Guitry doit donner prochainement un spectacle à Édouard-VII et que, en conséquence, la scène ne sera libre qu'entre six et huit heures. « Nous plions bagage dans un éclat de rire, raconte Georges Vitaly, le metteur en scène, et nous nous réfugions le jour même aux Noctambules [2]. »

Les Noctambules, une petite salle du Quartier latin, rue Champollion. Cent vingt places. Mais, sur cette scène minuscule, c'est tout le théâtre de la seconde moitié du XXe siècle qui s'élabore. Bientôt, ici, Eugène Ionesco se révélera avec *La Cantatrice chauve*, Arthur Adamov avec *La Grande et la Petite Manœuvre*. Et Boris Vian, Dürrenmatt, Ugo Betti...

En fait, c'est Gérard qui a pris la décision de louer immédiatement, à ses frais, la salle des Noctambules. Et son initiative ne manque pas de rameuter les journalistes, qui, après l'incident d'Édouard-VII, flairent maintenant le grabuge. Maria Casarès attaque : « La pièce de Pichette pourra paraître à certains scan-

1. Jacques Lemarchand, *Almanach du théâtre et du cinéma 1949*.
2. In *Souvenirs et Témoignages*, *op. cit.*

daleuse. Mais elle mérite d'être jouée et nous la jouerons[1]. »

Dans son *Tombeau de Gérard Philipe*, publié en 1961[2], Henri Pichette se rappelle l'époque de ces *Épiphanies*, et comment l'acteur lui demandait bien souvent de lire lui-même à haute voix son texte : « Lectures de travail où, pour ainsi parler, il désirait que je lui donne le *la*. Si quelque chose clochait, il se prenait à rire d'un rire pareil à de la pudeur ou à une évasion. Çà et là, il me faisait reprendre, il proposait une nuance, il creusait, il notait. »

Fin novembre, trois jours avant la générale, alors que les grèves paralysent la capitale, des coupures d'électricité plongent le théâtre dans l'obscurité. Qu'à cela ne tienne, l'équipe mettra les bouchées doubles quand la lumière reviendra. Dans « ce théâtre grand comme une crèche[3] », tandis qu'un piano joue les liaisons musicales de Maurice Roche, Gérard s'avance devant la toile de fond peinte par Matta. Les spectateurs peuvent croire, tant sa tension paraît grande, qu'il va bondir dans la salle… Pull-over bleu marine, col blanc ouvert, pantalon sombre, cheveux fous, semblable à maints garçons de son âge – c'est aux garçons de son âge, précisément, qu'il va dire la révolte et l'angoisse dans lesquelles se reconnaît leur génération : « Depuis la première pulsation du monde, je tournais sur moi-même… »

Succès immédiat, surtout auprès d'un public jeune que le texte, pourtant, ne ménage guère : « …Et ainsi de suite irai-je, me pourchassant de terres à lunes et par fluides plus loin encore, en liberté, dédaigneux de toutes les ordalies, matière idéale, branche mère, œillet d'un cerveau absent, jusqu'à la dernière pulsation du monde. » Mais, malgré les obscurités et l'emphase poétique, le couple Casarès-Philipe est si beau, si fervent – elle de noir vêtue, vibrante –, qu'alors, comme le notait Adrienne Monnier dans sa critique du *Mercure de France*, « le jargon des amants s'asseyait sur une des hautes chaises de la poésie ».

Cependant, le spectacle ne fait pas l'unanimité, comme le rap-

1. *Combat*, 5 décembre 1947.
2. Gallimard.
3. *Ibid.*

porte Henri Pichette lui-même : « Des spectateurs grognaient[1]. » Et Jacques Lemarchand, tirant le bilan des représentations, précise : « Ce fut l'une des pièces les plus discutées cette année, parce que irritante, forte, puérile parfois, agressive souvent, extraordinairement belle en beaucoup de ses parties, et soudain gratuitement provocante[2]. »

1. *Ibid.*
2. *Almanach du théâtre et du cinéma 1949, op. cit.*

7

C'est en plein succès que Gérard quitte les Noctambules et le Quartier latin. Pour faire escale du côté de l'Opéra, au Théâtre de la Michodière, appelé par des engagements antérieurs. Changement radical. Après les cris baroques et les imprécations lyriques d'Henri Pichette, place à la prose calibrée de Jacques Deval.

Le 29 janvier 1948, Gérard crée en effet *K. M. X. Labrador*, adaptée d'une pièce anglo-saxonne de H. W. Reed, *Peticoat Fever*. A-t-il, ce soir-là, une petite pensée pour le tout jeune homme qui, un jour de 1941, présenta justement un texte de Jacques Deval devant Marc Allégret ? Un souvenir bien précis, en tout cas, c'est celui des fous rires d'*Au petit bonheur*... Aussi, lorsqu'il est question d'engager Sophie Desmarets, tous deux jugent plus sage qu'on lui choisisse une autre partenaire. Claude Génia fera l'affaire.

Il s'est tant engagé personnellement dans l'aventure des *Épiphanies* qu'on pourrait penser qu'il n'a choisi cette comédie que pour souffler un peu. Pas du tout ! « *K. M. X.*, raconte Jacques Deval, c'était pour Gérard Philipe l'occasion de montrer une gaîté, un entrain constants. Il ne se bornait pas à jouer son rôle, il se passionnait pour le spectacle, apportait de nouvelles suggestions. Il avait inventé lui-même un sketch muet de quelques minutes, où il était éblouissant. Et j'ai gardé la feuille sur laquelle il avait réécrit la dernière scène de la pièce. Je le vois encore, au restaurant où nous déjeunions entre deux répétitions. A chaque instant, il nous proposait une modification, une idée qui lui était venue[1]... »

1. *Les Lettres françaises*, n° 801, 3 décembre 1959.

Pierre Fresnay, directeur de la Michodière, qui assiste aux dernières répétitions, n'en revient pas : il ne reconnaît pas la pièce qu'il a lue ! Le comédien, par sa présence et son jeu, la transfigure de bout en bout. Louis Arbessier, qui fut plus tard son partenaire, se souvient de Gérard Philipe dans *K. M. X. Labrador* : « Il était extraordinaire, alors que la pièce, en fait, était très quelconque. Il attirait le sourire, et ce sourire-là c'était celui que le philosophe Alain appelle la "perfection du rire" : on était très haut. Il se trouve que j'ai vu la pièce une seconde fois, avec son remplaçant. Les gens riaient aux mêmes endroits certes, mais alors qu'on était très haut avec Philipe, on était au ras du sol avec celui-là ! C'est-à-dire que les effets se faisaient, mais pas pour les mêmes raisons[1]. »

Et Louis Arbessier de s'interroger sur ce qu'il appelle le « mystère Gérard Philipe ». Ce mystère extraordinaire de la présence, du charme et du romantisme en scène : « Je ne cherche pas à l'analyser, ni n'en tire des conclusions. Mais j'ai toujours pensé que Gérard Philipe possédait de naissance, si j'ose dire, toutes les qualités théâtrales : il jouait aussi bien la comédie à vingt ans qu'à trente-cinq ! C'était un comédien naturel. »

Quand, le 21 mai, *La Chartreuse de Parme* sort sur les écrans de la capitale, au Paris et au Royal Haussmann, Gérard a déjà quitté la Michodière. Depuis le début du mois, il est à Barneville-sur-Mer, en Normandie, avec l'équipe d'Yves Allégret, qui tourne les extérieurs d'*Une si jolie petite plage*. L'histoire, imaginée par Jacques Sigurd, se passe dans une modeste station balnéaire, le plus souvent battue par la pluie. Or les averses souhaitées sont rarement au rendez-vous, et les pompiers du Calvados doivent donner un sérieux coup de main aux machinistes qui s'escriment à déverser des trombes d'eau sur les interprètes. « Allez-y, les gars, arrosez-nous bien. Sinon ça ne raccordera pas ! », hurle Gérard en riant[2].

1. Entretien avec l'auteur, mars 1991.
2. Rapporté par Henri Alekan, in *Souvenirs et Témoignages*, *op. cit.*

Une autre fois, c'est un orage, bien réel celui-là, qui s'abat sur l'équipe, noyant les projecteurs. Gérard reçoit la douche sans broncher : « Il supportait toutes les difficultés avec une merveilleuse bonne humeur », note l'opérateur Henri Alekan.

Il lui en faut beaucoup, de bonne humeur ! *Une si jolie petite plage* respire en effet le désespoir absolu... Désespoir à la mode, au cinéma, en cette fin des années quarante, sous une forme ou sous une autre. La veine néo-réaliste en Italie, les films dits « noirs » aux États-Unis, en France des œuvres comme *Manon*, d'Henri Georges Clouzot, ou *Dédée d'Anvers*, du même Yves Allégret, ont en commun leur inspiration, qui se double, dans les meilleurs cas, de critique sociale.

Ce n'est pas seulement une petite station normande banale que noient sous leurs assauts la pluie et la brume, c'est un destin. Car c'est bien son destin que revient accomplir ce jeune homme, de retour dans l'hôtel où il fut autrefois employé aux basses besognes. Un destin qui est de mourir. Parce qu'il n'y a pas d'avenir.

Ce pessimisme total, « ensemble romantique et sartrien[1] », la presse de gauche va plutôt mal le recevoir. C'est que, en effet, soumise à un optimisme de commande, elle refuse de voir dans les films noirs français autre chose qu'un vague succédané des productions américaines (et surtout pas la moindre critique sociale). A moins qu'elle ne les envisage comme de véritables entreprises de démolition. Telle *La Voix du peuple*, en juin 1950 : « Il y a derrière cela un désir naïf d'épater le bourgeois et une esthétique purement gratuite et subjective qui manifeste à sa façon le mépris du peuple, de ce peuple autrement sain et plus capable que les "intellectuels" de Saint-Germain-des-Prés de comprendre la vie. » Et Georges Sadoul lui-même, l'estimable historien du cinéma, hurle avec les loups. Quitte, vingt ans plus tard, à reconnaître qu'il s'est trompé.

Nul doute que ces attaques en règle blessent Gérard Philipe. Il s'est en effet durement battu pour imposer aux producteurs cette

1. Jean Queval, *L'Écran français*, 25 janvier 1949.

histoire à laquelle il tient beaucoup, et tout le montage financier s'est fait sur son nom. Aussi veut-il faire savoir aux critiques ce qu'il pense de leurs jugements tout prêts, ignorants des contraintes et des lois du septième art. A mots couverts et tout en feignant de traiter le problème plus général de l'imagination cinématographique :

« Tirant exemple des films que j'ai tournés jusqu'à présent, j'ai cru constater qu'il existe presque autant de manières de tourner un film qu'il existe de films différents.

« Dans la plupart des cas, l'œuvre achevée paraît tellement définitive qu'elle permet aux critiques et spectateurs avertis de se faire une opinion précise quant aux intentions du metteur en scène.

« Cependant la volonté de ce dernier n'est pas toujours seule en cause. Je voudrais parler des initiatives diverses qui rendent, plan à plan, le film "définitif". C'est le plus souvent le fruit d'une participation collective [...]. Un exemple : mon ami Alain Resnais vint me voir sur le plateau alors que je tournais *Le Pays sans étoiles* et me fit remarquer, les yeux brillants de joie et d'émotion technique, combien la "griffe" de Georges Lacombe était présente dans la composition du plan que nous tournions : "Cette lampe au coin gauche de l'image !... Tout à fait comme dans tel et tel de ses derniers films..." Je rigolai doucement, sachant que la lampe avait été disposée par Arignon, le caméraman.

« Ce même Arignon a bien mérité un bel apéritif que je ne lui ai, du reste, jamais offert (pardon Roger) en aidant avec à-propos à réaliser le dernier plan d'*Une si jolie petite plage* que l'imagination de Jacques Sigurd avait "techniquement" mis sur papier.

« Il s'agissait de deux personnages sur la plage qu'un travelling arrière réduisait à deux points minuscules perdus sur le sable, face à la mer. Yves Allégret désirait un hélicoptère mais il n'obtint qu'une voiture travelling. Il lui fallut donc adapter l'idée technique aux moyens qu'on lui donnait, pour arriver à faire apparaître dans le mouvement les différents éléments du plan. Mais la voiture travelling laissait les traces de son passage.

L'idée était abandonnée, lorsque, soudain, Arignon pensa qu'il suffisait, pour réaliser le plan, de faire un travelling avant, les personnages marchant en arrière, et la pellicule se déroulant en sens inverse dans la caméra.

« Il fallut donc la science de plusieurs techniciens pour réaliser ce plan imaginé par Sigurd. Mais quelle que fût la difficulté de réalisation, c'est réellement à Jacques Sigurd que l'on doit, entre autres, la fin remarquable d'*Une si jolie petite plage*.

« Nous serions donc de plain-pied avec la question si souvent posée : "Qui est réellement l'auteur du film ?" si je n'avais justement considéré au début de cet article qu'un film est plus souvent le fruit d'un travail collectif[1]. »

La *Petite Plage* à peine terminée, Gérard retrouve Maria Casarès sur la scène du Théâtre des Ambassadeurs, au mois de juillet, pour une brève reprise de ces *Épiphanies* qu'il a dû abandonner en janvier, afin d'honorer son contrat chez Pierre Fresnay. Dans les ors de cette grande salle à l'italienne, proche des Champs-Élysées, le spectacle perd beaucoup de son intimité et de sa force oppressante. Mais la mise en scène de Georges Vitaly y gagne une efficacité, un style, qu'elle était loin de posséder sur la petite scène pauvre des Noctambules.

Pas de vacances cette année ! A la place, un film avec des copains. En Italie et dans le Midi : Rome, Pise, Nice... Un scénario de Jacques Sigurd, Micheline Presle et Marcelle Arnold pour partenaires – bref, une véritable partie de plaisir. Titre : *Tous les chemins mènent à Rome*. Hélas, les amis doivent vite déchanter. Jean Boyer, qui tournera à la chaîne, dans les années cinquante, des films populaires tels que *Bouche cousue*, *Le Chômeur de Clochemerle* ou *Cent francs par seconde*, n'est pas l'homme de la situation. Là où il faudrait un René Clair ou un Stanley Donen, capables de donner à l'histoire de Sigurd le punch et la rigueur qui lui manquent, Jean Boyer se contente d'aligner des gags qui font long feu.

1. *L'Écran français*, n° 188, 1er février 1949.

L'histoire, quant à elle, tient en quelques mots. Gabriel Pégase, géomètre, se rend à Rome avec sa sœur, où il doit faire une communication importante au cours d'un congrès. En chemin, il surprend la conversation téléphonique d'une belle inconnue qui tente d'échapper à des poursuivants. Chevaleresque et naïf, il s'efforce de protéger la belle, ignorant qu'il s'agit d'une actrice cherchant à fuir les journalistes : quiproquos, aventures, rires…

« Il y avait en effet un grave problème de mise en scène, se souvient Micheline Presle, qui jouait ici son dernier rôle avant son départ pour les États-Unis. Le producteur avait choisi un réalisateur qui était certes un homme charmant et un bon faiseur de comédies, mais pas celui qu'il fallait pour ce film. Entre Gérard et lui, ça ne s'est pas bien passé du tout. Gérard aurait aimé reprendre la mise en scène, mais cela n'a pas été possible[1]. »

Il reste que le couple Presle-Philipe, elle en star capricieuse, lui le visage piqué de taches de rousseur, les cheveux carotte, renouvelle de manière inattendue et plaisante celui du *Diable au corps*. Et le jeune homme, qui craignait quelques mois plus tôt d'être catalogué parmi les « romantiques tristes », comme il le confiait à des proches, peut se rassurer.

Après Rome et Pise, c'est donc sur la Côte d'Azur, dans les studios de la Victorine, que s'achèvent les prises de vues. Tandis qu'un vaste mouvement de grève affecte l'ensemble des bassins houillers français. Au grand dam du gouvernement, qui dénonce, par la voix du président du Conseil, Henri Queuille, le caractère insurrectionnel de ces arrêts de travail. Le ministre de l'Intérieur, Jules Moch, quant à lui, voit l'origine de ces désordres du côté de Moscou, *via* le PC français… La troupe intervient à Saint-Étienne, Carmaux, Montceau-les-Mines. De violentes échauffourées éclatent à Liévin, le 1er novembre, au cours du dégagement des puits. Dans le Midi, tout est calme, et Marcelle Arnold se souvient de longues heures de tournage passées sur la route, au-dessus de Nice, dans la vieille guimbarde qui emmène Pégase et sa sœur à Rome…

1. Entretien avec l'auteur, décembre 1991.

On déplorait l'absence de René Clair au générique ? Qu'à cela ne tienne ! Le voici. De passage à Nice, curieux de cet acteur qu'il a vu naguère dans *Caligula*, il provoque une rencontre. Comme tout le monde, il a été frappé par son talent et sa beauté. Et Philipe, en outre, semble correspondre point par point au personnage du film qu'il prépare.

Né en 1898, René Chomette, dit René Clair, a signé dès l'époque du muet des œuvres qui sont demeurées pour la plupart dans l'histoire du cinéma : *Entracte*, *Sous les toits de Paris*, *Le Million*... Après un long séjour aux États-Unis, où il a notamment réalisé *Ma femme est une sorcière* (avec Veronika Lake), et *La Belle Ensorceleuse* (avec Marlene Dietrich), il rentre définitivement en France en juillet 1946. Pour tourner *Le silence est d'or*, charmante évocation du cinéma muet, avec Maurice Chevalier et une débutante prometteuse, Marcelle Derrien, qui disparaîtra pourtant rapidement des écrans.

Mais à Nice, à l'hôtel Negresco, l'entrevue des deux hommes tourne court : « Il me reçoit avec ce visage de refus, raconte René Clair, derrière lequel – je le saurai plus tard – il sait dissimuler sa gentillesse et sa curiosité. Quelques minutes d'entretien, au cours desquelles sa timidité hostile me rend hostile et timide moi-même[1]... »

Buté, peu loquace sous sa tignasse rouge, Gérard Philipe écoute René Clair parler de son projet. Faust, le mythe de Faust, rajeuni dans le cadre d'une histoire qui serait aussi une interrogation sur la science et ses dangers. Titre : *La Beauté du diable*.

Depuis qu'en 1945 les Américains ont lâché la bombe atomique sur Hiroshima, la menace nucléaire est peu à peu passée au premier rang des préoccupations, à l'Ouest comme à l'Est, aggravée encore par le climat de guerre froide. C'est à cette grande inquiétude que Clair veut confronter son héros. En refusant la puissance sans limites et son cortège d'horreurs que lui offre Méphistophélès, Faust retrouve son âme.

« Et pourquoi Faust n'aurait-il pas envie d'être damné ? »,

1. *Souvenirs et Témoignages*, *op. cit.*

interrompt Gérard Philipe. « La conversation ne va pas beaucoup plus loin ce jour-là, poursuit René Clair. Au diable, en effet, Faust et ce gamin qui veut en remontrer à Marlowe ou Goethe sans même les avoir lus ! » Gérard va mettre le comble à l'irritation de son interlocuteur en prétendant lire le scénario avant de donner sa réponse définitive. René Clair explose. Personne ne s'est jamais permis de mettre une telle condition à sa collaboration avec lui. Qui d'ailleurs ne le tolérerait de personne, et surtout pas de ce blanc-bec. Le ton monte. René Clair : « Petit con ! » Et les deux hommes tournent les talons.

Un soir de l'automne de 1948, à Paris, 4 rue Antoine-Chantin, chez Jean Vilar. Quatre hommes sont réunis : le maître de maison, le décorateur Léon Gischia, Henri Pichette et Gérard Philipe, dont les cheveux teints commencent à virer au blond-roux... Il est convenu que Pichette lira quelques fragments du poème dramatique qu'il projette d'écrire, *Nucléa*. En fait, Jean Vilar a une autre idée derrière la tête, et c'est d'une oreille distraite qu'il écoute le poète.

Jean Vilar, qui a commencé sa carrière chez Charles Dullin, avant la guerre, a monté pendant l'Occupation *La Danse de mort* de Strindberg (qu'il est précisément en train de reprendre au Studio des Champs-Élysées, en ce mois de novembre 1948). Mais c'est *Orage*, du même Strindberg, présenté en septembre 1943 au Théâtre de Poche, qui le fait connaître. Jean-Paul Sartre et Simone de Beauvoir, assistant au spectacle, sont impressionnés par Jean Vilar[1]. Cocteau, de son côté, écrit dans son *Journal*, le 8 novembre 1943 : « Vilar est extraordinaire dans le rôle du vieux [...]. Il arrive à ce prodige de hanter cette salle minuscule par sa présence et par quelques objets maléficieux. Cette mise en scène de quatre sous était somptueuse. Voilà le mot[2]. »

En mars 1947, alors que le renom de Vilar s'affirme dans les milieux artistiques, des proches du poète René Char lui propo-

1. Simone de Beauvoir, *La Force de l'âge*, Gallimard, 1960.
2. Jean Cocteau, *Journal, 1942-1945*, *op. cit.*

sent de reprendre pour un soir, dans la cour du palais des Papes d'Avignon, la pièce de Thomas Stearns Eliot, *Meurtre dans la cathédrale*, créée naguère au Théâtre du Vieux-Colombier. La réponse est nette : « Non. » En fait, sans se l'avouer, Vilar est impressionné par le lieu. Et puis... Huit jours plus tard, il renoue avec les émissaires avignonnais, et leur offre d'organiser non pas une reprise de *Meurtre dans la cathédrale*, mais une manifestation comprenant trois authentiques créations théâtrales ! Stupeur des interlocuteurs, qui se retranchent alors derrière la faiblesse de leurs moyens financiers et lui conseillent de prendre contact avec Georges Pons, maire d'Avignon, et Étienne Charpin, son adjoint. C'est donc avec leur bénédiction que Vilar, directeur artistique de la Semaine d'art en Avignon, ancêtre du futur Festival, programme du 4 au 10 septembre : *Richard II*, de Shakespeare, *L'Histoire de Tobie et Sara*, de Paul Claudel, et *La Terrasse de midi*, pièce d'un jeune auteur nommé Maurice Clavel. Le tout sur des tréteaux de fortune, bidons d'essence vides, rails, poutrelles et madriers assemblés tant bien que mal. L'expérience est renouvelée l'année suivante avec *La Mort de Danton*, de Georg Büchner, *Schéhérazade*, de Supervielle, et une reprise de *Richard II*.

Vilar en est là de l'expérience avignonnaise, lorsqu'il reçoit Gérard Philipe dans son modeste logement, proche de la rue d'Alésia. Trois pièces sombres, sans confort. Son idée, qu'il garde encore secrète : Gérard Philipe dans *Le Cid*, qu'il veut monter pour la troisième édition d'une manifestation que l'on commence à appeler le « Festival d'Avignon ».

Léon Gischia : « Après bien des tergiversations et des détours, au tout dernier moment et lorsque Philipe s'est déjà levé pour partir, Jean se décide enfin à manger le morceau. Avec une apparente désinvolture, il offre à Gérard de jouer *Le Cid* au prochain Festival d'Avignon qu'il est en train de mettre sur pied. Gérard, qui jusque-là a été la gentillesse même, devient aussitôt très réservé. Il a l'air de considérer la proposition comme saugrenue[1]. »

1. *Souvenirs et Témoignages*, *op. cit.*

« La tragédie ? La tragédie ? Mais voyons, je ne suis pas fait pour ça[1] ! »

Gérard Philipe s'est plus tard expliqué sur son refus : « Le Cid était un emploi qui me paraissait inaccessible, étant donné qu'au Conservatoire on m'avait appris à faire la distinction entre les classes de comédie et les classes de tragédie. J'avais bien sûr joué *Caligula*, mais c'était une prose moderne, familière si j'ose dire. Les préoccupations du personnage, bien que neuves, étaient en même temps très enracinées chez ceux de ma génération, car Camus répondait exactement à nos troubles. Le Cid, lui, me paraissait lointain[2]. »

Ce qu'il tait, c'est son commentaire final. Car, après avoir décliné l'offre de Vilar, il ajoute avec désinvolture qu'il n'est d'accord ni avec Corneille d'une manière générale ni avec *Le Cid* en particulier. Colère de Jean Vilar, qui, une fois seul avec Gischia, s'écrie lui aussi : « Quel petit con ! »

Bien des années plus tard, dans une interview accordée à un magazine, l'épouse de Gérard Philipe s'est interrogée sur ces refus successifs, préludes à des acquiescements passionnés : « Dans le travail, il disait toujours "non" d'abord, quand se présentait quelque chose d'important. Peut-être parce qu'il avait peur, ou parce que effectivement ça n'était pas venu à sa pensée et qu'il avait tout d'un coup un choc[3]. » Elle aurait pu tout aussi bien dire : « Dans le travail et dans la vie privée. » Elle l'a laissé entendre ailleurs, notant que, après s'être donné, celui qui allait devenir son compagnon s'était repris et avait semblé un moment s'insurger contre ses propres sentiments. Avant de se donner de nouveau, définitivement cette fois. Ce qu'elle commente : « Ce qui est important lui déplaît d'abord, ce qui va l'assujettir et lui permettre de s'accomplir excite d'abord en lui la turbulence d'un jeune animal rétif à se laisser apprivoiser, la révolte élémentaire

1. Archives Gérard-Philipe, Maison Jean-Vilar.
2. Interview, Radiodiffusion française, été 1954.
3. *L'Événement du Jeudi*, 9-15 juillet 1987.

d'un sang vif et déconcerté[1]. » Et que résume d'une autre manière Mme René Clair : « Il reculait devant la chose qui était évidente, devant *Le Diable au corps*, devant Rodrigue, devant *Lorenzaccio*[2]... »

C'est cet homme-là que retrouve Nicole Fourcade, lorsqu'elle rentre en France au mois de septembre 1948, après son long séjour en Asie. Et un voyage de retour exceptionnel. Elle est en effet la première Française à avoir traversé le Sin Kiang chinois en compagnie d'une caravane de marchands se rendant au Cachemire. Sur un camion brinquebalant d'abord, à dos de mulet et de cheval ensuite, pendant plus de trois semaines. De son expédition, elle rapporte un film, et surtout des notes qui serviront de base au récit qu'elle publiera en 1954, *Caravanes d'Asie*.

Cet homme-là, exactement, « pris d'une obscure panique, d'une révolte inconsciente devant ce que va exiger de lui le don de l'amour avec sa future femme, le don de l'amitié avec René Clair, le don du travail avec Jean Vilar[3] ».

Soupçonne-t-il que ses forces ne sont pas inépuisables, que, à trop donner ce que les autres exigent de lui, travail ou affection, il risque de se rompre ? Peut-être. L'instinct, parfois, prévient les créatures de leurs limites.

Mais, tandis qu'il tourne *Tous les chemins mènent à Rome*, il confie à Marcelle Arnold que Nicole est revenue. Plus que jamais il est épris d'elle. C'est en vain qu'il a tenté de l'oublier pendant son absence. Elle, de son côté, n'a cessé de penser à lui pendant ces mois d'éloignement : « Pendant un moment l'absence exalte les sentiments mais en se prolongeant elle les affaiblit. Si seule la passion nous avait unis, elle s'épuiserait, si c'était l'amour, comme je le croyais, rien ne pourrait le tuer, même pas la mort[4]. »

Le premier mouvement d'humeur passé, Gérard se ravise. Après avoir dit non, il dit oui à *La Beauté du diable*. Car René

1. *Souvenirs et Témoignages*, *op. cit.*
2. Entretien avec l'auteur, janvier 1991.
3. *Souvenirs et Témoignages*, *op. cit.*
4. Anne Philipe, *Promenace à Xian*, Gallimard, 1980.

Clair, poussé par Lucienne Wattier, l'agent du comédien, est revenu à la charge.

D'ailleurs, comment refuser un tel sujet ? Derrière la figure de ce Faust rajeuni par René Clair et Armand Salacrou, refusant de jouir d'un pouvoir criminel, plus d'un contemporain croit deviner celle de Frédéric Joliot-Curie, haut-commissaire à l'Énergie atomique depuis 1946, qui sera bientôt relevé de ses fonctions pour s'être opposé à l'utilisation de ses travaux dans un but militaire. C'est en tout cas l'avis d'Aragon, qui, à l'occasion du cinquantième anniversaire du savant, célébré à Montreuil, dans la région parisienne, lui dédie une ode vibrante dans laquelle il rappelle sa parenté avec le film de René Clair.

Toutefois, avant de rejoindre les studios de Cinecittà, au mois de juillet, Gérard Philipe doit assurer les représentations du *Figurant de la Gaîté*, d'Alfred Savoir, au Théâtre Montparnasse-Gaston Baty. Curieux choix que cette pièce d'une autre époque, où il reprend un rôle créé par le grand Victor Boucher en 1926 ! Albert, étudiant sans le sou, est figurant à la Gaîté. Saisi par les huissiers, qui s'emparent même de ses hardes, il ne lui reste qu'à se vêtir des costumes du théâtre. « Comme c'est probablement un grand acteur qui ne se connaît pas, il rentre chaque fois dans la peau du personnage dont il porte l'habit », commente Elsa Triolet dans *Les Lettres françaises* du 3 mars 1949.

Ce figurant n'aurait guère d'importance si Gérard ne faisait là, sans le savoir, ses adieux au boulevard, entouré de Mila Parély et de Jacqueline Maillan. A-t-il conscience d'avoir commis une erreur, en délaissant Corneille pour Alfred Savoir ? En tout cas, il ne se laissera plus jamais aller à de tels écarts de carrière. Pendant qu'il joue, avec élégance et brio certes, le personnage anodin d'Albert, en Avignon un jeune comédien inconnu, élève de première année du Conservatoire, Jorris-Maulne[1], répète le rôle de Rodrigue sous la direction de Jean Vilar. Le premier Cid d'Avignon n'est pas Gérard Philipe.

1. Jean-Pierre Jorris.

Rome. Juillet 1949. Malgré la canicule, un froid de glace règne sur le plateau de *La Beauté du diable*. Entre le metteur en scène et son interprète, la tension n'a pas baissé : « De part et d'autre, une stricte politesse, plus gênante au cours d'un travail en commun que les pires discussions. Je me retrouve en face du visage fermé de Caligula et je pense avec ennui qu'il me faudra supporter la vue de ce visage-là pendant de nombreuses semaines[1]. » Il faut dire que la présence de Michel Simon, dans le rôle de Méphisto, n'arrange rien. Il n'apprécie guère Gérard et ne s'en cache pas : « Gérard Philipe, un acteur ? confie-t-il à Georges Beaume. Vous me faites rire... Dans *La Beauté du diable* j'avais l'impression de jouer devant un mur. Ça ne m'a guère donné envie de le fréquenter en dehors du studio[2]. »

Et puis, brusquement... « Un soir, raconte Mme René Clair, je demande à mon mari : “Comment ça se passe sur le plateau ? – Très bien, finalement ; ce garçon, tu sais, est très gentil. Très attentif. Il s'intéresse au travail de la mise en scène. Il souhaite lui-même en faire. Il voudrait que nous dînions ensemble, avec sa fiancée”[3]... » Car, cette fois, ce n'est pas Minou qui l'accompagne pour l'aider à supporter le lourd été romain, comme au temps de *La Chartreuse de Parme*, mais Nicole. « Et dès ce dîner, le lendemain, poursuit Bronia Clair, mon mari et lui sont devenus amis. D'une amitié qui a duré jusqu'au dernier souffle de Gérard. »

Non, Minou n'accompagne plus son fils, ni à Rome ni ailleurs. Car, dès son retour à Paris, il quitte la rue de Tocqueville. Destination : Neuilly, 45 boulevard d'Inkermann. Trois niveaux, autant de terrasses, tout en haut d'un immeuble moderne, où il s'installe avec Nicole Fourcade. Leur chambre s'ouvre sur un vaste balcon, où roucoule un couple de colombes en cage. Le bois de Boulogne s'étend à leurs pieds.

Et aussitôt les magazines partent en chasse. Avec des fortunes

1. René Clair, in *Souvenirs et Témoignages*, *op. cit.*
2. Georges Beaume, *Vedettes sans maquillage*, *op. cit.*
3. Entretien avec l'auteur, janvier 1991.

diverses. « En grand mystère, il vient d'aménager à Neuilly une garçonnière sur les terrasses inondées de soleil d'un grand building. On dit qu'il s'installera bientôt avec une compagne dont personne ne connaît ni le nom ni le visage », rapporte le 18 mars 1950 *Paris-Match*, retardant d'au moins six mois, puisque Gérard et Nicole profitent de leurs fameuses terrasses ensoleillées depuis la fin du mois d'août.

Ce n'est donc plus Minou que l'on verra, désormais, dans la loge de son fils les soirs de première ou sur les plateaux de cinéma. Une autre femme l'a remplacée. Comme dit *Ciné-Revue*, sans soupçonner cependant l'importance de ses regrets : « Elle ne se console pas d'avoir vu son grand "Gégé" quitter son nid douillet pour le grand appartement de Neuilly [1]. »

Ce nouveau logis, une véritable conspiration féminine s'est formée autour de Gérard pour qu'il l'achète. Lui voulait une voiture ! Mais ses imprésarios, Paulette Dorisse et Blanche Montel, associées avec Lucienne Wattier dans l'agence CI-MU-RA, ne l'entendent pas de cette oreille : il doit faire un placement « sérieux ». Et Paulette Dorisse charge aussitôt Louise Zivian, son propre agent immobilier, de lui trouver un appartement. Ce sera donc celui du boulevard d'Inkermann, qui appartient alors à un artiste peintre sans grand renom, Pierre Sicard. Les jeunes gens le meubleront dans un style dépouillé mi-japonais mi-scandinave alors très à la mode. Et puis des livres, des livres partout, des statuettes mexicaines, des objets populaires colorés...

« Rares sont les amis reçus dans ce confortable appartement de Neuilly, souligne François Granier dans *Ciné-Revue*. René Clair, la romancière Marianne Becker, le poète Pichette sont parmi les privilégiés. Gérard leur fait écouter ses disques de jazz. Dans le living-room, Nicole joue du piano tandis que sa petite chienne basset, Zoé, écoute silencieusement. Gérard, lui, lit beaucoup. Il achète de nombreux livres qu'il dévore dès qu'il a une minute. »

« Dévorer », c'est le mot juste... L'image est célèbre, elle a fait le tour du monde ou presque. On y voit un Gérard Philipe affamé

1. 2 avril 1954.

déchirer à belles dents la pile de bouquins qu'il tient dans ses bras, tandis qu'un slogan, en haut à droite, proclame : *Dévorez des livres*. Un autre, au bas de l'affiche, affirme : *Mieux qu'un cadeau, un livre*.

Cinq ans après la fin du conflit mondial, le commerce des livres ne s'est pas rétabli. Éditeurs et professionnels font grise mine. Le Cercle de la librairie s'inquiète de cette stagnation des ventes : les Français lisent moins qu'avant guerre. Henri Sjöberg, qui réunit sur sa tête les trois casquettes d'éditeur, de poète et de publicitaire, est alors chargé par le Cercle de la librairie de concevoir une campagne d'affichage. Dans les meilleurs délais : elle doit être prête dès la fin novembre, de manière à stimuler les ventes de fin d'année. Il faut un symbole, pense-t-il. Celui de la jeunesse, de la séduction, de l'intelligence. Bref, Gérard Philipe. Qui accepte d'emblée. En veste de tweed gris, cravate à rayures verticales, il se prête, devant l'objectif de Louis Lorelle, à toutes les exigences du photographe. « Résultat, confiait en 1986 au magazine *Les Nouvelles littéraires* Henri Sjöberg, un accroissement des ventes d'environ 30 % et surtout la conquête d'une nouvelle frange de lecteurs. » Qui sont-ils, ces nouveaux lecteurs ? Des jeunes, surtout, qui grâce à Gérard Philipe vont enfin oser pousser la porte d'une librairie. Les mêmes qui, un peu plus tard, s'aventureront dans les travées du palais de Chaillot. Une nouvelle jeunesse, avec de nouvelles idées, dont écrivains, artistes et cinéastes commencent à prendre conscience.

Tel Claude Autant-Lara. Alors qu'il vient juste d'achever *Occupe-toi d'Amélie*[1], où, sous couvert d'adapter la comédie de Georges Feydeau, il se livre à son exercice favori de vitriolage des hypocrisies et des faux-semblants bourgeois, c'est vers cette jeunesse, troublée par les suites de la guerre et la course aux armements nucléaires, que se tourne le cinéaste.

Le courant pacifiste a fait son chemin dans l'opinion – même si le premier Congrès national des partisans de la paix, qui se

1. Présenté au Festival de Cannes 1949, le film obtient le prix du meilleur décor (décorateur : Max Douy).

tient à Paris, salle Pleyel, en avril 1949 (quinze jours à peine après la signature du pacte Atlantique à Washington), écarte de la tribune les représentants des mouvements pacifistes. Le plus bruyant d'entre eux, Gary Davis, « citoyen du monde » après avoir renoncé à la nationalité américaine, déchire publiquement ses papiers par solidarité avec Jean-Bernard Moreau, un objecteur de conscience français qui vient d'être incarcéré à la prison versaillaise des Grandes-Écuries, avant d'être transféré à Paris, à la maison d'arrêt de la rue du Cherche-Midi.

L'histoire de Moreau a profondément touché Autant-Lara, qui retrouve chez ce garçon ses propres sentiments libertaires : « Tant de gens prétendent ou viennent de faire des films sur la jeunesse. Mais sur quelle sorte de jeunesse ? Il me semble (et nous en avons vu un exemple à Cannes, entre nous) qu'on est allé à de fausses jeunesses, alors que celle que représente un Moreau est, celle-là, de la plus émouvante, de la plus réconfortante qualité [1]. »

Sûr du concours de Gérard Philipe, il s'attaque alors aux préparatifs d'un film qui, sur un scénario d'Aurenche et de Bost, s'inspirera de l'histoire du jeune insoumis : *Tu ne tueras point*. « J'étais sûr, écrit-il à son futur interprète, que vous seriez sensible au sujet vraiment extraordinaire de *Tu ne tueras point* et que vous tiendriez à être le jeune héros, au vrai sens du mot, de cette admirable histoire dont le retentissement dans les cœurs ne peut manquer d'être énorme en ce moment [2]. » Un tel projet ne peut toutefois soulever que des difficultés : auprès des autorités, auprès de la censure, auprès des ligues d'anciens combattants… « Puis-je vous donner une consigne, si vous me le permettez, poursuit le réalisateur, c'est de ne pas prononcer le mot "objecteur de conscience". Dire seulement que nous faisons un film sur deux procès… Cela nous facilitera les choses et évitera à certaines barrières de se dresser déjà contre notre entreprise [3]. »

1. Lettre à Gérard Philipe, 21 septembre 1949, Archives Gérard-Philipe, Cinémathèque française.
2. *Ibid.*
3. *Ibid.*

Aussi les deux hommes multiplient-ils les précautions, la moindre n'étant pas la fondation d'une société de production. Les Films du Sablier, société à responsabilité limitée, au capital de 200 000 francs, domiciliée 14 rue Roquépine, à Paris, est constituée le 1er novembre 1949, Claude Autant-Lara et Gérard Philipe apportant chacun 60 000 francs, tandis que leurs quatre associés, Pierre Bost, Jean Aurenche, Blanche Montel et René Laporte, versent respectivement dans la caisse sociale 55 000, 5 000, 18 000 et 2 000 francs. La société, qui a notamment pour objet « la production, l'édition, l'exploitation sous quelque forme que ce soit, l'achat, la vente de tous films cinématographiques », ne cache pas son objectif : faciliter le montage financier du projet. Celui-ci échouera pourtant rapidement, les banquiers du cinéma se défilant les uns après les autres : « A ce metteur en scène renommé pour ses triomphes publics et que ses qualités de sérieux professionnel faisaient respecter de tous, ils refusèrent poliment leur collaboration [1]. » Faute de moyens, Autant-Lara doit renoncer. Ou plutôt, une fois encore, attendre. Car ce n'est qu'en 1960 qu'il pourra enfin mettre en chantier *Tu ne tueras point.* Dans des studios yougoslaves, avec l'appui d'une société suisse et d'une autre, domiciliée au Liechtenstein… Et c'est Laurent Terzieff qui jouera alors le rôle écrit pour Gérard Philipe dix ans plus tôt [2]. Il ne semble pas que les Films du Sablier aient survécu à la déroute du projet : aucun générique des mille films que produira le cinéma français au cours des années cinquante ne mentionne leur nom.

Ironie du sort : à défaut de jouer un objecteur de conscience, Gérard, dès le 23 janvier, enfile le dolman, les épaulettes chamarrées, les hautes bottes et la cape d'un militaire viennois, aristocrate décavé de l'empire des Habsbourg que Max Ophuls fait apparaître au début et à la fin de sa *Ronde*. « On peut le trouver

1. Freddy Buache, *Claude Autant-Lara, op. cit.*
2. Le *curriculum vitae* en quelque sorte officiel de Gérard Philipe, conservé à la bibliothèque-musée de la Cinémathèque française, indique à propos d'un film intitulé *L'Objecteur de conscience* (premier titre effectivement retenu par Autant-Lara) : « Contrat discuté, non signé. »

un peu mince, déclarait le comédien à propos de ce rôle, mais pour moi il vivait. C'est d'ailleurs la seule façon de composer un personnage, que de l'imaginer avant et après les situations du film, et de pouvoir aller manger avec lui au restaurant[1]. »

Le 17 février 1950, à la Comédie-Française, il participe aux adieux de Georges Le Roy, qui quitte la maison de Molière « après trente-deux années de service et vingt-deux années de sociétariat », précise le programme. Une soirée très brillante, qui coïncide avec le 277e anniversaire de la mort de Molière. Tous les anciens élèves et les amis du Maître ont répondu présent. Et tandis que Gérard, dans le rôle de l'annoncier, présente la soirée, c'est une sorte de distribution impossible qui défile sur la scène du Français : Dany Robin, Edwige Feuillère, Noël-Noël, Maria Casarès, Jean-Louis Barrault, Simone Valère, Jean Desailly, Bernard Blier... Dans des extraits des plus grandes œuvres du répertoire où s'est illustré Le Roy : *Le Misanthrope*, *Gringoire* de Théodore de Banville, *On ne badine pas avec l'amour* et *Fantasio* de Musset, *Phèdre*, *Esther*... Après l'entracte, la classe du Conservatoire, que les ex-élèves ont voulu reconstituer, prend place sur le plateau. Tous sont là, serrés, autour de leur ancien professeur. Et chacun, comme naguère rue de Madrid, présente sa scène sous l'œil plus ou moins bienveillant des camarades... Edwige Feuillère donne *La Parisienne* d'Henri Becque. Gérard, son habituel *Fantasio*, entouré de Georges Chamarat, Jean-Louis Jemma et Tony Jacquot – et une scène du *Menteur* de Corneille : « Dans ce dernier extrait, il a été remarquable, se souvient Tony Jacquot. D'ailleurs, il mourait d'envie de jouer *Le Menteur* pour de bon. Déjà, à l'époque du Conservatoire, tandis que nous descendions la rue de Rome, il récitait des morceaux entiers de la pièce. Dommage qu'il n'ait pas eu le temps de mettre ce projet à exécution. On rêve de ce qu'il aurait fait du personnage de Dorante !... »

Mensonges pour mensonges, ceux qui se trament alors dans le monde ne sont pas mal non plus. D'autant qu'ils prennent le visage de la vérité. Et de l'innocence.

1. *Cinéma 56*, n° 8.

8

« Nous exigeons l'interdiction absolue de l'arme atomique, arme d'épouvante et d'extermination massive des populations.

« Nous exigeons l'établissement d'un rigoureux contrôle international pour assurer l'application de cette mesure d'interdiction.

« Nous considérons que le gouvernement qui, le premier, utiliserait, contre n'importe quel pays, l'arme atomique, commettrait un crime contre l'humanité et serait traité comme criminel de guerre.

« Nous appelons tous les hommes de bonne volonté dans le monde à signer cet appel.

« Stockholm, 19 mars 1950 »

Rien qu'en France, en l'espace de quelques mois, 12 millions d'hommes et de femmes signeront ce texte. Et 600 millions dans le monde. A leurs yeux, cet « Appel de Stockholm » est en fait le dernier rempart contre une troisième guerre mondiale peut-être imminente, en tout cas menaçante. Comment en est-on arrivé là ?

Les Alliés n'ont pas attendu la fin de la guerre pour laisser éclater des désaccords mis en sourdine par les exigences de la lutte armée. Winston Churchill en fournit lui-même la preuve, dès octobre 1944, en se rendant à Moscou dans le but de négocier un arrangement secret sur le partage des zones d'influence dans les Balkans : pourvu qu'on lui laisse les mains libres en Grèce, où ses troupes soutiennent la monarchie hellène en butte au soulèvement des maquis communistes, la Grande-Bretagne veut bien, en contrepartie, donner toute liberté à Staline en Roumanie et en Bulgarie. Dix-huit mois plus tard cependant, le 5 mars 1946, Churchill dénonce publiquement, dans un discours prononcé à Fulton (Missouri), les régimes policiers de l'Europe de l'Est, et se déclare convaincu que l'URSS « ne respecte que la force ». En conséquence, il presse « les peuples de langue anglaise à s'unir pour enlever toute tentation à l'ambition ou à l'aventure ». La guerre froide [1] commence. La grande utopie de Yalta – un monde vivant en paix sous l'œil bienveillant des trois grandes puissances – vient de voler en éclats, un an à peine après la signature des accords.

Staline en effet n'a pas tenu ses promesses de Yalta. Aux élections qu'il devait organiser dans les pays libérés par l'Armée rouge, il a substitué trucages systématiques et pressions en tout genre, de sorte que les partis non marxistes sont marginalisés, puis éliminés. En Bulgarie et en Roumanie notamment.

Tandis que les Américains s'en indignent, les Soviétiques, eux, voient dans ces protestations une sorte d'immixtion dans la sphère d'influence que leur a reconnue Churchill. Du coup, ils soutiennent un nouveau soulèvement en Grèce. A quoi les États-Unis répondent par la « doctrine Truman » : ils aideront désormais les peuples libres qui résistent à des tentatives d'asservissement.

L'engrenage s'est mis en mouvement. « Deux camps se sont formés dans le monde : d'une part, le camp impérialiste et anti-démocratique, qui a pour but essentiel l'établissement de la domination mondiale de l'impérialisme américain et l'écrasement de la démocratie ; et, d'autre part, le camp anti-impérialiste et démocratique, dont le but essentiel consiste à saper l'impérialisme », déclare Andreï Jdanov dans le rapport qu'il présente en septembre 1947 lors de la conférence constitutive du Kominform (secrétariat d'information des principaux partis communistes).

La Corée, au sort toujours incertain. L'Indochine déchirée par la guerre coloniale et la Chine par la guerre civile. Les conflits en Grèce, en Turquie, en Palestine. La satellisation politique impo-

1. L'expression « guerre froide » sera popularisée par le journaliste américain Walter Lipmann en 1947.

sée à la Hongrie, à la Bulgarie, à la Roumanie et à la Pologne. En Europe de l'Ouest, la mise en place du plan Marshall... Autant d'événements auxquels viennent s'ajouter le « coup de Prague », début 1948, véritable mainmise des communistes sur la Tchécoslovaquie, et, un an plus tard, le pacte Atlantique. Jdanov a raison : deux camps – bientôt on dira deux « blocs » – se sont formés dans le monde, prêts sans doute à se le partager. La grande habileté de l'URSS va être alors de se présenter comme le camp de la paix.

Comme le soulignent Pascal Ory et Jean-François Sirinelli dans leur ouvrage *Les Intellectuels en France, de l'affaire Dreyfus à nos jours* [1] : « Hantés par la crainte d'une troisième guerre mondiale [...] nombreux furent les intellectuels et hommes politiques français qui se trouvèrent prêts à payer de leur personne pour empêcher le scandale d'une division des démocrates. »

Ce sont eux, ces hommes et ces femmes, que l'on retrouve au Congrès international des intellectuels pour la paix qui se tient durant l'été de 1948 à Wroclaw, en Pologne. Parmi eux, des écrivains comme Vercors, l'auteur du célèbre *Silence de la mer* ; des poètes : Paul Eluard, Aimé Césaire, Pierre Seghers ; des peintres : Picasso, Fernand Léger ; Irène Joliot-Curie, fille de Pierre et Marie Curie, prix Nobel, sous-secrétaire d'État à la Recherche scientifique en 1936, dans le gouvernement Léon Blum ; un ecclésiastique « rouge » enfin, l'abbé Boulier, professeur à l'Institut catholique, animateur de la Jeunesse ouvrière chrétienne, que le Saint-Office suspendra *a divinis* en 1950, avant de le réduire à l'état laïc en 1953.

Ce grand rassemblement, où se côtoient des délégations venues des deux blocs, les historiens le considèrent aujourd'hui comme l'événement fondateur du Mouvement de la paix. Mouvement qui demeurera, « même à l'époque de sa plus grande force, une association-relais, exclusivement vouée à la diffusion des grands mots d'ordre diplomatiques soviétiques en direction des non-communistes [2] ». Des consignes dont l'essentiel peut se résumer

1. Armand Colin, 1986.
2. *Ibid.*

en quelques mots : défense de la paix, lutte contre l'utilisation de l'arme atomique. Qui pourrait se déclarer hostile à un tel credo ?

C'est là toute l'habileté de Staline. Et la plupart des intellectuels français, communistes et compagnons de route, vont s'y laisser prendre. Dès 1947, c'est-à-dire à l'époque de la création du Kominform, et alors que le monde est déjà coupé en deux, on s'inquiète, dans l'entourage du maître du Kremlin, notamment au bureau politique du parti communiste, de la situation désastreuse de l'Union, ravagée par la guerre, tandis que les États-Unis, dans le même temps, détiennent déjà la bombe atomique – et que, par conséquent, la course à l'armement nucléaire est déjà engagée. C'est alors qu'une idée germe dans l'esprit des responsables. Profitant de la présence en Crimée de dirigeants communistes venus y passer les mois d'été, Staline organise des réunions. Au cours desquelles, peu à peu, la stratégie du Kremlin se met en place.

Il s'agit de faire admettre par tous les partis communistes que le monde est en train de se cristalliser en deux blocs, que les vieilles alliances sont rompues et renversées. Bref, que l'on s'achemine vers un affrontement susceptible de préparer la troisième guerre mondiale et que, en conséquence, il faut resserrer l'unité du camp. Et axer désormais le combat sur la paix – la défense de la paix. Dans ce schéma, parfaitement logique en apparence, défendre la paix signifie défendre l'Union soviétique. Car celle-ci redoute deux choses. D'abord, être prise de vitesse par les États-Unis dans la course aux armements. Ensuite, se voir refoulée hors de son glacis européen. « En conséquence de quoi, commente aujourd'hui Pierre Juquin, ancien haut responsable du parti communiste français, on va défendre sincèrement la paix et sincèrement l'URSS [1]. »

C'est dans cet état d'esprit que la délégation française s'embarque pour Wroclaw (lieu symbolique entre tous, reconquis sur l'Allemagne, forteresse germanique en quelque sorte « repolonisée ») le 25 août 1948. Et qu'elle se retrouve au complet à

1. Entretien avec l'auteur, décembre 1991.

Paris, en avril 1949, pour le premier Congrès national des partisans de la paix, durant lequel 2 000 délégués, réunis salle Pleyel sous la présidence de Frédéric Joliot-Curie, vont, pendant cinq jours, célébrer bien haut les vertus pacifistes de l'URSS. « Le congrès, dont Picasso dessina l'emblème, sa célèbre colombe, s'acheva par une manifestation de masse au stade Buffalo », se rappelle Simone de Beauvoir dans *La Force des choses*.

Ce qu'il faut, c'est gagner du temps, en attendant que l'Union soviétique, elle aussi, possède la bombe. Gagner du temps... Alors, au procès Kravchenko, devant la 18e chambre correctionnelle de la Seine, en janvier 1949, le PC fait donner la garde : Emmanuel d'Astier de La Vigerie, Jean Cassou, Vercors, Joliot-Curie... Si bien que, d'un procès perdu, l'hebdomadaire *Les Lettres françaises* réussit à faire un succès de propagande.

Victor Andreïevitch Kravchenko est un ingénieur soviétique qui profite, en 1944, d'une mission aux États-Unis pour passer dans le camp occidental. Deux ans plus tard, il publie un récit, où il parle notamment des camps, qui paraîtra en France sous le titre *J'ai choisi la liberté*. *Les Lettres françaises* l'accusent aussitôt d'avoir falsifié son témoignage, fabriqué de toutes pièces, disent-elles, par les services américains. Kravchenko porte plainte, obtient réparation. Mais ne convainc personne dans les rangs du Mouvement de la paix, tant l'aveuglement y est grand.

« Or, commentent Pascal Ory et Jean-François Sirinelli, alors que le jugement rendu en avril 1949 et confirmé en appel condamna en effet l'hebdomadaire à des dommages et intérêts symboliques [...], il ressortit de cet affrontement dramatisé l'impression d'une nette victoire communiste. Il faudrait dire : d'une nette victoire de l'intelligentsia et particulièrement des compagnons de route[1]. » Qui tous, au printemps de 1950, vont répondre oui au fameux Appel de Stockholm : Jorge Amado, Aragon, Pierre Benoit, Dmitri Chostakovitch, Ilya Ehrenbourg, Duke Ellington, Thomas Mann, Pablo Neruda. Les peintres aussi : Chagall, Gromaire, Matisse, Édouard Pignon. Les person-

1. *Les Intellectuels en France, op. cit.*

nalités du spectacle : Marcel Carné, Maurice Chevalier, Noël-Noël, Michel Simon…

Tout le monde signe. Car tout le monde craint la guerre. Et bien peu, parmi les signataires, s'interrogent sur le sens profond de l'offensive. Accuser un seul camp de toutes les agressions contre la paix, n'est-ce pas du même coup permettre à l'autre de préparer tranquillement la guerre ?

Gérard Philipe signe parmi les premiers. Comment pourrait-il en être autrement ? *La Beauté du diable* est sortie sur les écrans parisiens le 17 mars, après avoir été présentée la veille au cours d'un brillant gala à l'Opéra – deux jours avant l'Appel de Stockholm. Et, non content de signer, il fait du prosélytisme – ce que Georges Sadoul appelle du « porte-à-porte », ajoutant : « Il est heureux de n'être pas toujours reconnu par ceux dont il sollicite l'adhésion[1]. »

« Il y aura à écrire l'histoire de l'aveuglement au XXe siècle, dit Pierre Juquin. Nous nous sommes trompés. Mais c'est trop facile, aujourd'hui, de condamner en bloc les luttes de ces années. Nous venons d'un autre monde. »

Un autre monde, en effet, sans doute difficilement compréhensible pour les nouvelles générations. Qui pouvait alors soupçonner l'URSS, tout ennoblie de la gloire de Stalingrad, d'être ce qu'elle était ? Avec quelles autres voix que les voix communistes s'élever contre la guerre d'Indochine, le réarmement allemand, la bombe ? Commentant la célèbre phrase de Jean-Paul Sartre : « Un anticommuniste est un chien », Pascal Ory et Jean-François Sirinelli constatent : « Que la plus haute conscience de toute une gauche ait pu [l']écrire […] montre combien il est difficile à l'époque de ne pas être communiste sans passer pour un anticommuniste, et d'être anticommuniste sans passer pour un fasciste. »

« Je ne regrette pas d'avoir signé l'Appel de Stockholm, même si nous avons été manipulés, confiait de son côté Yves Montand,

1. Georges Sadoul, *Gérard Philipe*, *op. cit.*

en 1990, à Hervé Hamon et Patrick Rotman. Dans le contexte de l'époque, de la guerre froide, du danger de guerre, la défense de la paix semblait d'une force irrésistible. »

Nul doute que Gérard Philipe, à peu de choses près, aurait tenu les mêmes propos. Les deux hommes, d'ailleurs, vont se retrouver plus d'une fois côte à côte sur les estrades du Mouvement de la paix. Porte de Vincennes, lors d'un meeting, Gérard récite *Liberté*, de Paul Eluard, tandis qu'Yves Montand chante *Quand un soldat*, son grand succès de ces années-là, signé Francis Lemarque, et que Simone Signoret lance un salut aux femmes du monde entier. A Issy-les-Moulineaux, sous un grand hangar, de chaque côté de la scène que surmonte une inscription : THÉÂTRE DES HOSTILITÉS, barrée d'un mot, *Relâche*, le comédien et le chanteur entourent comme deux gardes du corps symboliques le réalisateur Louis Daquin, qui lit une déclaration. Puis c'est au tour de Gérard Philipe de s'adresser au public. Il tient à la main le texte que les organisateurs lui ont donné avant la manifestation. Mais ce n'est pas celui-là qu'il va lire. Pas tout à fait celui-là, car, en coulisses, il l'a retouché… « Je ne comprenais pas pourquoi il voulait le rectifier, se rappelait Yves Montand. J'ai cru d'abord que c'était pour le rendre plus facile à dire, pour se le mettre en bouche, comme on dit. Pas du tout. C'est qu'il n'était plus complètement d'accord. Il y avait déjà des points de repère qui commençaient à se rompre [1]. »

En attendant la grande rupture [2]. Celle de 1956, après Budapest.

Un comble ! Alors que l'acteur s'engage totalement dans le Mouvement de la paix, payant volontiers de sa personne, on l'a vu, voilà que les critiques reprochent à *La Beauté du diable* un excès de légèreté… Pourtant, les plus hautes instances du Parti ont reconnu dans cette parabole des maléfices de la science la

1. Témoignage inédit, aimablement communiqué par Hervé Hamon.
2. Bien que discret, le Mouvement de la paix existe toujours. C'est ainsi que, le dimanche 9 mai 1993, 3 000 pacifistes se rassemblaient à son appel sur le plateau d'Albion, dans le Vaucluse, pour empêcher la France de reprendre ses essais nucléaires.

figure exemplaire de Frédéric Joliot-Curie, le père de la fameuse pile Zoé, qui, le 5 avril 1950, au XIIe Congrès du PCF, s'écrie : « Jamais les scientifiques progressistes, les scientifiques communistes ne donneront une parcelle de leur science pour faire la guerre à l'Union soviétique. » Léger, vraiment ? C'est en tout cas l'avis d'Armand Monjo, qui, dans *L'Écran français*, ne voit là qu'une sympathique condamnation de l'utilisation de la technique dans un but militaire.

« Trop léger. » De même que l'année précédente on avait trouvé *Une si jolie petite plage* « trop noir », et « trop timide » *Tous les chemins mènent à Rome*. Et qu'on décrétera « trop emphatique » son interprétation du sketch de *Souvenirs perdus* qu'il tourne en avril, avec Danièle Delorme, sous la direction de Christian-Jaque.

Lui qui n'a jamais eu vraiment conscience de ses limites physiques, qui n'a même jamais envisagé de s'épargner, doit s'avouer momentanément vaincu. Sa santé lui donne du fil à retordre. Tuberculose. Le diagnostic est sans ambiguïté. Et sans surprise : c'est la turberculose, déjà, qui l'a contraint au repos en 1946, juste avant le tournage du *Diable au corps*. Et c'est encore de repos que parlent les médecins. De calme, de campagne, d'air pur.

Cette fois, il n'ira pas jusque dans les Pyrénées. Mais en forêt de Rambouillet, car les finances ne sont pas brillantes. En quelques jours, Nicole s'organise et trouve un locataire pour l'appartement du boulevard d'Inkermann. Larguant les amarres parisiennes, le couple s'installe à Janvry, en Seine-et-Oise. Nouvelle adresse : Le Moulin de la Chanson, charmante auberge campagnarde située à l'orée de la forêt. « C'était une sorte de pension, tenue par une vieille famille russe, les Golovanoff, raconte Alain Fourcade. Chaliapine, disait-on, y avait habité alors qu'il se trouvait en France. »

Dans cette discrète retraite, ils vont pendant deux mois cacher à tous la maladie de Gérard. Sur un réchaud de fortune, ils font eux-mêmes bouillir dans leur chambre, en secret, la vaisselle qu'il utilise. Jusqu'à ce qu'il reprenne, le 3 juillet, le chemin du studio où l'attendent Marcel Carné et sa *Juliette ou la Clef des songes*.

Mais désormais le pli est pris et durant quelques saisons, fidèlement, ils retourneront au Moulin de la Chanson, y entraînant amis et compagnons de travail. Alain Fourcade, alors âgé d'une dizaine d'années, a gardé un vif souvenir des séjours qu'il y fit : « Nous y allions à peu près tous les week-ends. Quelquefois, ma mère y restait toute la semaine, et, si c'était en période de vacances scolaires, j'y restais aussi. C'est là qu'elle a filmé tous les bancs-titres de son documentaire tourné en Asie. C'est là aussi qu'elle l'a monté. Elle avait fait construire une sorte de meuble équipé d'un négatoscope et hérissé de clous auxquels elle accrochait les bouts de film. »

Ici, Gérard retrouve son goût du jeu. Son côté casse-cou aussi. Au Moulin de la Chanson, tous les clients sont des copains : l'écrivain Georges Perros, James Cuenet, un ancien monteur reconverti dans le commerce des antiquités... Gérard, qui a appris à conduire, possède maintenant une vieille Ford. Le grand plaisir des trois hommes est d'accrocher un cerf-volant à la voiture. Et, tandis que l'un d'entre eux s'installe aux commandes, les deux autres courent autour du véhicule qui roule. Avant de sauter à tour de rôle sur le siège et de se saisir du volant que le conducteur précédent vient d'abandonner. Pour courir lui aussi... Et ainsi de suite. Ravi, le petit Alain Fourcade applaudit aux exploits des aînés, tandis que le cerf-volant, ailes grandes ouvertes, bondit dans le ciel.

« Le soleil était de plomb. Gérard Philipe suait sang et eau sous une veste que le scénariste exigeait faite de tissu hivernal », note en juillet un journaliste qui rend compte du tournage de *Juliette ou la Clef des songes*. Car, depuis le début du mois, toute l'équipe est dans le Midi, où Marcel Carné tourne les extérieurs de son film : Tourette-sur-Loup, Entrevaux, Peillon, Le Broc, Sisteron...

Juliette, c'est un vieux projet dont Carné envisageait déjà la réalisation en 1942. Avec, à l'époque, des dialogues de Jean Cocteau, une musique d'Henri Sauguet, des décors et des costumes signés Christian Bérard. Têtes d'affiche prévues : Jean Marais et Micheline Presle. Mais le scénario prenait trop de libertés avec la pièce de Georges Neveux, créée une dizaine d'années auparavant, dont il s'inspirait. L'ambiance était frileuse en ces temps d'Occupation : l'audace du script fit reculer les producteurs. Fin de l'épisode. Et *Juliette* s'endormit pour une dizaine d'années.

En 1950, tout a changé. Même s'il est en train d'obtenir un gros succès populaire avec *La Marie du port*, Marcel Carné n'a pas retrouvé la position qu'il occupait avant et pendant la guerre dans le cinéma français. Toutefois, le producteur Sacha Gordine lui laisse carte blanche pour choisir son prochain sujet. Et, aubaine inespérée, l'exhorte à la dépense : « Je me fous de perdre de l'argent[1] ! » Carné repense alors à sa *Juliette* qui l'attend au pays des songes... Mais, cette fois encore, le projet ne soulève guère d'enthousiasme, notamment auprès des distributeurs que Gordine contacte afin de boucler son budget. Raison invoquée : l'absence de vedettes au générique. Sacha Gordine s'apprête à renoncer, lorsqu'il fait une dernière tentative auprès d'Edmond Tenoudji, l'un des plus importants distributeurs de la place. Celui-ci l'écoute, commence par refuser, puis tout à coup, se ravisant : « Pourquoi n'engageriez-vous pas Gérard Philipe ? Il est libre. Si vous l'obtenez, je prends le film. »

Et voilà pourquoi le comédien, en ce mois de juillet 1950, « sue sang et eau » sur une petite route inondée de soleil. La route qui mène au village de l'oubli. Ce village rêvé par Michel, le personnage qu'interprète Gérard Philipe, et où il cherche celle qu'il aime : Juliette.

Pour le rôle de Juliette, Carné a beaucoup hésité. Trop sans doute, puisque la Metro Goldwyn Mayer lui souffle sous le nez une jolie brune qu'il avait remarquée et qui va faire parler d'elle à Hollywood : Leslie Caron. Il se rabat donc sur la blonde Suzanne Cloutier. Et le regrette encore aujourd'hui.

Même si Carné a d'abord pensé confier le rôle de Michel à Serge Reggiani ou à Michel Auclair, Gérard Philipe n'est pas pour lui un inconnu. Par deux fois déjà, il a souhaité l'employer.

1. Marcel Carné, *La Vie à belles dents*, Belfond, 1989.

Une première fois en 1945, lorsqu'il envisagea d'adapter en Technicolor le *Candide* de Voltaire, projet que la mort accidentelle du producteur réduisit à néant. En 1948 ensuite, lorsqu'il tenta de porter à l'écran la pièce d'Anouilh, *Eurydice*, où l'acteur aurait tenu le rôle d'Orphée face à Michèle Morgan-Eurydice; mais là encore, la production ne put tenir ses engagements.

C'est donc avec sympathie que le réalisateur l'accueille sur son plateau : « Je m'entendais assez bien avec Gérard Philipe; encore qu'il ait toujours été pour moi un être transparent, secret, ou du moins se livrant peu. [...] Quels étaient les siens ? Fut-il un acteur comblé ? Nul ne l'a sans doute jamais su[1]. » Ce dont le réalisateur est sûr, en revanche, c'est des qualités professionnelles de son interprète : son besoin de sécurité dans le travail, sa crainte de l'improvisation, qu'il conjure en annotant son scénario de réflexions, d'indications, de remarques... « Un jour que nous discutions calmement [...] de l'intonation d'une phrase, il ouvrit son scénario et me fit remarquer qu'il avait écrit en marge de la scène, à cet endroit précis, le sentiment qu'il entendait exprimer. Il n'en pouvait changer, parce que [...] plus loin une autre réplique était également annotée, un autre sentiment exprimé, qui contrebalançait le premier[2]. »

Les extérieurs terminés, l'équipe rentre aux studios de Boulogne, où, sur le plateau, Alexandre Trauner a reconstitué une forêt tout entière. Des dizaines et des dizaines de chênes, de hêtres et de bouleaux... Un véritable tour de force. Car le décorateur a su habilement mêler vrais et faux arbres. Ceux-ci construits en staff sur une armature de bois et montés sur des rails. De sorte que chaque matin, garnie de feuillages frais venus d'un bois voisin, la forêt, comme par magie, change d'aspect... Avec, en prime, un merveilleux parfum de sous-bois. « C'est à mon avis un exploit de décorateur bien plus fabuleux que le canal d'*Hôtel du Nord* ou la station Barbès-Rochechouart reconstruite pour *Les Portes de la nuit* », confiait Marcel Carné à un journaliste en 1991[3].

1. *Ibid.*
2. *Ibid.*
3. Alain Riou, « Carné de bord », *Le Nouvel Observateur*, 7-13 février 1991.

Mais l'exploit ne sauvera pas le film. Fraîchement accueilli au Festival de Cannes l'année suivante, il n'obtiendra qu'un succès d'estime sur les écrans parisiens. Et n'aidera pas à rétablir les finances défaillantes de sa vedette : le producteur ayant fait faillite entre-temps, Gérard Philipe ne sera jamais complètement payé.

Tandis que le tournage va bon train dans l'arrière-pays niçois, la presse locale prête mille intentions au comédien : à l'automne, il jouera *Le Misanthrope* au Théâtre du Vieux-Colombier. Puis il sera Philippe II… « L'Algérie l'attend ensuite, dit mystérieusement une feuille varoise, à l'occasion de la rentrée d'un grand metteur en scène français de retour d'Amérique. » Aucun de ces projets ne se réalisera. Même si le « grand metteur en scène français », Jean Renoir – pourquoi ne pas le nommer ? –, lui écrit longuement, le 2 juillet 1950, son désir de porter à l'écran le roman d'Albert Camus, *L'Étranger*. Avec bien sûr Gérard en vedette. En fait, les deux hommes sont en relations épistolaires depuis l'année précédente. Dès 1949, le comédien a envoyé à Jean Renoir, qui réside à Los Angeles, le récit de Charles De Coster, *La Légende d'Eulenspiegel et de Lamme Goedzak*. C'est sans doute Nicole Fourcade, belge d'origine, qui lui a fait connaître Till Eulenspiegel, ce héros flamand plus ou moins légendaire, devenu l'incarnation de l'esprit de rébellion. Celle des Flamands contre l'occupant espagnol. Mais Jean Renoir reste insensible aux espiègleries du héros en question, et se défile. S'il renonce à *Till*, explique-t-il en janvier 1950 dans une lettre expédiée d'Inde, où il tourne *Le Fleuve*, c'est qu'il n'entend tourner avec Gérard qu'une œuvre de paix [1]… Ce qui ne l'empêche pas, six mois plus tard, de lui proposer *L'Étranger* (dont le pacifisme ne saute pourtant pas aux yeux !) et d'insister : si Gérard n'est pas libre, il ira jusqu'à changer les dates de tournage. Peine perdue. C'est Luchino Visconti qui tournera *L'Étranger*, beaucoup plus tard. Till devra attendre aussi, mais celui devant lequel il

1. Archives Gérard-Philipe, Cinémathèque française.

doit pour l'instant s'effacer n'est pas indigne de lui. Il s'appelle Rodrigue.

Le projet du *Misanthrope* abandonné, Gérard est bien obligé de constater que sa carrière théâtrale marque le pas. « Gérard et moi, nous ne parlions pas souvent du métier, mais très profondément, confiait son épouse à un magazine en 1987. Et il est évident que je sentais et qu'il sentait lui-même qu'il fallait faire quelque chose. Il venait de jouer deux pièces du théâtre de boulevard avec un très grand succès, mais il sentait bien que tout ça n'était pas grand-chose [...]. Il se sentait dans une impasse et nous cherchions. Je me souviens que nous faisions des listes, mais, à ce moment-là, il y avait quoi ? La Comédie-Française, qui n'était pas du tout comme aujourd'hui ouverte à un nouveau théâtre : c'était vraiment le conservatoire de la tradition. Barrault. D'autres que j'oublie[1]... » Beaucoup d'autres en effet, qui le réclament pourtant bruyamment. André Barsacq le verrait bien en Aliocha, dans l'adaptation des *Frères Karamazov* qu'il se prépare à monter : « Vous seriez aimable de me fixer par lettre sur vos intentions », lui écrit-il. A. M. Julien l'appelle au Sarah-Bernhardt. Les Mathurins lui proposent un Claudel. On parle de *Hamlet*, joué en tournée en Hollande et au Danemark... « Mais c'était toujours Vilar qui revenait en premier », conclut-elle.

Précieuses confidences que celles-là. Et qui éclairent le rôle qu'a joué la jeune femme près de celui qui n'est pas encore son époux. Avant elle ? Les blagues entre copains, le rire facile, les pièces de boulevard où l'on finit, vers la centième, par se demander ce que l'on fait là, la vie improvisée... Avec elle, qui prend chaque jour plus d'importance auprès de lui, une gravité nouvelle semble toucher le comédien. Comme si la présence de cette femme révélait des richesses qu'il porte en lui sans le savoir, et qu'il découvre du seul fait de son exemple. On les imagine, côte à côte, penchés ensemble sur les fameuses listes : « Julien, Barsacq, Barrault... » Pour finalement buter ensemble sur le nom de Vilar.

1. *L'Événement du Jeudi*, 9-15 juillet 1987.

Gérard n'a pas oublié son entrevue désastreuse avec Jean Vilar, un soir de l'automne de 1948 : « La tragédie ? La tragédie ? Mais voyons, je ne suis pas fait pour ça. » Vilar non plus. Aussi tombe-t-il des nues lorsqu'un soir, au Théâtre de l'Atelier, où il joue l'*Henri IV* de Pirandello depuis quelques jours, la porte de sa loge s'ouvre devant Gérard Philipe. « Tu ne devineras jamais qui est venu me voir et m'a proposé de travailler avec nous ? », téléphone-t-il un peu plus tard, en pleine nuit, à Léon Gischia[1].

Cette fois, le ton change : c'est Philipe qui vient se proposer comme interprète ! Tandis qu'il se démaquille, Vilar l'observe du coin de l'œil dans la glace. Il voit un homme jeune, grand, « le regard clair et franc ». Une présence faite de force et de fragilité. Le voilà donc, celui qui, deux ans auparavant, a refusé presque avec hauteur de jouer *Le Cid* ! Inexplicable revirement... Dix ans plus tard, s'interrogeant sur cette soirée mémorable, Jean Vilar croyait alors deviner le sens de cette volte-face : « A dix ans de distance, je comprends mieux cette décision étonnante. Le théâtre est toujours une partie de poker, mais un poker où le bluff tue. Seuls les comédiens sensés, raisonnables, peuvent à chaque fois se payer l'aventure. Eh bien, il était un garçon réfléchi, et en se proposant à un metteur en scène sans troupe, à un régisseur sans théâtre, à un animateur sans argent, il obéissait à un de ces impératifs profonds que seuls les comédiens connaissent bien[2]. »

Vilar n'a ni théâtre, en effet, ni compagnie permanente. Tout juste le Festival d'Avignon, où se retrouvent chaque été quelques fidèles complices : des peintres, des comédiens... Brève aventure qui s'achève avec la dernière représentation dans la cour d'honneur du palais des Papes. Et comme il ajoute qu'il est précisément en train de préparer le prochain Festival, Gérard Philipe l'interrompt : « Si vous le voulez bien, je serai à Avignon... » Certes ! Mais le Festival, ce n'est pour Vilar que le premier volet du grand projet qu'il poursuit depuis plusieurs années. Il n'est

1. *Souvenirs et Témoignages*, *op. cit.* Jean Vilar a toujours situé cette rencontre en novembre 1950, mais, compte tenu de l'emploi du temps de Gérard Philipe au cours de ce mois, il semble plus judicieux de la placer fin octobre.

2. *Biographie de Jean Vilar*, Avignon, Maison Jean-Vilar, 1991.

plus possible de faire du théâtre le rendez-vous de quelques privilégiés, explique-t-il au comédien, une manifestation réservée à une classe sociale. Au contraire, il doit être ouvert à tous. « Je me souviens fort bien que je lui parlais de théâtre populaire. Je n'employais pas le mot, certes[1]. » Mais il en précise les règles : frais d'exploitation réduits au minimum, de manière à baisser le prix des places, pas de galas, pas de premières... Gérard est tout de suite acquis à l'idée. Et se met avec l'animateur à la recherche d'une salle parisienne, où Vilar pourrait appliquer ses principes et reprendre les spectacles créés en Avignon. Quelques jours plus tard, ils visitent ensemble le Théâtre de l'Appolo, vieil établissement de la rue de Clichy : « Nous nous quittâmes au métro Saint-Lazare, raconte Jean Vilar, après avoir jeté un regard sur le lugubre Appolo. Je le quittai avec une conscience quelque peu troublée : eh quoi, j'avais parlé de projets sans disposer du moindre centime. Nous verrions bien[2]. »

Deux jours encore... « Je lui remis, dans la traduction de l'édition Aubier, *Prinz von Homburg*. Il répondit oui. J'ajoutai : "Et *Le Cid* ?" Il baissa la tête, sourit puis se tut[3]. »

1. *Ibid.*
2. *Ibid.*
3. *Ibid.*

9

Le 7 novembre 1950, dans un courrier posté à Casablanca, Gérard écrit à Louise Zivian : « Nous avons merveilleusement profité de ces premiers jours qui étaient si compromis. »

L'« affaire Vilar » à peine conclue, Gérard et sa compagne ont décidé de s'offrir des vacances au Maroc. Décision si rapide que Mlle Zivian doit intervenir au dernier moment pour régler les problèmes administratifs du voyage. « Pour vous remercier encore de votre intervention, dit la lettre, que ne puis-je vous envoyer un peu de soleil... »

Les jeunes gens explorent le Sud marocain, « une région sauvage où ils s'attardent à photographier tout ce qui est contraire au pittoresque[1] ». Cependant, Gérard est seul, Nicole rentrant de son côté, lorsqu'il revient à Casablanca au volant de la vieille Ford, à présent baptisée « Coquette 13 », qui a fait elle aussi le voyage. « Cette Ford, objet de plaisanterie entre nous, dont j'ai moi-même changé le moteur lorsque Gégé est venu me voir au Maroc », raconte Jean Philip[2]. Car Jean a dit adieu aux roses et aux jasmins qu'il cultivait dans sa jolie propriété grassoise, Lou Mazet. Un divorce douloureux, peut-être aussi l'idée de refaire sa vie ailleurs... Bref, après avoir tout vendu – maison et plantations –, il a conduit ses fils dans la Vienne, chez sa tante Jeanne, la sœur de Minou, qui a accepté de les garder. Et il a quitté la métropole. A Casablanca, il dirige maintenant des chantiers de

1. Guy Le Bolzer, in *Premier Plan*, n° 8, avril 1960.
2. In *Cinémonde*, n° 1581, 24 novembre 1964.

travaux publics (il participera notamment à la construction du stade Marcel-Cerdan).

Seul à seul, les deux frères se retrouvent. Comme au temps du Parc Palace Hôtel. Avant que le cadet soit happé par la gloire. On parle de Minou. Et de Papy, bien sûr, chez qui Gérard compte s'arrêter sur le chemin du retour. Et la fidèle Ford reprend la route. Pour stopper, quelques jours plus tard, devant le 174 de la Calle Orgel, à Barcelone, où demeure Marcel Philip depuis que la France lui est interdite.

Après avoir passé clandestinement la frontière, Marcel Philip s'est d'abord réfugié chez des amis, propriétaires d'un salon de coiffure à Barcelone. C'est alors le début des temps difficiles. Lui, l'avocat, l'homme d'affaires cannois, le brillant directeur du Parc Palace, va se retrouver mécanicien sur le port : employé au rodage des soupapes ! Puis, grâce à des relations, il peut enseigner le français dans une institution religieuse. Sous le nom de Marco Mariel (Marco pour Marcel, Mariel pour Marie, son deuxième prénom). « Quand nous lui écrivions, se souvient Jean Philip, il fallait faire transiter le courrier *via* l'Angleterre, par une filière discrète. Et puis Gérard a pu, par l'intermédiaire d'un ami de notre père, le docteur Escala, envoyer en Espagne la somme nécessaire à l'achat de l'appartement de la Calle Orgel. Je l'entends me dire : "Ce n'est pas parce que nous n'avons pas les mêmes idées que je ne l'aiderai pas." »

Peu à peu, Minou a commencé à aller le voir régulièrement. Paris-Barcelone, au volant de sa petite voiture, en moins de deux jours. Puis ses fils l'ont imitée. Après son mariage, Gérard y conduira son épouse, et plus tard ses enfants. Tandis que Jean, rentré du Maroc, prendra l'habitude d'y passer ses vacances d'été : « Mon père faisait les courses et la cuisine. Ma mère se laissait volontiers gâter, ça la changeait de sa vie solitaire à Paris. »

Depuis qu'elle vit seule rue de Tocqueville, Minou se réfugie de plus en plus dans ses cartes. Certes, Gérard passe la voir, mais toujours en coup de vent. S'il déjeune avec elle, c'est en sortant du studio – ou juste avant d'y retourner. Elle insiste alors pour lui faire, comme elle dit, les « 24 heures » ou les « 48 heures ». Il rit. Il n'y croit pas. Mais elle insiste encore, il se laisse faire...

Tout le monde n'est pas aussi réticent, et nombreux sont ceux qui profitent des dons de Minou. Et de la douce amitié qu'elle sait dispenser autour d'elle : Maria Casarès, Danièle Delorme... Et même, véritable habitué, le curé de Sainte-Marie des Batignolles : « Madame Philip, vous m'apportez tellement de réconfort que j'ai besoin de vous voir », dit-il à sa paroissienne[1].

Dans sa chambre, Minou s'est aménagé un coin – sa « niche », comme elle l'appelle. Une alcôve de deux ou trois mètres carrés, une table de poupée, deux petites lampes, et un rideau rouge qu'elle tire pour s'isoler avec ceux qui viennent la consulter. « Elle fréquentait beaucoup de personnes appartenant au monde du spiritisme, dit Jean Philip. Je pense à une de ses amies qui communiquait ainsi avec son époux décédé, afin qu'il la conseille dans ses placements financiers ! »

Début 1951, Unifrance Films, organisme de promotion du cinéma français, envoie une délégation d'acteurs en Amérique du Sud. Une semaine au tout nouveau Festival uruguayen de Punta del Este[2], deux courts séjours à Rio de Janeiro et à Buenos Aires. Gérard est du voyage, Nicole Fourcade l'accompagne. Avec eux, Daniel Gélin, Nicole Courcel, Michel Auclair, France Roche...

Il fait beau au large du Río de la Plata, où règne l'été austral. Par une chaude journée, quelques festivaliers se font conduire en barque dans une île située en face de Punta del Este. Et tout l'après-midi se passe à admirer les évolutions des nombreux phoques qui s'y pressent. Mais à la nuit tombée... Le visage de Nicole Courcel a soudain doublé de volume, les yeux de France Roche ne sont plus que deux fentes étroites entre la bouffissure des paupières. Quant à Gérard, c'est un monstre... Tous trois ont attrapé un gigantesque coup de soleil qui a déclenché une non

1. Rapporté par Jean Philip.
2. En 1970, Punta del Este donnait le nom de Gérard Philipe à une de ses rues.

moins gigantesque allergie. Ils vont passer la nuit à s'appliquer sur la figure des compresses vinaigrées pour tenter d'enrayer l'enflure. Ce qui n'empêchera pas qu'au dîner de gala, le lendemain soir, malgré les compresses répétées et les onguents, ils aient l'air de magots chinois.

Après Punta del Este, l'Argentine. A Buenos Aires, Gérard et Nicole insistent pour être reçus par Eva Perón. Non pas qu'ils aient une quelconque admiration pour l'épouse du président de la République, Evita, la « sainte », comme on l'appelle dans ces milieux déshérités d'où elle vient. Non, ce qu'ils veulent constater de près, c'est l'ambiguïté du personnage, à la fois réelle providence des plus démunis et alibi commode du régime péroniste.

Arrive le jour de l'entrevue. Les Français ont été mis en garde par le secrétariat présidentiel :

1. Mme Perón est malade.
2. Elle parle assez bien le français, mais elle préfère la présence d'un traducteur.
3. Il est exclu d'aborder des questions politiques : on parlera cinéma et seulement cinéma.

Dans le grand salon, Eva Perón les attend. Une madone. Livide, un lacis de veines bleues sur la tempe, cheveux tirés. Un visage de cire. Et cet air fourbu, cet air déjà ailleurs… Brouhaha des préliminaires : « Contents de vous rencontrer… – Heureuse de vous recevoir. » Enfin on s'installe. Gérard Philipe attaque aussitôt : « Les crèches sont donc des endroits où les enfants sont amenés tous les matins en car ? » A ce moment, on parle en effet beaucoup, dans la presse et dans l'opinion, de ces crèches, créées de toutes pièces par le gouvernement. Eva Perón, après avoir consulté le traducteur : « Ce sont les enfants de la pauvreté, que nous prenons en charge toute la journée… »

« Gérard a posé encore deux ou trois questions. Sa future femme aussi, notamment sur les quantités de lait données aux nourrissons. Les officiels s'étouffaient ! raconte Nicole Courcel, qui assistait à l'entretien. De mon côté, je lui ai parlé de sa popularité, de sa photo que l'on voyait partout, dans les magasins, dans les rues[1]... » Cette ultime intervention peut passer pour courtoise. Encore que l'actrice y mette pas mal d'ironie. Mais l'épouse du président n'y voit pas malice et, les mains croisées sur sa gorge, elle opine... Le bonheur de sa vie, dit-elle, c'est d'avoir pu aider les pauvres. Elle, la petite fille des quartiers misérables, qui n'a jamais vu sourire sa mère, a voulu que les femmes puissent désormais sourire. « C'est pour me remercier, conclut-elle, qu'elles accrochent ma photo partout. » Un temps, puis : « Un peu trop sans doute, un peu trop... »

« Tout en parlant, elle serrait ses mains contre elle, poursuit Nicole Courcel, contre la veste claire de son tailleur et la fourrure qu'elle portait malgré la chaleur. Et j'étais frappée par sa maigreur extrême. »

Cette mourante que la maladie ronge va pourtant trouver la force, six mois plus tard, de briguer la vice-présidence de la République. Et ce n'est pas la fatigue qui la fera reculer, mais l'opposition de l'armée. Quant à la mort, elle la fera encore attendre un an.

A l'escale de Rio, Auclair et Gélin quittent leurs camarades. Le carnaval bat son plein. Au programme des deux compères : boissons fortes, jolies mulâtresses et sambas. Gérard, lui, continue sur Paris. Nul tournage en vue. Il en profite pour faire une escapade en Allemagne, début mai. A Bacharah, où se tient un festival de cinéma. Dans ses bagages, il emporte une caméra et un appareil photographique qu'il néglige de déclarer à la douane. Ils seront tous deux confisqués au retour, le 5 mai, par les fonctionnaires zélés qui visitent les wagons-lits à la frontière sarroise. Avec, en prime, une amende de 460 000 francs. L'incident ne vaut la peine d'être rapporté qu'à cause du nom de la gare où il a eu lieu : Hombourg. Beau présage...

Ce même mois de mai, *Juliette ou la Clef des songes* est en compétition au Festival de Cannes. Depuis plusieurs mois, tout Paris bruisse des merveilles colportées sur le film. Hélas, parve-

1. Entretien avec l'auteur, juillet 1992.

nue sur la Croisette, la rumeur change de ton : on parle d'un ratage historique. Ce que confirme l'issue de la projection : pas un applaudissement. Un silence de glace. Et, lorsqu'il quitte la salle en compagnie de son interprète, Marcel Carné a l'impression que les spectateurs s'écartent d'eux comme d'un couple de pestiférés. Ce qui n'empêche pas Gérard, une demi-heure plus tard, de lever son verre dans le cabaret où ils ont retrouvé leur producteur : « Vous avez vu l'accueil fait ce soir au film. Eh bien je tiens à déclarer que je suis fier et honoré de l'avoir fait. Que j'en remercie Marcel Carné, et que, si c'était à refaire, même connaissant cet accueil, je le referais[1]. » Cependant, quelques jours plus tard, le 18 mai, la première parisienne, au cinéma Madeleine, tourne au triomphe. Un accueil qui, selon le réalisateur lui-même, dépasse de loin celui, pourtant chaleureux, réservé dans la même salle, une dizaine d'années plus tôt, à ses *Visiteurs du soir*. « Philipe, assis sur un strapontin de la corbeille, me fit un signe de victoire, le pouce dressé au-dessus de la main fermée. Tout son visage rayonnait[2]. »

Outre ce succès, qui va d'ailleurs rapidement tourner court, le comédien a bien d'autres raisons d'être heureux. Et inquiet aussi : le début des répétitions du *Cid* est fixé au 30 mai. Le 25, quand la presse annonce la nouvelle, il y a déjà longtemps que Gérard est revenu frapper à la porte de son bon maître, Georges Le Roy : « Je vais jouer *Le Cid*. Est-ce que je pourrais voir le rôle avec vous[3] ? » Et tous les soirs, chez Le Roy, rue Bayen, Rodrigue et Chimène, en costumes de ville, s'aiment et se déchirent studieusement. « C'est surtout là qu'on a travaillé », souligne Françoise Spira-Chimène[4].

Comment faire autrement ? Jean Vilar est bien peu disponible. Depuis des mois, il enchaîne pièce sur pièce. Tantôt metteur en scène, comme pour l'*Œdipe* d'André Gide, qu'il monte en avril au Théâtre Marigny, chez Madeleine Renaud et Jean-Louis

1. Marcel Carné, *La Vie à belles dents*, *op. cit.*
2. *Ibid.*
3. *Souvenirs et Témoignages*, *op. cit.*
4. *Ibid.*

Barrault. Tantôt interprète : en mai, il répète, sous la direction de Louis Jouvet, le rôle capital de Heinrich dans *Le Diable et le Bon Dieu*, de Jean-Paul Sartre, à l'affiche du Théâtre Antoine dès le 7 juin[1]. Énorme machine philosophique, la pièce dure quatre heures...Ce qui laisse peu de temps au futur patron du TNP pour préparer à l'épreuve avignonnaise celui qui déclarait, deux ans auparavant : « La tragédie ? Je ne suis pas fait pour ça. » Le préparer, le rassurer. Et finalement le persuader qu'il était « fait pour ça ». Ce que ne reconnaîtra jamais Gérard Philipe, même quand le succès aura couronné l'entreprise : « C'est Vilar qui a gagné, pas moi[2]. »

Ce matin de juin, dans les combles étouffants du Théâtre des Champs-Élysées, la répétition semble donner raison au comédien. Mal à l'aise, gauche, comme intimidé par Vilar – qui se tait obstinément, selon son habitude, laissant l'interprète trouver seul son personnage –, Gérard Philipe cherche en vain la flamme, le rythme, le ton... Et s'empêtre. Vilar se lève. Chemise bleue aux manches roulées, pantalon sport. Avec, dans la voix, cette nervosité qu'il sait transmettre à tous ses rôles : « Nous prenons tout cela trop au sérieux. Après tout, *Le Cid*, c'est aussi une espagnolade[3] ! » Un claquement de doigts, et le voilà qui frappe le sol d'un talon digne d'un authentique danseur andalou. Gérard ne veut pas être en reste : il attaque des deux pieds, et frappe encore plus fort. Rires. C'est gagné : « C'est en plaisantant sur le texte, par l'outrance, l'espagnolade, que nous avons trouvé le ton pour entrer en lutte avec Don Gormas », commente Gérard Philipe[4].

Mais l'ambiance n'est pas toujours aussi joyeuse dans le petit studio de danse, logé sous les toits, où la chaleur se fait infernale en fin de journée. Le travail est harassant. Comme l'expliquera Anne Philipe au reporter de *L'Événement du Jeudi*, en 1987 :

1. Jean Vilar quittera le rôle le 8 juillet. Son contrat prévoyait qu'il devait le reprendre début septembre.
2. *Souvenirs et Témoignages, op. cit.*
3. *Ibid.*
4. *Ibid.*

« Le matin, il répétait *Le Cid*, l'après-midi *Le Prince de Hombourg*, et le soir *Le Cid* de nouveau, avec Georges Le Roy. C'était un rythme de vie absolument incroyable. »

Le contrat qu'il signe avec Vilar, le 6 juillet, rend compte de cette activité : « L'artiste est engagé pour la durée du Festival d'Avignon, qui aura lieu du 15 au 25 juillet 1951 et comprenant la représentation qui sera donnée à Vaison-la-Romaine, pour y tenir les rôles de : Prince de Hombourg, Rodrigue du *Cid*, Artemone dans *La Calandria*. Le départ de Paris est fixé au 8 juillet 1951. » Suit l'énoncé des droits et des devoirs du signataire : « L'Artiste assurera toutes les répétitions à Avignon dès le 9 juillet 1951. » Et, enfin, le détail financier de l'affaire : « L'Artiste recevra la somme forfaitaire de 100 000 francs. La Direction assure les frais de séjour de l'Artiste pendant la durée du Festival, y compris la nourriture, dans les conditions générales fixées sur la note en annexe. La Direction prend en charge le transport de l'Artiste en chemin de fer, en deuxième classe. »

100 000 francs pour l'« Artiste ». Lui qui touche à l'époque plus de 10 millions par film ! Mais son abnégation financière risque au dernier moment de se révéler inutile, du fait de l'intransigeance des édiles avignonnais. Intransigeance corsée d'une bonne dose d'antiparisianisme. En effet, à la lecture du programme où, pour la troisième année consécutive, *Le Cid* est annoncé, le comité de patronage du Festival s'insurge : trop, c'est trop. Tandis que les journaux locaux reprochent aux membres du comité de se laisser manipuler par des Parisiens. Vilar tient bon. Il sait que la présence de Philipe constitue un véritable événement, pour le public comme pour les critiques. Fermement résolu à monter *Le Cid*, il menace la municipalité : s'il le faut, il ira jouer ailleurs. Carcassonne, Arles ou Nîmes, les villes accueillantes ne manquent pas… Changeant son fusil d'épaule, le comité lui propose alors de reprendre non pas *Le Cid*, mais *Richard II*. Sans paraître remarquer que le drame de Shakespeare a déjà fait l'objet de trois reprises en Avignon… Finalement, le salut vient d'en haut : le ministère de l'Éducation nationale exige la représentation d'une pièce française, à défaut

de quoi il n'accordera pas de subvention. Après une intervention inutile auprès de Jeanne Laurent, sous-directrice aux Arts et Lettres, et de son supérieur, Jacques Jaujard, qui refusent toute dérogation, le comité s'incline.

Et le 8 juillet, au cours d'une brillante conférence de presse parisienne, les dates des spectacles sont communiquées aux journalistes : dimanche 15 juillet, *Le Prince de Hombourg* ; le lendemain, relâche ; le 17, *La Calandria* ; le 18, *Le Cid*. Puis de nouveau *Le Prince*, *La Calandria*, *Le Cid*… De sorte que, au total, la pièce de Kleist sera jouée quatre fois, celle du cardinal Dovizzi trois fois et celle de Corneille deux fois, la seconde représentation ayant lieu le 21 juillet. Les trois pièces seront ensuite présentées à Vaison-la-Romaine du 22 au 25 juillet.

Jean Vilar s'explique : *La Calandria*, dit-il, est « une pièce pour distraire les papes ». Créée en 1508, cette farce grivoise, adaptée en français par Michel Arnaud, met en scène des jumeaux, frère et sœur, chacun croyant l'autre mort. D'où un écheveau d'embrouillements et de rires. Après avoir pensé à Giorgio Strehler, c'est finalement à René Dupuy que le directeur du Festival a confié la régie. Et à Gérard Philipe un petit rôle inattendu : Artemone, une courtisane, dont il va revêtir les oripeaux burlesques pour la plus grande joie du public avignonnais[1]. Quant au *Prince de Hombourg*, personne encore n'a osé monter ce drame en France. Pas même Charles Dullin, qui ne croyait pas le public préparé à l'accueillir. En Allemagne, il a été longtemps interdit, à cause d'une scène, dite « de la lâcheté », où l'on voit le héros s'humilier pour conserver la vie sauve. C'est précisément ce passage-là, pense Vilar, qui fait la grandeur fascinante de l'œuvre.

« Pourquoi Avignon ? », demande un journaliste. L'animateur attendait sans doute la question : on la lui a si souvent posée… La réponse est toute prête : le palais des Papes, lieu dramatique par excellence, l'acoustique, le haut mur où s'adosse le plateau… Bref, les généralités habituelles. Et puis soudain : « Nous

1. La pièce ne sera jamais reprise ailleurs.

avons compris que les scènes à l'italienne des théâtres de Paris avaient rendu tout ce qu'elles pouvaient rendre. Le théâtre des tréteaux, tel que nous le pratiquons en Avignon, nous a mis en rapport direct avec la foule. Copeau, Dullin, nos grands aînés, nous avaient montré la voie, mais nous avons été amenés à préciser leur pensée, comme il arrive que les héritiers précisent les idées du père. L'expérience d'Avignon doit être reportée sur la capitale[1]. »

En quelques mots, Jean Vilar vient de prendre date. Qui l'a compris dans l'assistance ? Qui, en entendant ces mots, a pressenti qu'ils annonçaient la plus exaltante aventure théâtrale du XXe siècle ? Trois lettres : T. N. P. Le Théâtre national populaire.

1. Cité par Jean-Claude Bardot, *Jean Vilar*, Armand Colin, 1991.

10

Il est bien modeste encore, ce jeune Festival… Neuf représentations prévues. Quelques milliers de spectateurs tout au plus. On est loin des grandes foules internationales que drainera la manifestation à la fin des années soixante[1]. Et la ville, enfermée dans ses remparts, ne secoue pas pour autant sa torpeur méridionale. Mieux – ou pire –, elle résiste : nombre de commerçants profitent des festivités pour fermer boutique et partir en vacances. « Le jour, Avignon semblait indifférente à cette petite troupe de saltimbanques, allant et venant, au pas de course, entre le palais et l'Auberge de France des époux Struby, rappelle Bernard Dort. Son centre de gravité demeurait la rue de la République, avec ses Prisunic et autres Monoprix. Mais le soir, brusquement, le palais des Papes en devenait l'âme. Le théâtre effaçait tout le reste[2]. »

C'est précisément à l'Auberge de France, son PC habituel, que descend Jean Vilar, tandis que Gérard et Nicole Fourcade, qui ont fait le voyage en automobile, s'installent dès le 9 juillet à Villeneuve-lès-Avignon, de l'autre côté du Rhône. A l'hôtel La Magnaneraie, d'où la jeune femme, le jour même, prie par lettre Mlle Zivian de lui procurer une carte de travailleur (elle tourne un documentaire)[3]. Le matin, dès qu'ils peuvent s'échap-

1. 4 000 spectateurs en 1947 ; 10 000 en 1951 ; 53 000 en 1965 ; 83 000 en 1966 ; plus de 100 000 en 1967. A partir de 1966, le Festival s'étend sur une période d'un mois et s'ouvre à d'autres compagnies que le TNP.

2. In *Quarante Ans de Festival*, Hachette-Festival d'Avignon, 1987.

3. Dans la même lettre, elle remercie sa correspondante, qui vient de récupérer le matériel confisqué au poste frontière de Hombourg au mois de mai : « Quelle joie, écrit-elle, de savoir que la caméra et le Rolleiflex sont sauvés, et quel grand merci je vous dois. »

per, Gérard et sa compagne louent une barque et s'en vont canoter sur le Rhône. A moins qu'ils n'y piquent une tête, en dépit des violents courants qui troublent le cours du fleuve. Mais c'est drôle, n'est-ce pas, de se laisser emporter, en calculant bien l'endroit où le flot vous ramènera à la rive... Et d'autant plus drôle que c'est dangereux. Alors, la vie est douce en Avignon? Pas si sûr. Interrogée une quinzaine d'années plus tard à ce sujet, son épouse tente d'établir un bilan raisonnable : « Que Gérard ait eu du bonheur à Avignon, c'est certain, mais qu'il y ait connu une douceur de vivre, je ne crois pas, en tout cas pas pendant la période des répétitions[1]. »

Et c'est vrai que, au soir du 15 juillet, il n'en mène pas large, le « beau Gérard », comme disent les journalistes parisiens qui ont fait le voyage pour assister à l'événement : la première du *Prince de Hombourg*. « J'avais peur du cadre, peur de cette immense cour du palais des Papes où ma voix risquait de se perdre[2]. » L'immense ovation qui salue, à minuit, la troupe entière le rassure-t-elle ?

Lorsqu'il écrit *Le Prince*, en 1810, un an avant de se donner la mort, c'est la poussée nationaliste prussienne que Henrich von Kleist veut faire entendre : un drame patriotique. Et c'est ainsi que le perçoivent encore en 1951 certains spectateurs français, qui vont reprocher à Vilar les relents nazis qu'ils croient renifler dans l'œuvre. Il est clair, pourtant, que la pièce, en cours de route, a échappé à son auteur. Drame de la désobéissance ? De la lâcheté ? Peut-être. Mais surtout drame romantique, où le personnage passe de l'héroïsme à une terreur qui n'est en fait qu'un désir absolu et viscéral de vivre. Ayant enfreint dans sa fringale de gloire les ordres qui lui interdisaient de livrer combat sans en avoir reçu le commandement explicite, le prince de Hombourg, malgré la victoire de son armée, est mis aux arrêts et rapidement condamné à mort. Terrifié à l'idée de sa fin prochaine, il demande en vain la clémence de l'Électeur de Brandebourg. Par un retour

1. In *L'Événement du Jeudi*, 9-15 juillet 1987.
2. In *Ciné-Revue*, n° 14, 2 avril 1954.

au sens de l'honneur, il accepte la sentence, l'exige même, et reçoit le pardon. Alors, devant la cour, la jeune Nathalie d'Orange, sa fiancée, tend au Prince une couronne de lauriers et le grand collier de l'Électeur. « Cette scène, dit Bernard Dort, continue de hanter ma mémoire de spectateur. D'une certaine manière, elle est l'image même du théâtre. C'est qu'elle réunit, en un moment fugitif, des réalités d'ordinaire incompatibles : le geste et l'immobilité, le silence et la parole, l'intime et le public, la rugosité de la pierre et la précarité du petit arbre ployant sous le mistral qui abritait le Prince [1]... »

Théâtre, oui, et même théâtre « total », comme dit Jean Lacouture, rendant compte du spectacle dans *Combat*, « où tonne le canon, sonnent les fifres du combat, où gémit le héros et que traversent les chants de triomphe et de mort. Théâtre cruel et furieusement lyrique [...]. Gérard Philipe était d'évidence le héros destiné de ce drame de la nuit, traversé de sanglots et de fanfares, où la fraternité, la tendresse et l'héroïsme font de ces soldats des hommes que nous reconnaissons ». Et quand, après la dernière réplique, la nuit se fait sur ce prince lunaire haut botté de noir, vêtu de blanc, une ovation s'élève dans la cour d'honneur...

Lundi 16 juillet. Relâche. Répétition le matin et l'après-midi. Hormis un saut à Eygalières, où Georges Le Roy vient d'acheter une petite maison. Gérard y emmène avec lui un commando de garçons et de filles. Et des pelles, des pioches, une brouette... Il s'agit de relever un mur effondré dans le jardin du bon maître, et de faire vite : au retour, la répétition reprendra de plus belle.

17 juillet. Au programme : *La Calandria*, donnée dans le verger d'Urbain V [2]. Après tout, cette farce écrite par un cardinal est à sa place chez les papes ! Et le public, sans complexe, rit beaucoup aux facéties de Gérard Philipe, travesti en courtisane grimaçante, et de Jean Vilar, affublé d'un faux nez.

Minuit. Vilar s'avance sur le devant de la scène : « Mesdames,

1. In *Quarante Ans de Festival*, *op. cit.*

2. Ce lieu, situé en bordure du rempart de Benoît XII, deviendra par la suite l'endroit privilégié des rencontres avec le public.

messieurs, lance-t-il, la pièce que vous venez d'entendre a été représentée pour la première fois en 1508 devant Sa Sainteté le pape Léon X. » Un tonnerre d'applaudissements lui répond, tandis que dans l'assistance un loustic s'écrie : « Vive la Réforme ! », déclenchant les rires autour de lui[1].

Il fait frais, un mistral glacé s'est levé. En hâte, les techniciens démontent leur matériel, éclairage et sonorisation, pour le remonter quelques centaines de mètres plus loin, dans la cour d'honneur, où va bientôt commencer la dernière répétition en costumes du *Cid*. Gérard a le trac. Pour la première fois de sa carrière. Jusque-là, il est toujours entré en scène d'un coup, sans véritable inquiétude. Mais il a trop hésité avant de reprendre le rôle de Rodrigue pour ignorer qu'il joue là une rude partie. Le célèbre passage des stances l'effraie entre tous :

> Percé jusques au fond du cœur
> D'une atteinte imprévue aussi bien que mortelle,
> Misérable vengeur d'une juste querelle…

Mais quelle allure, là, sur ces tréteaux, en plein vent, dont le souffle fait voler la grande cape rouge qui l'enveloppe ! « Ce bondissement vainqueur, ces brusques détentes où l'âme frémissante semble ôter au corps toute pesanteur[2]. » Pour ses débuts dans *Le Cid*, Léon Gischia voulait lui faire confectionner un nouveau costume. Mais la troupe est pauvre. C'est celui porté par Jorris-Maulne, à peine retouché, qu'a revêtu Gérard. Pourpoint de velours noir, aux manches rembourrées de passementeries grises et rouges, col blanc, bottes…

Deux heures du matin. Fatiguée, Nicole Fourcade est rentrée à son hôtel. Comme chaque fois que le travail se prolonge tard dans la nuit, Jeanne Struby, la patronne de l'Auberge de France, accompagnée de sa fille Françoise, apporte des boissons chaudes dans des bouteilles thermos. Puis la répétition reprend. Acte III, scène IV. La rencontre des deux amants :

1. Jean-Claude Bardot, *Jean Vilar*, *op. cit.*
2. Béatrix Dussane, *J'étais dans la salle*, Mercure de France, 1963.

CHIMÈNE

Va, je ne te hais point.

RODRIGUE

Tu le dois.

CHIMÈNE

Je ne puis.

« Jamais je n'oublierai la façon dont cette nuit-là il joua la scène d'amour, témoigne Françoise Spira, sa partenaire. Il pleurait en sortant[1]. »

CHIMÈNE

Va-t'en, encore un coup, je ne t'écoute plus.

RODRIGUE

Adieu : je vais traîner une mourante vie,
Tant que par ta poursuite elle me soit ravie.

Et Gérard bondit hors de scène, comme l'a prévu Vilar. Aveuglé par les larmes, trompé par une défaillance de l'éclairage de service, il ne voit pas le bord du plateau ni le vide qui s'ouvre à ses pieds… Et fait une chute de deux mètres cinquante. On se précipite, Vilar en tête. Il est là, immobile, les yeux ouverts, étendu sur le dos dans son grand manteau rouge. (Qui pourrait alors imaginer que huit ans plus tard il serait ainsi couché, de rouge et de noir vêtu, mais pour son dernier sommeil cette fois ?) Et tandis que Vilar se penche sur lui, c'est une phrase en provençal – pourquoi ? – qui lui vient aux lèvres : *« Quos Bêt Rodérigo ! »* (Il est beau, Rodrigue !) Un médecin appelé en hâte constate que, apparemment, il n'a rien de cassé : le costume de velours rembourré l'a protégé. Mais il a terriblement mal aux reins et aux genoux. On décide alors de le ramener à son hôtel. On le conduira au service de radiographie de l'hôpital le lendemain matin.

Dans sa chambre à La Magnaneraie, Nicole dort. Chaque matin elle se lève tôt, pour aller tourner son documentaire, et

1. In *Souvenirs et Témoignages*, *op. cit.*

Gérard ne veut pas la réveiller. « Mais j'ai senti à travers mon demi-sommeil qu'il n'était pas comme d'habitude, et alors il m'a dit qu'il était tombé. Il fallait qu'il soit allé au-delà de la fatigue et du besoin de sommeil, car, sur scène, Gérard avait la précision et l'acuité d'un fauve quand il chasse, il voyait avec ses yeux et avec son corps, rien ne lui échappait, même quand il paraissait totalement habité par son rôle. Il ne put dormir tant il souffrait. »

Au matin, la radio ne révèle en effet aucune fracture. Le médecin décide toutefois de lui poser un plâtre et prescrit une série de piqûres destinées à calmer ses violentes douleurs. Même s'il n'est pas sensible, tout mouvement lui est impossible et il respire difficilement. Se pose alors la question de la représentation du soir : pourra-t-il jouer ? Finalement, Vilar et Philipe se mettent d'accord. On portera le comédien sur le plateau et, dans l'après-midi, toutes les scènes de mouvement seront transformées en plans immobiles : « La vraie difficulté fut pour lui de réadapter son interprétation du *Cid* à son immobilité forcée, car le geste, la démarche, le rythme étaient chez lui inséparables de la parole et de l'âme du personnage[1]. »

Et c'est assis que Gérard Philipe, le 18 juillet 1951, crée *Le Cid.* « Un Cid au genou paralysé, un Cid perclus de douleurs, couvert de sueur, calmant ses souffrances avec des piqûres et que deux de ses camarades soutenaient par les épaules pour le conduire en scène. Et ce Cid, privé de ses moyens les plus efficaces [...], se révéla d'emblée le plus grand de tous, le plus beau, le plus ardent et le plus jeune[2]. » Tout au long de la soirée cependant, le trac n'a pas quitté Gérard. La douleur, une mise en place improvisée qui brouille tous les repères des répétitions lui font craindre le pire. « Un trac abominable, surtout au moment des stances », disait son épouse. Françoise Spira : « Sous l'effet du trac, il avait les yeux qui s'injectaient de sang. » Et Gérard lui-même : « Sous

1. Anne Philipe a plusieurs fois raconté cet épisode. C'est son récit à Paul Puaux (« Avignon en Festivals », *L'Échappée belle*, Hachette, 1983) que nous avons repris ici, en lui ajoutant quelques détails supplémentaires extraits d'une interview accordée à *L'Événement du Jeudi* (9-15 juillet 1987).

2. Morvan-Lebesque, in *Souvenirs et Témoignages*, *op. cit.*

ces murs centenaires, dans ce costume de Rodrigue, face à une foule vibrante et attentive, j'avais très peur. Je ne saurais vous dire comment j'ai joué. Je me souviens seulement de ce lourd silence qui pesait sur moi pendant que je disais les fameuses stances. Puis un bruit immense : celui de ces milliers de spectateurs applaudissant Corneille[1]. »

Gérard Philipe est modeste : c'est lui qu'applaudissent les festivaliers en délire. « Gérard Philipe exulte, pleure, comme on exultait et pleurait en ce siècle, avec violence, sans fausse honte et sans mesquinerie. Il est le parfait amant que demandait l'hôtel de Rambouillet. Un amant non seulement bien élevé, exact à ses devoirs, mais que ses sentiments emportent. Ce Rodrigue a du cœur. Et plus encore, il a du naturel », commente Marc Beigbeder dans *Le Parisien libéré*. Un triomphe. Dont l'écho s'est rapidement propagé, car le 21 juillet, pour la deuxième représentation, on doit rajouter trois cents chaises. Malgré cela, plusieurs centaines de spectateurs resteront debout. Des jeunes, beaucoup de jeunes parmi ceux-ci, futurs comédiens alors inconnus, tels Philippe Noiret ou Delphine Seyrig, mais aussi simples passionnés de théâtre attirés par ces premières réunions qu'organise Paul Puaux[2] à la demande de Vilar : Morvan-Lebesque parlant de Brecht, Léon Gischia de costumes, Maurice Jarre de musique de scène... Et Jean Vilar lui-même, accompagné de ses comédiens, vient dans l'île de la Barthelasse[3], où campent la plupart de ces jeunes gens, pour commenter son travail : « Ils évoquent sans affectation leurs efforts, leurs projets, leurs ambitions, face à ces jeunes, garçons et filles, souligne Jean-Claude Bardot dans sa biographie de Jean Vilar. Il fait bon dans l'île de la Barthelasse sous le feuillage frais des platanes et des peupliers. Aucun de ceux qui ont vécu ces moments exceptionnels ne les a oubliés. »

1. *Ciné-Revue*, n° 14, 2 avril 1954.

2. D'abord instituteur, Paul Puaux apportera son aide à Jean Vilar dès les premières années du Festival, dont il sera plus tard directeur à son tour. Avec sa femme, Mellie, il anime la Maison Jean-Vilar à Avignon.

3. Ile du Rhône, située sous les arches du pont Saint-Bénézet. On y trouvait jadis de nombreuses guinguettes.

De Sète, où il se repose dans sa villa Terrisol, Jean Vilar écrit à Gérard le 11 août : « Méfie-toi : tu viens de faire du théâtre *sans mesures* ; ne fourre pas du théâtre dans ton film. Enfin, je me tais, ça ne me regarde pas [1]. » Dans quelques jours, le 20 août exactement, le comédien doit en effet rejoindre Christian-Jaque et son équipe qui l'attendent pour le tournage de *Fanfan la Tulipe* dans le pays grassois : à Castellaras de Mougins, au domaine de la Paout, à la Malle… Bref, c'est à un véritable rendez-vous avec son enfance que Gérard se trouve convié. Et c'est un peu de cette enfance, de sa vivacité et de son entrain, que l'on retrouve dans ce film, qui est, comme l'écrit alors Jean José Richer dans *Les Cahiers du Cinéma*, les « grandes vacances du Cid ».

« Ce tournage, les Grassois l'ont vécu comme le retour de l'enfant du pays, raconte Hervé de Fontmichel, maire de Grasse. Il n'était pas revenu depuis son départ, en 1943. Il a retrouvé des amis d'enfance. Le public était admis, le soir, au cinéma Rex, où l'équipe du film visionnait les scènes tournées dans la journée. Tous ceux qui ont assisté à ces séances se souviennent de la gentillesse de Gérard Philipe et de sa joie de se trouver parmi eux [2]. »

Fanfan la Tulipe, c'est d'abord une vieille chanson populaire, dont la postérité n'a guère retenu que le refrain :

En avant
Fanfan
La Tulipe
En avant
La Tulipe
En avant…

Maigre canevas sur lequel René Wheeler et René Fallet, aidés par Henri Jeanson, l'auteur des dialogues, vont broder une solide et brillante histoire pleine de braves et de traîtres, d'imprévus, de sentiments et d'allégresse insolente.

1. Archives Gérard-Philipe, Maison Jean-Vilar.
2. Entretien avec l'auteur, octobre 1993.

Mano en 1918. Au dos de cette photo, adressée à son futur mari, elle a écrit : « Elle est un peu indécente cette Mano, mais c'est pour toi tout seul. »

Marcel à Cannes, en janvier 1911, âgé de dix-huit ans : tenue d'escrimeur et décor d'époque.

La villa Les Cynanthes, 31, avenue du Petit-Juas, à Cannes, photographiée en 1921. C'est la maison natale de Gérard Philipe. Sur l'immeuble édifié à sa place, une plaque rappelle la mémoire du comédien.

Gérard Philipe, « Gégé », à quatre mois, en mai 1923.

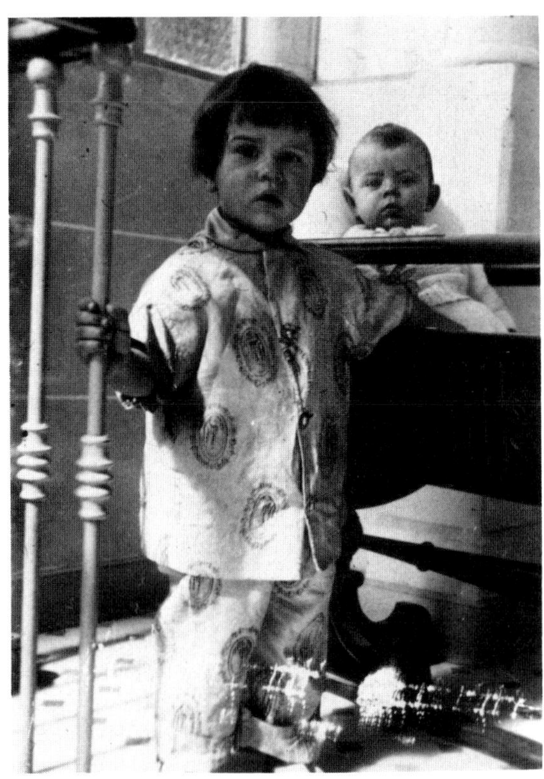

Gérard et son frère aîné, Jean, aux Cynanthes.

Octobre 1925. Les mêmes sur la plage de Cannes.

Été 1934. Jean, Minou, Gérard, le « trio ».

Chez les grands-parents Villette, à Chartres.

Septembre 1936, à Grasse. Un beau dimanche dans la propriété familiale.

1937. Sur le balcon de l'appartement, rue Venizelos, à Cannes.

1940. Un autre balcon, celui du Parc Palace, à Grasse, d'où Gérard lance ses premières tirades.

1940. A Nice, sur la Promenade des Anglais, avec une amie.

1941. Entre Marcel et Minou, sur la Canebière, à Marseille.

Début 1943. La troupe d'*Une jeune fille savait* pose devant le Parc Palace, à Grasse, avant le départ de la tournée.

Au temps de la rue du Dragon.

Octobre 1943. Avec Edwige Feuillère et Lucien Nat dans *Sodome et Gomorrhe*, de Jean Giraudoux.

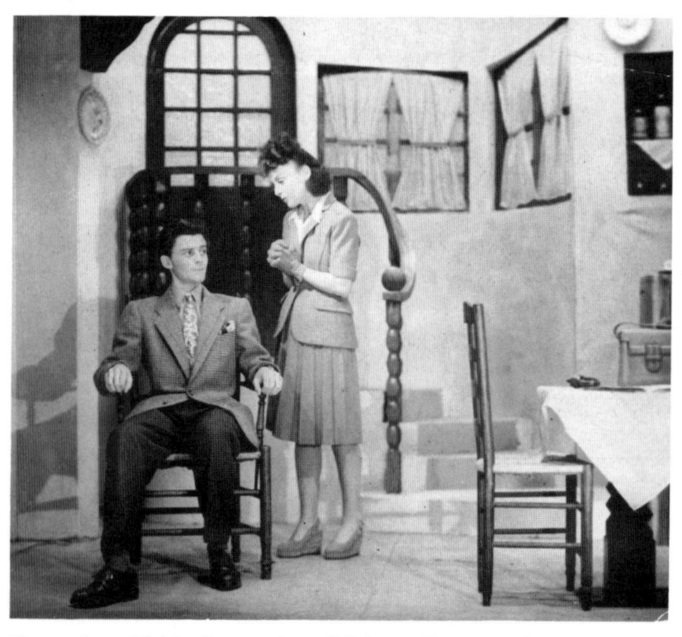

Novembre 1944. Partenaire d'Odette Joyeux, dans *Au petit bonheur*, de Marc-Gilbert Sauvajon.

Décembre 1947. Au Théâtre des Noctambules, Maria Casarès et Gérard Philipe créent *Les Épiphanies*, pièce d'un jeune auteur inconnu, Henri Pichette.

Été 1947, à Rome. *La Chartreuse de Parme* : Fabrice del Dongo s'échappe de sa prison.

Dans les coulisses de *La Chartreuse de Parme*. Debout, Gérard et Maria Casarès ; au premier plan, l'actrice italienne Maria Michi avec son chien et la romancière Marianne Becker.

Juillet 1949. Sur le plateau de *La Beauté du diable*, de René Clair, avec sa partenaire Nicole Besnard.

Dîner après le tournage. A gauche, Michel Kelber, Simone Valère ; au fond, Minou ; à droite, Gérard et son frère Jean.

En marge du tournage d'*Une si jolie petite plage*.

Le Cid, rôle-symbole, créé en Avignon le 18 juillet 1951. Ici lors d'une reprise en avril 1954, au TNP, avec Silvia Monfort.

1951. Entre les deux femmes de sa vie : Minou et Anne.

Août 1951. *Fanfan la Tulipe*, tourné dans les environs de Grasse.

Février 1953. Festival du film français, à Londres : Magali Vendeuil, Simone Signoret, Danièle Godet, Madeleine Robinson, Yves Montand, Gérard Philipe.

Février 1952. Gérard répète *Le Prince de Hombourg* au Théâtre des Champs-Élysées, sous la direction de Jean Vilar.

Avril 1953. Avec Michèle Morgan, départ pour le Mexique où aura lieu le tournage des *Orgueilleux* (derrière, Henri Vidal).

1954. Promenade sur le mont Tibidabo, avec Minou et Marcel qui vit désormais à Barcelone.

Octobre 1954. A New York, avec Natasha Parry. Photo pour la promotion du film *Monsieur Ripois*.

Juillet 1954, Avignon. Dans la cour d'honneur du palais des Papes, répétition en costumes du *Prince de Hombourg*.

Février 1954. Dernière répétition en costumes de *Ruy Blas*, de Victor Hugo.

Retour du Festival de Moscou : Danielle Darrieux, Gérard Philipe, Dany Robin, Nicole Courcel.

Décembre 1951. La troupe du TNP part pour sa première tournée en Allemagne (devant, à demi caché, Jean Vilar ; au second plan, Françoise Spira et Monique Chaumette).

Octobre 1953. Pendant le Festival du film français à Tokyo, Gérard et Anne Philipe rencontrent des acteurs de Kabuki.

Novembre 1958. Le TNP rentre d'une longue tournée en Amérique du Nord (Canada et États-Unis). Au premier plan : Simone Bouchateau, Lucienne Le Marchand, Maria Casarès, Jean Vilar et Georges Wilson.

Août 1957. Tournage de *Montparnasse 19* : Gérard Philipe-Modigliani faisant le portrait d'Anouk Aimée-Jeanne Hébuterne.

Mai 1957. Danielle Darrieux et Gérard Philipe face à face dans *Pot-Bouille*, de Julien Duvivier.

27 mars 1957. Gérard et Anne Philipe, accompagnés de l'écrivain chinois Kuo Mojo, sont reçus par les étudiants à l'université de Pékin.

Avril 1957. A Hollywood, lors d'un voyage de promotion du cinéma français, Gérard rencontre un groupe d'acteurs américains, parmi lesquels Jayne Mansfield.

1958. A Barcelone : Minou et Marcel ; Gérard, Anne et leurs enfants, Anne-Marie et Olivier.

Hiver 1958-1959. Dans le parc de la maison de Cergy, Gérard Philipe et ses enfants.

Décembre 1958. Gala à l'Opéra, pour les débuts parisiens de Maria Callas. Gérard est assis à côté de Juliette Gréco.

Mars 1959. Tournage des *Liaisons dangereuses* à Megève, avec Simone Renant.

Été 1959. Dernière émission télévisée, avec Frédéric Rossif.

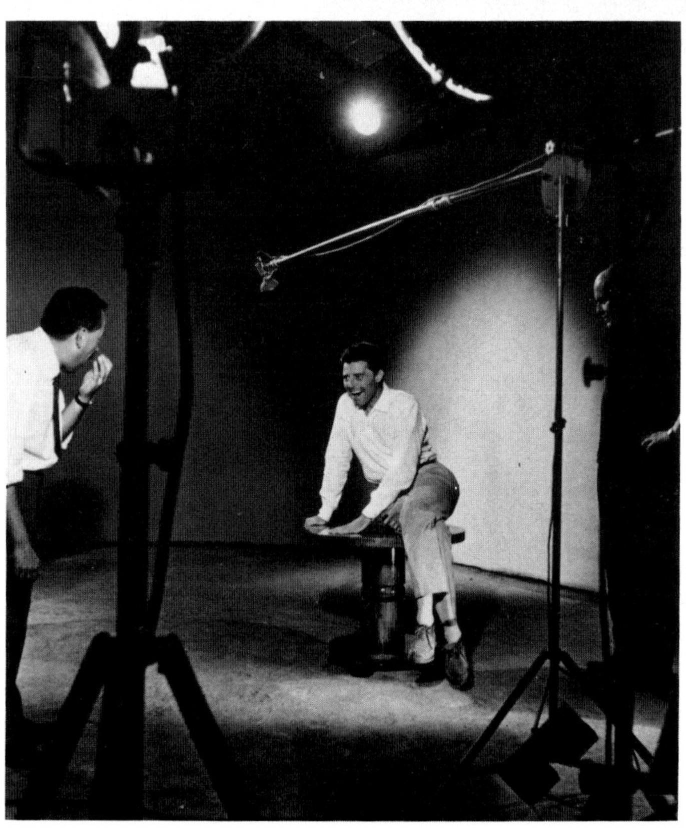

Août 1959. Ultimes vacances à Ramatuelle. Gérard en profite pour satisfaire son goût des vieilles voitures.

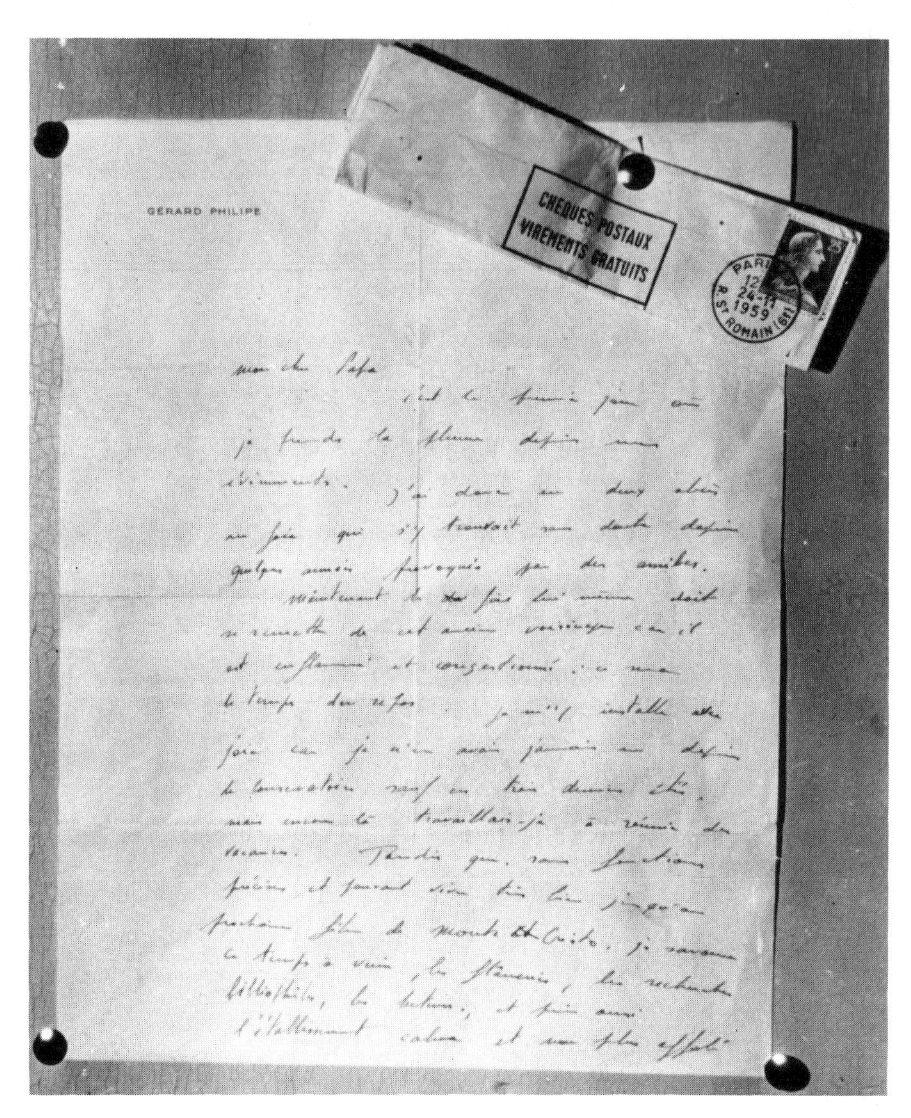

La dernière lettre écrite par Gérard Philipe, le 23 novembre 1959. Postée le lendemain, elle parviendra au destinataire, Marcel Philip, après la mort de Gérard.

Trousseur de filles intrépide, Fanfan, sur la foi d'une prédiction qui lui promet la main de la fille du roi, s'engage au régiment d'Aquitaine. Après vingt coups de théâtre et autant de bagarres, il découvrira qu'il n'aime qu'Adeline, celle-là même qui lui a dit son avenir. Et que le roi Louis XV vient d'adopter. Il l'épouse, réalisant ainsi la prédiction.

Gérard ne sait pas monter à cheval, ne sait pas se battre à l'épée... Toutes choses qu'il doit faire à chaque instant cependant. Qu'importe. « Il est si bon comédien, dit son professeur d'équitation, que le cheval croit qu'il sait monter... » Et le public aussi ! Pourtant, Christian-Jaque a craint le pire en apprenant la chute de Gérard en Avignon : un Fanfan béquillant, pas question ! Mais il se rassure vite. Il suffira de modifier le plan de travail, en donnant la priorité aux scènes calmes. Complètement rétabli, le comédien peut alors, au bout de quelques jours, s'en donner à cœur joie. Tant et si bien qu'à l'issue du film Joe Davray, sa doublure, et Gil Delamare, tous deux casse-cou professionnels, le nommeront membre d'honneur du Club des cascadeurs. Il ne l'a pas volé ! Témoin, son duel avec Noël Roquevert, tous deux juchés à dix mètres du sol sur les tuiles glissantes d'un toit. Roquevert, qui souffre du vertige, tente d'oublier sa nausée en se battant à grands coups de sabre que Gérard esquive du mieux qu'il peut. L'arme soudain siffle à son oreille. Il n'a que le temps de se baisser. Sous le choc, une cheminée se fracasse...

Hors champ, l'ambiance est moins batailleuse, même si Gérard, à son habitude, organise chahuts, plaisanteries, farces et attrapes en tout genre. Cet été-là, sur le plateau, le jeu à la mode, c'est le « Freeze and Melt » (littéralement : geler et fondre). La règle est simple : vous criez « Freeze » en pointant du doigt quelqu'un qui doit alors s'immobiliser sur-le-champ. Quelle que soit sa position : au milieu d'un geste, un pied en l'air... Jusqu'à ce qu'un « Melt » retentissant le libère. Gérard en a fait lui-même l'expérience, bloqué de longues minutes, les mains en forme de coupe près des lèvres, au-dessus de la fontaine à laquelle il s'abreuvait. Tout comme Gina Lollobrigida, Geneviève Page ou Sylvie Pelayo, ses partenaires...

Ce goût invétéré qu'il a des farces, comme d'autres ont le goût de l'alcool… Peut-être après tout qu'il y puise, comme eux dans le vin, l'énergie, le courage d'affronter ses semblables, lui dont les partenaires ont toujours souligné le pouvoir d'évasion. Geneviève Page : « Ces sortes d'évanouissement de sa présence, dont il a toujours eu le secret mystérieux, troublaient ses amis, et créaient même souvent de brusques malaises, une gêne et une inquiétude[1]. » Qui sait ? D'autant que son côté lunatique reprend volontiers le dessus. Sans crier gare. Un jour, il refuse de recommencer une prise. Une autre fois, il insiste longuement auprès du réalisateur pour que l'on atténue la spontanéité du personnage. Un Fanfan plus responsable de ses actes, moins primesautier, voilà ce qu'il voudrait. En fait, plus politisé, même s'il ne prononce pas le mot. Mais Christian-Jaque ne cède pas. Et Gérard, à la projection, reconnaîtra qu'il avait tort.

Avec la fin de l'été, la pluie s'est installée sur la campagne grassoise. Des heures durant, l'arme au pied, techniciens et acteurs attendent une embellie qui ne vient pas. Tant et si bien que Christian-Jaque, à la fin, décide de se replier sur la région parisienne. Où les dernières scènes de poursuite sont tournées le 16 novembre, sur les pelouses d'un terrain d'aviation.

Il était temps ! Le lendemain, samedi 17 novembre, Gérard doit être à Suresnes, dans la banlieue parisienne, pour jouer *Le Cid* au Théâtre de la Cité-Jardin. La grande aventure du TNP commence pour de bon.

Alors que depuis la Libération la décentralisation théâtrale n'a cessé de gagner du terrain, dotant des villes comme Saint-Étienne, Strasbourg ou Toulouse de troupes permanentes et de salles bien équipées, Paris reste toujours privé d'un vrai théâtre populaire.

Il faut croire cependant que l'idée est dans l'air du temps. Car, en 1951, les pouvoirs publics s'en inquiètent, conscients qu'une réelle demande culturelle existe dans la population. Courant juillet, le rapport du comité interministériel chargé d'examiner la

1. *Souvenirs et Témoignages*, *op. cit.*

concession accordée au directeur de la salle de Chaillot[1] se conclut en ces termes : « Le succès des centres dramatiques de province prouverait qu'il faut aller au public populaire en portant les spectacles dans les quartiers populaires et qu'il est possible de lui présenter des œuvres, classiques ou modernes, d'une grande qualité. Il s'agirait de réaliser une prospection systématique de la banlieue et de la grande banlieue avec un répertoire différent de celui de l'actuel Théâtre populaire[2]. »

C'est ici qu'entre en scène Jeanne Laurent, sous-directrice des spectacles et de la musique à la Direction des arts et lettres. Mlle Laurent connaît bien les problèmes du théâtre populaire. C'est elle, au ministère, qui depuis maintenant cinq ou six ans favorise les initiatives régionales : « Je voulais ranimer la province en y enracinant des troupes permanentes de comédiens[3]. » C'est ainsi que la Comédie de Saint-Étienne, le Centre dramatique de l'Est, celui du Sud-Ouest, la Comédie de l'Ouest voient le jour. Tant bien que mal. Souvent au prix de difficultés infinies, dont la moindre n'est pas l'indifférence d'un public plus habitué aux pièces de boulevard jouées en tournée et aux opérettes. Mais, en 1951, il semble que la greffe ait pris. Les spectateurs suivent.

Invitée par le président du comité interministériel à se prononcer sur les conclusions du rapport, Jeanne Laurent se range à son avis. Il y a longtemps qu'elle guette le moment favorable pour étendre à la capitale sa politique de décentralisation. Voilà qu'il se présente enfin. Puisque les troupes de province ont réussi à conquérir un nouveau public, explique-t-elle aux membres du comité, pourquoi ne pas tenter l'expérience à Paris ? « Le président m'a écoutée, a hoché la tête, puis a dit calmement : “Si c'est possible, cela mériterait d'être tenté”[4]. » Reste à trouver le futur titulaire de Chaillot. Et vite : il doit être nommé avant le 1er septembre.

1. Le palais de Chaillot bénéficie déjà de l'appellation « Théâtre national populaire » (inventée par Firmin Gémier en 1920), mais son directeur d'alors, Pierre Aldebert, n'y poursuit aucune politique théâtrale spécifique.

2. Cité par Émile Copfermann in *Le Théâtre en France*, t. II, sous la direction de Jacqueline de Jomaron, Armand Colin, 1989.

3. Jeanne Laurent, in *Quarante Ans de Festival*, *op. cit.*

4. *Ibid.*

Là-dessus, Jeanne Laurent a déjà sa petite idée. Elle n'a pas oublié le jeune homme anguleux qui, un beau matin de 1947, a forcé la porte de son bureau : « Je viens vous demander un mur. » Et comme elle ne comprenait pas : « Oui, un mur pour jouer devant. » Elle se souvient qu'il était reparti avec une subvention de 500 000 francs et qu'elle était bien inquiète, un peu plus tard, dans le train qui l'emmenait en Avignon assister aux représentations de cette « Semaine d'art » ! Elle, grande prêtresse du théâtre populaire et de la décentralisation, avait-elle eu raison de faire confiance à Jean Vilar, l'homme des petites salles et des succès d'estime ? Puis, ce fut le choc poétique de *Richard II*, l'éblouissement du jamais vu : « Pendant que je m'interrogeais sur les réactions d'un public populaire devant un tel spectacle, j'ai remarqué deux spectatrices en contrebas de la scène, habillées très modestement, qui regardaient le spectacle, médusées. J'ai appris que c'était les deux personnes qui avaient fait les travaux de ménage et que la troupe, pour les remercier, les avait invitées. Elles sont restées jusqu'à la fin, transportées. J'ai su que c'était gagné [1]. »

C'est donc à Jean Vilar qu'elle pense tout naturellement, au moment de désigner le nouveau directeur de Chaillot : « Je savais qu'il était conscient des responsabilités d'un directeur de théâtre national. Il jouissait d'une autorité et d'un rayonnement qui attiraient les dévouements et les compétences. Il avait auprès de lui Gérard Philipe qui ferait venir les foules… » Et Jeanne Laurent, une fois encore, s'embarque pour Avignon, où le Festival bat son plein. Pour le coup, elle fait jouer l'effet de surprise. Jean Vilar n'est pas prévenu de sa visite. Elle le cueille à chaud, comme il sort de scène, c'est-à-dire à peine dépouillé de son personnage. Vulnérable. Elle sait bien qu'il n'a nul intérêt à accepter la proposition : Chaillot est un tombeau, une sorte de grand sous-marin à l'acoustique souvent désastreuse. Et Vilar, effectivement, répond non. Il a mille projets, que celui-là dérange. Quant au théâtre populaire, il n'a pas la moindre idée de ce que cela peut

1. *Ibid.*

être ! « Faire du théâtre pour les ouvriers ? objecte-t-il. Moi, je ne les connais pas, les ouvriers ; mais je connais des gens qui ont souvent des vies plus difficiles que les ouvriers. Les petits commerçants par exemple. J'appartiens à ce monde[1]. » Baroud d'honneur, sans doute, car l'instant d'après il écoute Jeanne Laurent expliquer que le service du théâtre populaire est aussi destiné à ces gens-là. Et aux autres. A tout le monde.

Y a-t-il alors un silence explicite ? Un signe ? Un sourire entre eux ? Nul ne le saura : les deux partenaires ont emporté le secret. Mais dans ce bar tranquille de l'Hôtel de l'Europe, où ils discutent depuis des heures, Mlle Laurent, tout à coup, sent que la partie est gagnée. Vilar viendra à Chaillot. « Pourtant il ne m'a jamais dit oui, commente-t-elle. En partant, il m'a demandé : "Me permettez-vous de parler de notre entretien à Rouvet[2] pour lui faire part des problèmes d'administration ? Me permettez-vous d'en parler aussi à Gérard Philipe, qui est quelqu'un de très discret et de très généreux ?"[3]. »

Gérard Philipe à Jean Vilar, 5 août 1951 : « Salut ! Sur la plage, te reposes-tu un peu malgré le cahier des charges ? J'ai une bonne nouvelle pour toi. Et pour nous. Le film que je devais tourner après *Fanfan la Tulipe* bat de l'aile et s'écroule tout seul sans que j'aie à me manifester[4]. Repose-toi bien à Sète pour être d'attaque en septembre, face au peuple[5] ! »

Et quel cahier des charges ! Quarante articles, allant de l'obligation, pour Jean Vilar, de « fournir un cautionnement de 500 000 francs » à celle d'engager, chaque année, un lauréat du concours du Conservatoire national d'art dramatique. Sans parler des représentations dans la périphérie parisienne et des spec-

1. *Ibid.*
2. Jean Rouvet, futur administrateur général du TNP.
3. *Quarante Ans de Festival*, *op. cit.*
4. Il s'agit de *Station Terminus*, coproduction franco-italienne. On a prétendu, en s'appuyant sur le fait qu'il s'agissait de son treizième film (si l'on excepte *La Boîte aux rêves*), que Gérard Philipe avait lui-même déclaré forfait par superstition. Les termes de la lettre citée font justice à cette légende.
5. Cité par Jean-Claude Bardot, *Jean Vilar*, *op. cit.*

tacles lyriques… Vilar hésite, puis signe le document. Quitte à se battre en vain, pendant de longues années, pour faire amender un texte qui l'étrangle.

« Il a été nommé officiellement la veille même de l'enterrement de Jouvet, se souvient Jeanne Laurent [1]. Il est venu de Sète pour signer son contrat. Nous sommes allés de mon bureau à l'église Saint-Sulpice, puis au cimetière de Montmartre. Auprès de nous, devant la tombe de Jouvet, se tenaient les pionniers de la décentralisation : Jean Dasté, André Clavé, Hubert Gignoux et Maurice Sarrazin [2]. »

Jouvet s'en va, Vilar arrive. Et un grand journal du soir titre l'événement sur plusieurs colonnes : « Le roi est mort. Vive le roi ! »

Un roi sans palais. Car celui de Chaillot est occupé par l'ONU, qui ne semble guère prête à quitter les lieux. La salle ne sera en effet disponible qu'en avril 1952. D'ici là, il faut trouver un théâtre. Puisqu'il y a déjà une troupe, pressée de jouer : Françoise Spira, Monique Chaumette, Jeanne Moreau, Jean Négroni, Charles Denner… Et Gérard Philipe, qui signe son contrat le 29 septembre. Aux mêmes conditions que ses camarades. Un salaire mensuel fixe de 30 000 francs, 800 francs par répétition, et des cachets, des « feux », variables en fonction de la longueur du rôle : « 1 500 francs pour un rôle secondaire, 3 000 francs pour un rôle important, 4 500 francs pour le premier rôle [3]. »

En attendant Chaillot, le TNP s'installe à Suresnes, dans la banlieue parisienne. Où Gérard Philipe, à peine débarrassé des bottes de *Fanfan*, arrive au dernier moment, on l'a vu, pour chausser celles de Rodrigue. Avec, en prime, une côte luxée lors des dernières prises de vues !

1. Louis Jouvet est mort le 16 août, tandis qu'il dirigeait les répétitions de *La Puissance et la Gloire*, de Graham Greene. Deux jours auparavant, il avait été nommé conseiller auprès de la Direction des arts et lettres pour toutes les questions relatives à la décentralisation.
2. *Quarante Ans de Festival*, *op. cit.*
3. Jean Vilar, in *Souvenirs et Témoignages*, *op. cit.* Il s'agit bien sûr de francs de 1951.

A Suresnes, le Théâtre de la Cité-Jardin, construit en 1938, n'a de champêtre que le nom. Pour le reste : briques à l'extérieur, à l'intérieur ciment et sièges métalliques. Mais près de 1 300 places et, surtout, la possibilité d'aménager une aire de jeu débordant le cadre de scène. Bref, tout le contraire de ces salles à l'italienne dont Vilar ne veut plus entendre parler. De sorte que, lorsqu'on lui demande pourquoi il a choisi Suresnes, il répond tout à trac : « A cause de la salle ! » Mais ce n'est pas une salle, aussi pratique soit-elle, qui peut attirer un public nombreux. Comment le faire venir à Suresnes ?

11

Samedi 17 novembre, cinq heures de l'après-midi. Sur la scène du Théâtre de la Cité-Jardin, Gérard Philipe présente l'orchestre des Concerts Lamoureux dans un récital de musique contemporaine. Programme éclectique : Maurice Thiriet, Darius Milhaud, Ravel. Et, en bouquet final, Maurice Chevalier dans son tour de chant !

Dix-neuf heures. Les derniers applaudissements saluant Chevalier se sont à peine éteints que les spectateurs sont invités à rejoindre la salle des fêtes, au sous-sol, où s'apprête un dîner de mille couverts… C'est la ruée. Pêle-mêle dans la foule, avec les acteurs et les musiciens, Aragon et Elsa Triolet, la princesse de Haiderabad, venue spécialement de Londres par avion pour applaudir Gérard Philipe[1]… Celui-ci s'est éclipsé avant le dessert, pour s'en aller revêtir la tunique de Rodrigue. Ce soir, en effet, le TNP donne la première « parisienne » du *Cid*. Et le Tout-Paris est au rendez-vous.

Dès vingt heures quarante-cinq, Paul Claudel, Armand Salacrou, Gérard-Bauër, René Clair, André Cluytens, Jean Cocteau (qui a renoncé à faire jouer chez Vilar sa nouvelle pièce, *Bacchus*[2]) se pressent au coude à coude dans la salle. L'ambiance est élec-

1. Jean-Claude Bardot, *Jean Vilar*, *op. cit.*

2. Le 11 août, Jean Vilar confie à Gérard Philipe : « Ah, secret absolu. Cocteau finit un "Bacchus". Il nous demande de le jouer. Si c'est le sujet des *Bacchantes* d'Euripide (j'attends renseignements), cela peut être très beau. Et toi en Bacchus, c'est assez bien pensé. Je me suppose en Penthée. » La pièce de Cocteau traite en fait un thème très différent. Elle sera créée par la Compagnie Renaud-Barrault le 20 décembre 1951.

trique, comme si chacun devinait qu'une soirée mémorable se prépare. En coulisses, Gérard boit de la vodka. Une dernière gorgée. Un dernier coup d'œil à son costume : col blanc, manteau rouge, cuirasse noir et or, écharpe bleue, pourpoint sombre. Et il s'élance... « Le voici, c'est Gérard Philipe, dont la silhouette a le dessin haut et cambré d'un Mantegna ou d'un Vélasquez, dont la voix a des éclats de tonnerre et de caresses », s'écrie le critique Robert Kemp. A qui toute la presse, le lendemain, emboîte le pas. A commencer par Jean-Jacques Gautier *(Le Figaro)* : « Nous avons vu un jeune dieu cornélien. Il était l'audace, la pureté, la vaillance [...]. Je voudrais vous restituer les clameurs d'une foule que l'enthousiasme embellissait. On ne voulait pas le laisser sortir de scène. Pour un peu nous aurions arrêté la représentation afin de le mieux applaudir[1]. » Et le journaliste Georges Charensol, qui assistait à cette représentation, déclare aujourd'hui : « Les deux plus grandes impressions que j'ai eues au théâtre où, pendant de nombreuses années, je suis allé tous les soirs, c'est Sarah Bernhardt dans *Athalie* et Gérard Philipe dans *Le Cid*. Ce soir-là, à Suresnes, j'ai découvert un Cid inconnu[2]. »

A minuit, Gérard est heureux. Et fourbu. Dans sa loge, journalistes et amis piétinent tandis qu'on l'interviewe pour la radio. Un micro se tend vers lui : « Voulez-vous nous dire, Gérard Philipe, à quoi vous attribuez cette jeunesse encore actuelle du *Cid* ? » Et Gérard, qui d'ordinaire répond lentement aux questions, du tac au tac : « A Pierre Corneille. »

Succès. Succès mondain ou succès populaire ? Les deux. Car le dimanche matin, à dix heures trente, femmes du monde et académiciens ont disparu lorsque Jean Vilar s'adresse aux spectateurs, au cours d'une de ces rencontres dont le TNP se fera une spécialité. Étudiants, syndicalistes et jeunes travailleurs les ont remplacés. Nulle célébrité non plus au déjeuner qui suit. Et, l'après-midi, peu de visages connus parmi l'assistance qui suit la représentation

1. En revanche, J.-J. Gautier sera toujours extrêmement sévère à l'égard de Jean Vilar, et même souvent injuste.
2. Entretien avec l'auteur, février 1991.

du chef-d'œuvre de Bertold Brecht, *Mère Courage*. Où Gérard Philipe, à côté de Germaine Montero, qui tient la scène durant plus de trois heures, se contente du petit rôle d'Eilif, le fils aîné.

Samedi après-midi, samedi soir, dimanche matin et dimanche après-midi… Vilar n'a pas ménagé ses efforts pour attirer le public à Suresnes. Qui est venu, séduit par cette formule de week-end artistique complet : théâtre, concerts classiques, jazz, variétés… De quelque bord que ce soit. De Paris ou de la banlieue. Comme il viendra aux journées suivantes, les 24 et 25 novembre, le 1er et le 2 décembre.

Mais ce n'est pas fini : ce même dimanche, la dernière bouchée du dîner avalée, tous, comédiens et spectateurs, se retrouvent pour un grand bal. Jusqu'à deux heures du matin, Germaine Montero, infatigable, danse des paso doble[1], tandis que Gérard fait valser sa mère. Et Nicole Fourcade. Un photographe passait par là. Il a fixé l'instant : la jeune femme, vue de dos, qui danse avec le comédien, porte un sac en bandoulière, d'où émerge la tête d'un petit chien[2]. La semaine suivante le cliché est dans tous les magazines. Qui se posent tous la même question : qui est cette jeune femme ? Après deux années de vie commune, la compagne du plus célèbre jeune premier de France, à qui, cependant, les journalistes n'ont pas manqué de prêter les plus flatteuses idylles, demeure une inconnue pour la presse ! On rêve aujourd'hui en évoquant la civilité, la douceur de telles mœurs journalistiques…

Mais public et reporters ne vont pas s'interroger longtemps. Douze jours plus tard, le 29 novembre, Gérard épouse la jeune femme à la mairie de Neuilly. *Exit* Nicole Fourcade. Qui devient Anne Philipe[3]. Mariage dans la plus stricte intimité. En présence des seuls témoins, René Clair et son épouse, Bronia. Ni Minou ni Jean – ni Marcel, à plus forte raison – n'ont été prévenus. Comme si, désormais, les Philip étaient tenus à l'écart. En quarantaine. Amère, Minou confie à Jean : « De tous les membres

1. Jean-Claude Bardot, *Jean Vilar*, *op. cit.*
2. Il s'agit de la chienne basset Zoé.
3. Anne est en fait son premier prénom.

de la famille Philip, Anne n'accepte que Gérard. Nous, nous ne comptons pas. » Peut-être. Et peut-être aussi que cette rupture est pour Gérard le prix à payer, avant de changer définitivement de camp ? Comme un voyageur sans bagages passant d'une patrie à une autre patrie. Sans retour.

Car ils sont nombreux ceux que Gérard abandonne alors derrière lui. De sorte que l'on peut presque classer ses amis en deux catégories : avant Anne et avec Anne. Ceux de la première catégorie attribuant bien sûr à la jeune femme l'initiative de la coupure. Est-ce si sûr ? Discrète – effacée, disent ceux qui ne l'aiment pas –, Anne Philipe a laissé peu de témoignages. Mais ses livres la dépeignent mieux que des bavardages approximativement rapportés. Un souci quotidien de vérité, de pureté, d'élégance morale… La même définition convient au nouveau Gérard Philipe, plus grave, plus profond, qui apparaît dans ces années. Comme si, approchant Anne, il avait découvert leur ressemblance profonde et pris conscience de l'existence d'un être inconnu, sommeillant au fond de lui – des structures, des repères nouveaux qu'il reconnaît cependant pour les siens. Et l'amour ? « C'est, dit Anne, à la fois une grâce qui vous est donnée, sans que vous la cherchiez. Et puis aussi une construction faite d'intelligence, je dirais même de raison. C'est l'alliance, l'alliage de deux êtres qui est exceptionnel[1]. » Assez pour que se forme, en quelques années et en quelques livres[2], l'image d'un de ces couples exemplaires comme les aimaient les années cinquante : Simone Signoret et Yves Montand, Simone de Beauvoir et Jean-Paul Sartre, Elsa Triolet et Aragon…

L'itinéraire du voyage de noces est déjà arrêté : après les « week-ends de Suresnes », la « semaine de Clichy » ! Et puis Caen, l'Allemagne (Augsbourg, Munich, Nuremberg). Retour par Strasbourg, Colmar, Lyon, la Belgique et le Luxembourg. Retour juste à temps pour la Quinzaine de Gennevilliers, qui

1. *Paris-Match*, 12 novembre 1966.
2. Notamment *Le Temps d'un soupir*, paru en 1963, où sont évoquées les dernières semaines du comédien.

se tient du 3 au 17 février 1952. A chaque étape, Gérard joue *Le Cid*. Encore s'agit-il, dans un programme si serré, de ne pas perdre un instant : les comédiens profitent des longs voyages en car pour lire la prochaine pièce d'Henri Pichette, *Nucléa*, que Gérard doit mettre en scène. « J'en suis à la fin de *Nucléa*, lui écrit le poète. Encore quinze jours[1]. »

Après Gennevilliers, le TNP prend ses quartiers d'hiver à Paris, au Théâtre des Champs-Élysées, où quarante représentations du *Prince de Hombourg* sont prévues à partir du 22 février. Voilà longtemps que Vilar guigne la vaste salle de l'avenue Montaigne, confortable et bien située, mais affligée toutefois d'un gros défaut à ses yeux : elle obéit aux règles de ce théâtre à l'italienne qu'il exècre. Aussi son tout nouveau régisseur-constructeur, Camille Demongeot, transfuge de chez Jouvet, se met-il aussitôt au travail. Un proscenium, jeté sur la rampe et la fosse d'orchestre, casse le cadre strict du plateau et le prolonge, la scène s'avançant ainsi comme une proue au milieu des spectateurs. Gérard Philipe est enthousiaste : « L'acteur participe plus à l'action, il est autre que dans le théâtre à l'italienne car il n'a pas le poids de la herse sur la tête, mais il reçoit le souffle qui vient de la salle[2]. »

Une fois encore, le succès est au rendez-vous. Certes, ceux qui ont vu la pièce en Avignon regrettent le cadre enchanté du palais des Papes. Mais Philipe bouleverse Paris, comme il a bouleversé le Festival six mois plus tôt : « Prince allemand sous la lune, il errait… En longues bottes noires et en manches blanches, flottantes, somnambule […]. Des éternités filaient dans une minute souveraine. M. le prince de Hombourg pouvait bien commander à la cavalerie, le jour de la bataille de Fehrbellin, la vraie bataille qu'il menait, c'était de nuit entre son corps somnambulant et son âme amoureuse[3]. » Ce qui n'apporte toutefois aucune réponse à la question que chacun se pose en le voyant sur scène : comment parvient-il à cette perfection ? Comment fait-il ? Bref, comment travaille-t-il ?

1. Archives Gérard-Philipe, Maison Jean-Vilar.
2. Cité par Jean-Claude Bardot *(Jean Vilar, op. cit.)* sans mention d'origine.
3. Henri Pichette, *Tombeau de Gérard Philipe*, *op. cit.*

« Il y a dans la création d'un personnage, répond-il, une part d'instinct, quelque chose d'irraisonnable qui est essentiel et dont, pourtant, on ne peut pas dire grand-chose. C'est une conception qui s'impose à nous et qui vaut, en premier lieu, hors de toute question d'intelligence et de métier[1]. »

Georges Le Roy, son ancien professeur, va plus loin dans l'analyse, sans paraître y toucher. Répondant le 5 janvier 1952 à la lettre de vœux que vient de lui adresser le comédien, il écrit : « Votre magistrale rentrée dans Rodrigue continue de me ravir. Et je suis heureux, vous remerciant de vos vœux, de vous redire le mien – qui m'est fort cher – que vous soyez celui qui aura compris et travaillé assez pour retrouver l'esprit qui a fait les grandes choses et qui en referait de toutes autres en d'autres temps. Cette belle pensée de Paul Valéry me semble quelquefois justifiée par vous[2]. »

Voilà Gérard désormais arrimé à l'équipe du TNP. Fermement, solidement. Ce qui fait dire à Vilar : « Tu n'es pas pour moi que Rodrigue ou Hombourg. Tu es le seul comédien de la génération d'après guerre qui ait compris sentimentalement le problème populaire. Car c'est ainsi (hors nos questions de gestion, hors nos budgets particuliers), sentimentalement, qu'il faut le traiter, ce théâtre populaire. J'aime X, par exemple, mais X vient en ami, et comme en visite. On ne se trompe pas sur cela[3]. »

C'est vrai, Gérard n'est pas ici « en représentation », comme on dit, ni en vedette invitée. Et même si certains de ses jeunes camarades du TNP ont pu, sans toujours vouloir se l'avouer, s'irriter de sa présence souveraine, ils ont dû bien vite désarmer. Comme Georges Wilson : « Nous étions quelques-uns à avoir le même âge. Nous étions en pleines difficultés pour devenir acteurs. Nous avons vu arriver ce garçon qui semblait, lui, n'avoir eu aucune difficulté. Les premiers rapports furent un peu tendus. Il essayait de se mettre à notre portée, mais ses dons, sa

1. *L'Écran français*, décembre 1947.
2. Archives Gérard-Philipe, Maison Jean-Vilar.
3. Lettre à Gérard Philipe, 1954.

facilité à s'adapter nous énervaient assez. Il était à cette époque comme un enfant gâté. Avec une voix extraordinaire, une voix élastique[1]. Nous avions le souvenir d'un personnage de cinéma et nous pensions qu'il aurait des difficultés dans un théâtre de 3 000 places, sur une scène de seize mètres d'ouverture, sans gros plans et sans micros à dix centimètres... Nous l'attendions avec un peu de jalousie[2]. »

En 1952, interrogé par la radio canadienne à propos du TNP, Gérard Philipe résume chaleureusement son expérience : « Nous avons résolu de porter le théâtre dans la demeure même des travailleurs, eux qui n'ont pas l'occasion de venir dans les grands centres pour voir les spectacles de théâtre. Nous en avons été magnifiquement récompensés. Nous restions quinze jours dans une banlieue ouvrière du nord ou du sud de Paris et nous étions pleins tous les soirs. Comme il aurait assisté à un mélodrame qui lui aurait plu, le public a assisté à cette tragédie du *Cid* qui, tout à coup, a retrouvé tout son sens[3]. »

« Nous avons résolu... Nous avons été récompensés... Nous... » Gérard s'est engagé à fond dans l'aventure. Personnellement. Et, jusqu'à sa mort, il demeurera l'hôte le plus prestigieux de la compagnie. Sauf une éclipse de trois années, entre janvier 1955 et juillet 1958, période au cours de laquelle il éprouve le besoin de reprendre souffle, de reconstituer des forces qu'il sollicite sans cesse depuis de longues années. Il s'en explique longuement auprès de Jean Vilar, dans une belle lettre datée de décembre 1954 : « Mes angoisses sont biologiques, pareilles à celles du boxeur qui perdrait son moral s'il continuait à s'étouffer. [...] Qui devinera que, loin de dormir trois jours comme une Rachel

1. De son côté, Jean Vilar affirmait que Philipe avait une voix merveilleusement placée pour le plein air et les grands théâtres. D'autres témoins lui reprochent pourtant un nasillement constant. Qu'on retrouve en effet quelquefois à l'écran. Il semble en fait que les enregistrements, cinématographiques ou discographiques, n'aient pas rendu justice à la voix de Gérard Philipe, beaucoup plus limpide qu'ils ne le laissent entendre.

2. In *Gérard Philipe de notre temps*, film de Monique Chapelle, 1962. Transcription du texte de Georges Wilson.

3. Transcription d'un enregistrement radiophonique. Document aimablement communiqué par Radio-Canada.

ou un Mounet-Sully avant les trois coups, nous assumons en 1954 la crainte du soir en même temps que la trépidation moderne du jour. Certes, je suis encore loin d'être noué, mais, entre les nerfs et le plaisir de jouer, mon fléau bat fou[1]... » Rien là du caprice d'une vedette qui tire sa révérence parce que son bon plaisir l'appelle ailleurs. Non. Un départ nécessaire. Et peut-être salutaire[2].

Malgré tournées à l'étranger et représentations en province, il lui faut caser, au début de l'année 1952, le tournage d'un sketch des *Sept Péchés capitaux* – coproduction franco-italienne qui réunit, selon le goût du moment, quelques étoiles de première grandeur dans une série de courtes scènes. Viviane Romance illustre *La Luxure* devant la caméra d'Yves Allégret ; Michèle Morgan *L'Orgueil* sous la direction de Claude Autant-Lara ; Henri Vidal *La Gourmandise* ; Eduardo De Filippo marie Isa Miranda et Paolo Stoppa pour les besoins de *L'Avarice* et de *La Colère*... Tandis que Gérard Philipe, dirigé par Georges Lacombe, campe un bateleur de foire, conviant badauds et promeneurs à participer au jeu de massacre dont les figures représentent les sept péchés capitaux. A brève histoire, tournage bref. Commencées le 18 février, au lendemain de la Quinzaine de Gennevilliers, les prises de vues s'achèvent le 21, la veille de la reprise du *Prince* au Théâtre des Champs-Élysées. Un bon petit travail alimentaire, qui ne mord pas sur les projets plus ambitieux. Tel celui des *Belles de nuit*, qu'il tourne d'avril à juin.

Cavalcade à travers le sommeil et la veille, le présent et le passé, l'œuvre de René Clair met en scène un jeune professeur de musique que ses rêves emportent chaque nuit dans le temps : 1900, 1840, 1789... Tour à tour gandin, militaire, révolutionnaire, il y retrouve quelques-unes des jeunes femmes qu'il côtoie quotidiennement – la mère d'une de ses élèves, la caissière du café voisin, la fille du garagiste... Bref, une de ces merveilles

1. Citée in *Souvenirs et Témoignages*, *op. cit.*
2. S'il ne crée aucun rôle au TNP pendant ces trois années, Gérard Philipe participe toutefois à de nombreuses tournées. Et, surtout, ne joue dans aucun autre théâtre.

de précision et de poésie qui résument, en une heure et demie, l'essentiel des conceptions cinématographiques de René Clair. Si bien que le critique André Bazin, rendant compte du film, avoue : « Il nous fait un peu l'effet d'un paraphe sous une signature[1]. »

Il n'empêche. Le rôle permet au comédien de déployer une dextérité de somnambule éveillé, passant comme en se jouant – et avec grâce – d'un personnage à l'autre, du pianiste miteux au fringant militaire bien pris dans sa vareuse. « Il avait énormément d'allure, dit Rosine Delamare, qui créa les costumes du film. Parce qu'il était grand et qu'il avait le buste long, ce qui est toujours très élégant. Cela permet de bien serrer la taille, d'ajuster le vêtement. Grand, oui, avec le visage long, ce qui le faisait paraître encore plus grand, les épaules légèrement tombantes accusant la sveltesse de la silhouette, pas de fesses... Tout pour porter admirablement les costumes d'époque[2]. » Heureusement, car il lui arrive d'en changer à chaque plan : jusqu'à douze fois en une seule journée de travail ! Le comique des *Belles de nuit* repose en effet sur le rythme, la rapidité, un tempo de poursuite... Comme celui de *Fanfan la Tulipe* d'ailleurs. Bien que ce dernier ait été presque entièrement tourné en extérieurs et que *Les Belles*, au contraire, soient un film de studio, Gérard Philipe lui-même les rapprochait volontiers : « Pour des raisons d'ailleurs différentes, les deux films avaient cependant un point commun : la recherche du rythme[3]. »

Le succès que rencontre *Fanfan*, sorti sur les écrans parisiens le 20 mars, n'est peut-être pas étranger à cette recherche. Après les critiques (« A lui seul, il remplace les Trois Mousquetaires », écrit le chroniqueur du *Canard enchaîné*), le public plébiscite le héros populaire campé par Philipe. Triomphe bientôt relayé par les spectateurs de province, puis du monde entier. De Paris à Moscou, de Tokyo à Pékin, de Varsovie à Québec, tous vont vibrer aux aventures de ce jeune coq de village devenu héros national,

1. Cité par Pierre Cadars, *Gérard Philipe*, *op. cit.*
2. Entretien avec l'auteur.
3. Cité in *Souvenirs et Témoignage (op. cit.)* sans indications de source.

ce Fanfan symbolisant la revanche du fantassin anonyme sur l'état-major. *Fan-Fan-Tulipan* dans les pays de l'Est, *Samouraï du printemps* au Japon, *Jet-propelled Frenchman* aux États-Unis, sous les surnoms divers qui accompagnent son succès, Gérard gagne dans l'affaire ses galons de vedette internationale.

Début mars, alors qu'Antoine Pinay forme un nouveau gouvernement après la démission d'Edgar Faure et l'échec de Paul Reynaud, Gérard profite de deux jours de relâche au Théâtre des Champs-Élysées pour entraîner Vilar et ses proches à Janvry, dans son cher Moulin de la Chanson. C'est là, le 5 et le 6, dans le calme d'une retraite déjà printanière, qu'ils arrêtent la programmation définitive de la saison. Pour son entrée à Chaillot, enfin débarrassé des baraquements de l'ONU, l'animateur du TNP a choisi *L'Avare* de Molière. Et cette fameuse *Nucléa*, dont tout laisse croire qu'elle a été sinon imposée, du moins chaudement recommandée par Gérard Philipe lui-même. La création d'un pareil texte, si déroutant, étonne en effet de la part d'une jeune troupe qui a tout à prouver. Jean-Claude Bardot, dans l'ouvrage qu'il lui a consacré, s'interroge aussi sur le choix de Vilar : est-ce par amitié pour Gérard, proche de Pichette ? Est-ce dans le but de promouvoir un nouveau talent et d'apporter du même coup un démenti à ceux qui l'accusent de ne monter que des pièces étrangères ? Pour finalement conclure : « Il est probable qu'il s'agit d'une combinaison de toutes ces raisons. »

Henri Pichette a tenu Gérard consciencieusement au courant de l'évolution de son travail. « Je commence donc vraiment *Nucléa* », lui écrit-il le 2 juin 1950. Avant d'ajouter : « *Nucléa* aura trois parties. I : La Grande Ecchymose ; II : ? ; III : Le Ciel humain. » 30 septembre : « Le second acte – ou plutôt disons la seconde partie – de *Nucléa* est en route. Mais quelle siphonnade ! Pourvu que j'en voie le bout. [...] En patientant, *Nucléa* avance. Mais si lentement, qu'il faut parler de distillation. » Enfin, le 19 octobre 1951, il annonce à son correspondant, dans une lettre écrite comme les autres à l'encre rouge sur du papier d'écolier, les dernières modifications apportées au texte : « La Grande

Ecchymose a été épurée », dit-il. Quant au « Ciel humain », il se trouve amputé de près du tiers : « Il reste 604 vers au lieu de 850 et quelques[1]. »

Bien que son auteur ait admis, à posteriori, que la pièce n'était pas complètement aboutie[2], il est aisé de la situer dans la lignée des *Épiphanies* et de toutes ces œuvres nées de la grande terreur que le danger nucléaire fait alors planer sur l'humanité. Il n'est donc pas étonnant que s'y affrontent des personnages fortement typés, tel celui joué par Gérard Philipe, Tellur, qui renouvelle plus ou moins bien le poète des *Épiphanies*, ou Gladior, son contraire, Satan ricanant, « vêtu, comme on l'a dit, des défroques de Gide et de Léautaud, mais aussi proche parent de l'inquiétante élégance de M. Verdoux[3] ». Sur celui-ci, Pichette s'explique dans sa lettre du 19 octobre : « J'ai assez réfléchi sur Gladior : il y faut truculence, don quichottisme, esbrouffe et truanderie, et malabardise, et toutautrechoserie. Il ne s'agit ni d'un clown blanc, ni d'un queue-rouge, ni d'un auguste à la Grock, mais il s'agit aussi d'un clown noir. (Tu vois ? Sois œil. Ce personnage existera dans le théâtre français. L'interprète de nos jours n'existe pas moins. Et tu le connais)[4]. » Très bien même, puisqu'il s'agit de Jean Vilar ! Une manière, pour Gérard, de placer sa première mise en scène sous l'autorité morale du « patron ». Autour d'eux, Jeanne Moreau, Louis Arbessier, Françoise Spira, Monique Chaumette évoluent dans un décor signé d'un nom encore peu connu en France : Alexandre Calder. Échafaudages, tubulures, plans inclinés et marches, sur lesquels descend parfois du haut des cintres, comme une menace, un de ces grands mobiles qui feront la renommée de Calder… Et, tonnant sur le tout, vrombissements d'avions, bruits de mitrailles et coups de canon, amplifiés par la stéréophonie, utilisée pour la première fois dans un théâtre.

1. Archives Gérard-Philipe, Maison Jean-Vilar.
2. In *Tombeau de Gérard Philipe*, *op. cit.*
3. Guy Dumur, « Lettre ouverte à Henri Pichette », citée dans *Souvenirs et Témoignages*, *op. cit.*
4. Archives Gérard-Philipe, Maison Jean-Vilar.

Bref, c'est un véritable événement théâtral qu'espèrent les spectateurs conviés à la première représentation, le 3 mai. D'autant que les amis d'Isidore Isou, ces « Lettristes » farfelus qui feront encore parler d'eux dans la décennie à venir, ont eu la lubie d'« interdire » *Nucléa.* A l'entracte, ce soir-là, ils jettent sur le public une multitude de tracts assez drôlement libellés : « Lettristes à Jean Vilar. Stop. Théâtre national populaire. Stop. Médiocre. Te prends pas pour Copeau ! N'es que sciure sur Pipichette. Quant à Fanfan-Gérard, copains s'en chargent à Cannes. *Nucléa* avant-garde 1925. Prière ne pas évoquer esprit[1]. » Peine perdue : il est bien difficile, en 1952, de faire revivre la bataille d'*Hernani* !

Car ce ne sont pas les Lettristes qui vont conspuer le spectacle, mais une partie du public lui-même, irrité par les obscurités et la naïveté du texte. Tout en saluant, comme Robert Kemp, le travail de Gérard Philipe : « Le texte est si bien servi par le metteur en scène qu'il peut se permettre tous les truismes. » Une dizaine d'années plus tard, évoquant *Nucléa*, Henri Pichette tire la leçon de l'affaire : « C'était sa première mise en scène, il s'y révéla un homme de théâtre d'une insigne compétence. Mais nous étions descendus dans la cale d'un porte-avions sans ciel, la salle du palais de Chaillot ; en outre, *Nucléa* n'était pas à son point poétique et, quoique Gérard eût fait des merveilles, nous restâmes dans le brouillon d'une fresque[2]. » Et *Nucléa* disparaît. Elle sera fugitivement reprise au printemps de 1953. Sans dépasser toutefois la huitième représentation.

Cette salle du palais de Chaillot qu'incrimine Pichette, cette « cale d'un porte-avions sans ciel », d'autres s'en plaignent, Jean Vilar le premier. Trop grande, avec ses 3 000 places enfouies sous la grande dalle qui, au niveau du sol, réunit les deux ailes du palais de Chaillot, trop plate, dotée d'une acoustique capricieuse et d'un balcon trop éloigné de la scène, elle ne lui semble pas

1. Cité par Jean-Claude Bardot, *Jean Vilar*, *op. cit.*
2. Henri Pichette, *Tombeau de Gérard Philipe*, *op. cit.*

avoir été conçue pour le théâtre, lors de sa construction, en 1937. Ce qui est vrai. Son architecte, Jacques Carlu, a été prié de concevoir un lieu susceptible d'accueillir aussi bien des concerts que des meetings, des conférences, des matchs de boxe ou des présentations de haute couture…

C'est pourtant là qu'il met au point le fameux « style TNP », cette « esthétique des trois tabourets » dont se moque Jacques Hébertot, cette méthode de travail dont la définition tient en quelques lignes : « La négation de la mise en scène en tant que valeur absolue, le goût de la création collective, l'abandon de la conception du metteur en scène en tant qu'artiste unique. La création scénique devient le gouvernement d'une équipe où chaque chef de service marie ses idées aux recherches des autres, où l'électricien, le constructeur, le peintre, la régie générale, le compositeur se passent, de main en main, cette palette multiple du théâtre où le son, la lumière, la voix, l'architecture du plateau doivent concourir à l'harmonie [1]. »

Ce credo, Gérard Philipe est précisément en train de le faire sien, en ce mois de juin 1952.

1. Jean Vilar, « Le théâtre est un métier d'hommes jeunes », *Arts*, n° 369, 24-30 juillet 1952.

12

Après l'accueil mitigé fait à *Nucléa*, Gérard Philipe s'est remis au travail. Du 7 au 22 juin, il joue *Le Cid* et *Le Prince de Hombourg* sous un chapiteau, à la porte de Montreuil. Le 28, en pleine canicule, il s'installe pour une dizaine de jours à l'hôtel de Rohan-Soubise, dans le quartier du Marais, où les deux pièces seront données en alternance dans la cour. Le soir même, Henri Pichette, qui séjourne à Janvry, lui adresse quelques mots affectueux. La preuve, s'il le fallait, qu'aucune ombre ne demeure entre les deux hommes après l'échec qu'ils viennent de connaître et dont il leur serait commode de se rejeter mutuellement la faute… Au contraire, on devine entre les lignes que c'est à la générosité discrète du comédien que le poète sans ressources doit ce séjour champêtre : « Puisque ce soir tu es à nouveau le Cid, et cette fois dans la cour de l'hôtel de Rohan, c'est-à-dire aux environs immédiats du berceau qui l'a vu naître – et puisque c'est à toi comme à Nicole que Nelly comme moi devons d'être si bien à Janvry, d'où M. Golovanoff part à l'instant pour applaudir à tes mérites, j'aime à t'envoyer ici mon pur encouragement, ma fidèle amitié et ces phrases tout emplies du bonheur de te connaître […]. Car, tel que j'ai besoin d'innocence, j'ai besoin de remercier ceux qui réalisent l'idée que je me fais de l'existence, de l'art et de la passion poétique [1]. »

En effet, sur les tréteaux de l'hôtel de Rohan – à deux pas, c'est vrai, de la rue Vieille-du-Temple où fut créé *Le Cid* en

1. Archives Gérard-Philipe, Maison Jean-Vilar.

1636 –, l'acteur se démène comme dix : « Il anime la répétition, fait reprendre autant de fois qu'il le faut l'entrée des personnages, quelquefois souligne une intonation avec l'autorité déjà sans réplique d'un César adolescent », note le journaliste Georges Beaume, qui assiste, le jour même, aux ultimes réglages du spectacle. Et conclut : « Philipe, sautant à bas de l'estrade avec la vivacité de Fanfan, s'est installé à califourchon sur une chaise, au premier rang. Sa femme, Nicole, s'inquiète de le voir en nage ; lui propose un lainage. Il n'entend rien, ne voit rien. Seul compte pour lui ce qui se passe sur ce plateau incandescent[1]. » Comme s'il était le patron… C'est qu'il l'est en effet. Jusqu'à la fin du mois.

Lorsqu'il décide, quelques mois plus tôt, de monter *Lorenzaccio*, un vieux projet qui lui tient à cœur, Vilar ne voit qu'un visage possible au héros de Musset : celui de Gérard Philipe. Ce qui, comme à l'accoutumée, n'est pas l'avis du principal intéressé… C'est vrai que le rôle, longtemps réputé injouable, souffre alors d'une tradition remontant à Sarah Bernhardt et qui consiste à le confier à des femmes – seule manière, croyait-on, de faire accepter par le public un personnage qui s'évanouit à la vue d'une épée ! Suzanne Falconetti, Marguerite Jamois, entre autres, s'y sont essayées, le tirant vers la veulerie, au détriment du sens politique de la pièce. Mais Vilar insiste : « C'est la pièce la plus vivante du XIXe siècle, la meilleure du théâtre romantique. L'amour n'en est pas le moteur essentiel, c'est l'amour de la patrie et ses réactions dans les milieux populaires et dans toutes les classes de la société[2]. » Et Gérard finit par accepter.

Mais le directeur du TNP, qui a toujours été de santé fragile, tombe malade. Il doit être opéré d'urgence. On décide alors d'un commun accord que Philipe, outre son rôle, assurera la mise en scène du spectacle. Énorme charge. Vilar l'a mis en garde : « La mise en scène se rapproche de celle des pièces de Shakespeare,

1. Georges Beaume, *Vedettes sans maquillage*, *op. cit.*
2. *Le Soir*, 16 juillet 1952.

mais les scènes sont nombreuses, ce qui ajoute à la difficulté de les relier, sans briser le rythme de l'action et en conservant l'intérêt[1]. » Première tâche, donc : couper dans ce texte-fleuve ! Après tout, d'autres se le sont permis. A commencer par Sarah Bernhardt elle-même, qui fit purement et simplement retoucher à ses dimensions, par un auteur appointé, le drame de Musset...

Alors, pendant près d'un mois, du 9 juin au début de juillet, entre deux raccords du *Cid* et deux représentations du *Prince de Hombourg*, il s'attaque à la régie de *Lorenzaccio*. Ébauches du plan de scène, listes des comédiens susceptibles de tenir les quarante rôles de la pièce, idées notées à la va-vite puis patiemment exploitées, problèmes d'éclairage, de costumes[2]... C'est de tout cela qu'il s'en va rendre compte à Jean Vilar, chaque soir après la répétition, dans la clinique où celui-ci a commencé sa convalescence. Il arrive fatigué, irrité, les cheveux gris de la poussière du théâtre... Que se disent-ils ? De ces échanges, nous ne connaissons qu'un écho, celui du directeur du TNP : « Je le revois enchaîner les trente-huit tableaux, décider des coupures, chercher et réaliser la distribution », note-t-il avant d'ajouter : « En bref, assurer ce rôle à la fois indispensable et solitaire du patron[3]. »

A ceux qui s'étonnent, précisément, de lui voir endosser à nouveau ce rôle, Gérard Philipe rappelle que le spectacle est pour lui un seul et même métier, où les transitions se font tout naturellement d'un emploi à l'autre, de celui de comédien à celui de metteur en scène : « L'interprétation et la direction, au théâtre ou au cinéma, me paraissent faire partie d'un même livre dont on feuillette les pages tout au long de sa carrière[4]. » C'est ce qu'il répétera presque mot pour mot, quatre ans plus tard, en commençant le tournage de *Till l'Espiègle*.

Mais pour l'instant, sur le grand plateau de Chaillot où se poursuivent les répétitions, c'est ensemble qu'il lui faut affronter interprétation et direction. Le rôle de Lorenzo ? « Il y a bien sûr

1. *Ibid.*
2. Dossier *Lorenzaccio*, Archives Gérard-Philipe, Maison Jean-Vilar.
3. *In* « Le théâtre est un métier d'hommes jeunes », art. cité.
4. Radio-Canada, août 1952.

la question de la pureté et de l'impureté du personnage, dit-il, qui fait que l'on peut jouer ce rôle d'une manière complètement et constamment pure ou complètement et constamment impure. Il y a peu, Lorenzo était pur. Il ne l'est plus. Et cependant il s'exprime encore parfois comme l'homme pur qu'il était. Autrement dit, il se trompe lui-même. Mais Musset, lui, ne trompe pas le spectateur en mettant dans la bouche de l'impur les paroles du pur : c'est ce qui donne du relief au personnage[1]. » La pièce ? « Un reproche qu'on lui fait, c'est que le héros se comporte comme un aristocrate méprisant. J'ai simplement eu le tort de couper une phrase – mais les chutes de texte étaient bien nécessaires dans ce long drame –, une phrase de Lorenzo disant à Philipe Strozzi : "Je ne suis pas un mépriseur d'hommes, je sais parfaitement qu'il y en a de bons"[2]. »

TNP oblige ! Vu par Gérard Philipe, Lorenzaccio est un vrai défenseur du peuple, digne de l'estime des travailleurs. Et la pièce, une interrogation sur la manière de se défaire des tyrans. « La mise en scène de *Lorenzaccio* a été pour lui une expérience extraordinaire, confiait Anne Philipe. Bien qu'il n'y fût pas préparé. Parce qu'il a tout de suite été inspiré par la pièce[3]. »

Il fait chaud entre les hautes murailles qui réverbèrent la lumière avignonnaise. Au pied du palais, les ouvriers dressent le vaste plateau où se déploiera bientôt la grande fresque florentine de *Lorenzaccio*. Robes légères pour les unes, shorts et chemisettes pour les autres, les comédiens, arrivés de la veille, répètent avec acharnement. Jour et nuit. « Ce n'est pas prêt, ça ne va pas marcher[4] », se répète Daniel Ivernel, qui joue Alexandre de Médicis.

Jean Vilar, maintenant rétabli, a rejoint la troupe. Non sans prévenir la presse, histoire de faire taire quelques ragots mal-

1. « Il y a quarante ans, Gérard Philipe mettait en scène et interprétait *Lorenzaccio* au Festival d'Avignon », émission citée.
2. *Ibid.*
3. *Ibid.*
4. In *Souvenirs et Témoignages, op. cit.*

veillants concernant la paternité du spectacle : « La conduite scénique de *Lorenzaccio* est de Gérard Philipe. Je n'ai fait qu'adapter au plateau d'Avignon les acteurs choisis par Gérard, la mise en scène, le texte choisis par lui, les jeux des éclairages indiqués par lui à Pierre Saveron, la musique réclamée par lui à Maurice Jarre. » Et il ajoute : « J'ai regardé, du coin de l'œil, agir ce garçon vif et autoritaire. Je l'ai entendu prendre cette voix de tête dont les sons doux cachent à peine la colère et l'irritation. Je l'ai vu, un peu tremblant, conduire ici et là une actrice rebelle, corriger sèchement une erreur[1]... »

Et le 15 juillet, un an jour pour jour après avoir créé sur cette même scène *Le Prince de Hombourg*, le Théâtre national populaire présente *Lorenzaccio*. Jean-Pierre Jorris est Côme de Médicis, Michel Vitold Philippe Strozzi, Monique Mélinand la marquise Cibo... Et Gérard Philipe Lorenzo.

Nuit noire tout à coup dans la cour d'honneur, « sous la mathématique des étoiles[2] ». Puis la sonnerie des trompettes. Le public frémit. Pleins feux. Le duc Alexandre est déjà sur le plateau : « Entrailles du pape ! avec tout cela je suis volé d'un millier de ducats. » Et le voici. Voici Lorenzaccio : « Nous n'avons avancé que de moitié. Je réponds de la petite. Deux grands yeux languissants, cela ne trompe pas. Quoi de plus curieux pour le connaisseur que la débauche à la mamelle ?... » Un pourpoint couleur de flamme, deux longues jambes gainées de soie grise. La dague, la cape écarlate. Et ces cheveux taillés sous l'oreille, comme on voit aux pages du Quattrocento, ce mince collier de barbe. La bouche, enfin, aiguë, amère. « Cette virilité triste[3]. » C'est lui...

Devant l'austère muraille du palais qu'embrasent les projecteurs, plus d'un songe aux murs du Palazzo Vecchio, à Florence. Et s'enchante du spectacle : « Vous diriez, de Ghirlandaio à Véronèse, une bousculade de figures peintes qui s'animent[4]. » Deux heures plus tard, la partie est gagnée. Est-ce ce soir-là,

1. « Le théâtre est un métier d'hommes jeunes », art. cité.
2. Henri Pichette, *Tombeau de Gérard Philipe*, *op. cit.*
3. Anne Philipe.
4. Robert Kemp.

est-ce un autre soir, que Jean Vilar fait parvenir à Gérard, dûment rempli, un de ces questionnaires que les ouvreuses du TNP remettent aux spectateurs ? Une simple feuille ronéotypée, pliée en deux, et frappée du timbre TNP. Le texte, questions et réponses, vaut d'être cité *in extenso* :

« *Si vous avez aimé ce spectacle, apportez au Théâtre National Populaire l'aide de votre avis en remplissant ce questionnaire et en l'adressant à Jean Vilar, TNP, Palais de Chaillot, Paris XVI*^{e}.

« *Nom, prénom :* Vilar, Jean Louis Côme.

« *Adresse :* 13, rue Gambetta, Sète, Hérault[1].

« *Profession :* Directeur du Festival d'Avignon.

« *A quelle représentation avez-vous assisté ?* A beaucoup et je vous aime bien.

« *Comment avez-vous eu connaissance de cette représentation ?* [Vilar a barré différentes suggestions : *presse*, *affiches*, *radio*, *tracts*, *autre moyen de publicité*, sauf la dernière : *un ami*. En face, il a répondu : Oui.]

« *Avez-vous des remarques à formuler concernant l'organisation matérielle des représentations ?* On n'entend pas toujours les comédiens de *Lorenzaccio*. Vous, vous êtes remarquable. Mais pourquoi n'êtes-vous pas plus tendre ? Ce qu'on aime en vous, Gérard Philipe, c'est le cœur. Mais on me dit que vous êtes souvent cruel, à la ville. Vous aimez pourtant bien votre joli petit chien, me dit-on.

« *Avez-vous des remarques à formuler concernant le spectacle ?* Non. Mais il me semble, cependant, que je vois naître le décor au TNP. Enfin, il faut ce qu'il faut. Et vous êtes en la matière bien meilleur juge que moi qui ne suis que votre serviteur et patient auditeur. J'aime et connais Florence. Vous l'avez bien rendu. Et il me semble, à vous entendre *(vous)* parler, que l'Arno coule tout près. J'ai connu une Florentine, à Nice, quand je faisais la guerre. Permettez-moi l'expression : elles aiment aimer. Je ne sens pas cet abandon et ces adorables faiblesses chez

1. Jean Vilar donne ici l'adresse du magasin de bonneterie-mercerie que tenaient ses parents lorsqu'il est né.

vos comédiennes. Vous savez, je dois vous le dire, le théâtre c'est pour moi le lieu où ne vont pas (ou plus) les gens honnêtes (et organisés) dans la vie. Et je suis honnête (et organisé par force, hélas). Le théâtre pour moi, c'est donc entre autres : le gynécée grec, le sérail, le bordel en Occident, les palais riches, le lieu où l'amour libre pleure, où Boccace rêve, où Dante hurle, où Racine empoisonne la Champmeslé, où Rodrigue sadiquement détruit la rebelle et très amoureuse Chimène.

« Je suis Arabe-Espagnol d'origine. Ça vous expliquera tout.

« *Des suggestions à faire ?* Quand jouerez-vous Octave des *Caprices* ? Bien à vous. Ci-joint 100 francs de cotisation.

« Jean Vilar[1]. »

Ce soir-là, un autre soir, ou plus tard, à l'occasion d'une des nombreuses reprises du spectacle... Peu importe. L'intérêt de cette longue note est ailleurs. Dans le style, le ton. Dans tout ce qu'elle dit sans le dire vraiment, et que le destinataire a malgré tout compris.

Car Jean Vilar est coutumier de ces billets qu'il adresse aussi bien aux techniciens (« Il fallait peut-être que la scène soit plus fortement inclinée », « Existe-t-il des paravents acoustiques pour mettre sur les côtés ? »[2]) qu'aux acteurs (« Les silences dans la tragédie sont rarement laids ») ou à Gérard lui-même (« Pourquoi ne jouerais-tu pas Scapin ? », « à présent, il faut que tu penses au *Menteur* »). A tout moment, aussi bien en tournée que durant la saison à Chaillot. Mais ce long questionnaire-ci, humour et gravité mêlés, dépasse la simple note de service. Peut-on, plus discrètement, reprocher à un comédien son manque de cœur ? Le mettre en garde contre un risque de sécheresse ? Cet excès de cérébralité que Vilar, à juste titre, ne cesse de combattre chez Gérard Philipe : « Tu raisonnes trop, beaucoup trop, les stances. Laisse-toi gagner par le rythme[3]. » Chaque fois, il touche juste : Gérard s'amende. Se corrige avec humilité. Et conserve pieusement dans ses archives personnelles, comme un rappel, une note

1. Archives Gérard-Philipe, Maison Jean-Vilar.
2. Cité par Jean-Claude Bardot, *Jean Vilar*, *op. cit.*
3. *Ibid.*

griffonnée sur un méchant papier et qui, mine de rien, en dix phrases, définit le théâtre. Tout le théâtre et sa folie.

La troupe du TNP, désormais reconnue, suscite l'intérêt, en France comme à l'étranger. Même si, par ailleurs, elle travaille quelquefois dans un « climat étouffant[1] » : déficit, attaques plus ou moins honnêtes de la presse et même des pouvoirs publics... Mais enfin, le récent Festival d'Avignon a enregistré une fréquentation supérieure de 20 % à celle de l'année précédente. Un an à peine après son arrivée au sein de la compagnie, Gérard Philipe peut s'estimer satisfait : ces résultats encourageants, tout le monde sait très bien, lui le premier, qu'il en est pour une bonne part responsable. Sans sa présence, qui aimante les foules, ses camarades n'auraient certainement pas rencontré un tel succès. En tout cas pas aussi vite. Place aux vacances, donc. Encore qu'il s'agisse de vacances studieuses...

Lorsqu'ils s'envolent pour Montréal, le 15 août, Gérard et Anne ont la ferme intention de goûter aux charmes du pays québécois : mont Tremblant, forêt laurentienne, Gaspésie... Mais le temps manque, et c'est presque au pas de charge qu'ils parcourent les vieilles rues de Québec : « J'ai fait, dit-il en riant, le genre de visite que nous reprochons aux Américains de faire en France[2]. » Pour ajouter aussitôt : « Puisque je vais revenir bientôt, j'en profiterai. » Il envisage en effet de donner une suite à *Fanfan la Tulipe*, ce film qu'il est venu présenter ici et qui triomphe tous les soirs à Montréal, au cinéma Alouette, avant de rencontrer un succès phénoménal dans toute la Belle Province. Ce qu'il confie le 29 août, au micro de la journaliste Judith Jasmin : « Avec l'équipe de *Fanfan la Tulipe*, producteurs, scénariste et réalisateur, je désire revenir au Canada pour tourner un deuxième film à partir de la légende de Fanfan. Celui-ci se passera au temps de Montcalm, durant ces guerres franco-anglaises qui ont abouti, pour la France, à la perte du Canada[3]. »

1. Jean Vilar.
2. Document Radio-Canada.
3. *Ibid.*

Oui, il reviendra au bord du Saint-Laurent. Mais pas pour tourner une suite à *Fanfan la Tulipe*. Le projet, comme beaucoup d'autres au cinéma, échouera avant de voir le jour. Il reviendra pour jouer Rodrigue, ce qui n'est déjà pas si mal. Ce même Rodrigue qui l'attend, et qu'il va retrouver huit jours plus tard en Suisse, à Lausanne, point de départ d'une grande tournée européenne.

6-13 septembre : Suisse. 15-21 septembre : Allemagne. 24-29 septembre : Italie. 3 octobre : Lyon. 11 et 12 octobre : Villeurbanne. 15 et 16 octobre : Montpellier. Pour finir en apothéose à l'opéra de Marseille.

A chaque étape, le succès est au rendez-vous. Le triomphe, même. Le théâtre municipal de Lausanne affiche complet ; les spectateurs du Théâtre Schiller, à Berlin, debout, acclament la troupe pendant près d'une demi-heure ; enthousiasme à Venise, à Vicence, à Milan...

Ce qui n'empêche pas Gérard, entre deux salves d'applaudissements, de penser à sa prochaine saison théâtrale. Il a pris goût à la mise en scène et, malgré l'échec de *Nucléa*, c'est encore un texte contemporain qu'il souhaite monter au TNP. Une pièce inachevée et qui n'a pas de titre ! En fait, l'adaptation de *La Mandragore* de Machiavel, qu'il a demandée à un auteur dont on commence à parler, Jean Vauthier.

Hombourg, Rodrigue, Lorenzaccio même, Ruy Blas plus tard ont figé Gérard Philipe, aux yeux de la postérité, dans un emploi strictement héroïque. Tête d'affiche des grandes fresques historiques du TNP[1], il apparaît comme le tenant d'un théâtre classique et plus préoccupé d'efficacité sociale que d'authentique recherche théâtrale. C'est ignorer ces trois créations que sont *Les Épiphanies*, *Nucléa* et *La Nouvelle Mandragore* (c'est finalement le titre retenu). Toutes trois, quelle que soit par ailleurs leur valeur, s'inscrivent en effet, d'une manière ou d'une autre,

1. Même si son nom vient à sa place alphabétique sur l'affiche, il n'en est pas moins la vedette du spectacle.

dans le courant du jeune théâtre des années cinquante. Celui de Ionesco, Schéhadé, Adamov, Beckett... Et Vauthier.

Né en 1910, Jean Vauthier fait partie de ces pionniers d'alors, aujourd'hui devenus classiques : *Le Personnage combattant*, *Badadesques*, *Les Prodiges*, des adaptations de Sénèque *(Médée)*, de Marlowe *(Massacres à Paris)*... Et surtout ce *Capitaine Bada*, présenté par André Reybaz au Théâtre de Poche, dont on parle beaucoup durant l'hiver 1952 et qui est à peu près son seul titre de gloire à l'époque. Gérard et Anne ont vu le spectacle, ont aimé ce texte lyrique et décalé, ces dialogues en porte à faux, et ont souhaité connaître l'auteur. Rencontre fructueuse, qui va déboucher sur d'autres et sur ce projet d'adaptation de la pièce de Machiavel.

Adaptation, c'est vite dit ! Jean Vauthier lui-même, dans une lettre adressée à Gérard Philipe le 7 septembre 1952, précise : « Je suis parvenu à la moitié de *La Nouvelle Mandragore*. Il m'a été impossible d'en rester à une adaptation. Je crois avoir changé à peu près tout, sauf le canevas général de l'intrigue, les grands points de repère de cette farce licencieuse où un gros mari berné se fait l'artisan de son "malheur". De cinq actes, j'en ai fait quatre, et j'espère étoffer d'une façon nouvelle et avec d'autres couleurs [1]. »

Cette correspondance, qui s'étend sur quelques mois, véritable Journal de la collaboration des deux hommes, révèle quelle attention, quels encouragements Gérard apportait au travail de Vauthier. Et combien celui-ci, dans sa solitude et son naïf orgueil d'écrivain effleuré par la renommée, en ressentait de réconfort : « J'éprouve le besoin de vous écrire, et j'aurais dû le faire davantage. La pensée des divers moments où je vous ai rencontré, cet hiver, m'est aussi précieuse qu'alarmante – ou plutôt, quand ces bons souvenirs se présentent à moi, c'est pour aiguiser cet état d'alarme où je ne puis pas ne pas être après ces longues périodes d'automne, d'hiver et de printemps qui se sont écoulées si souvent en temps haché, en temps perdu pour mes compositions » (juin 1952). « Je pense à ce que vous m'avez dit d'extrêmement

1. Archives Gérard-Philipe, Maison Jean-Vilar.

encourageant au sujet des rebondissements de *Bada*. [...] C'est pour cela que je souhaite tant que vous ayiez confiance dès à présent [...]. J'ai donc le plus vif désir qu'elle vous plaise. Votre confiance m'est nécessaire. Je désire devenir le premier auteur dramatique de France. A l'heure actuelle, le plus grand souhait de ma vie serait que le rebondissement de *Bada* ne soit lui-même qu'un nouveau début précédant la mise à jour de nouvelles œuvres. Et vous avez compris depuis longtemps que le plus cher de mes vœux c'est que ce soit à vous que je le doive » (juin 1952). « Votre télégramme m'a procuré une grande joie et depuis ça a été une hâte constante et un travail intensif, même la nuit » (octobre 1952)[1].

Malgré ce travail acharné, Jean Vauthier, pris par diverses besognes alimentaires, est en retard. Le mercredi 1er octobre, il adresse à Gérard les deux premiers actes de la pièce. Une demi-heure auparavant, écrit-il le lendemain à son metteur en scène, il corrigeait encore les derniers feuillets sortis des mains de la dactylo ! « L'acte III, comme je vous l'ai dit, est composé, mais je le recopie et ceci est indispensable, je ne puis le dicter car en recopiant je prends le temps de filtrer les textes qui se chevauchent et se doublent [...]. J'ai commencé la composition du IV et dernier[2]. » Ce retard (la première aura lieu le 20 décembre) ne facilite pas le travail du peintre Édouard Pignon[3], à qui Gérard a demandé décor et costumes. Né en 1905 dans une famille de mineurs du Nord, entré lui-même à la mine à l'âge de quinze ans avant de pouvoir réaliser sa vocation, Édouard Pignon est « de ceux qui ont ressenti comme une révolution décisive la révélation de Picasso et de Matisse[4] ».

« Pignon aimait beaucoup Vauthier, mais pas cette pièce-là, qu'il n'appréciait pas du tout, se rappelle l'écrivain Hélène Parmelin, épouse du peintre. En fait, il n'avait pas du tout envie de

1. *Ibid.*
2. *Ibid.*
3. Édouard Pignon n'est pas un inconnu à Chaillot : il a déjà collaboré avec Vilar pour *Schéhérazade* et *Mère Courage*.
4. Philippe Dagen, *Le Monde*, 16 mai 1993.

faire ces costumes. Il n'a accepté que pour faire plaisir à Gérard Philipe. Je revois encore Jeanne Moreau, toute fraîche et rose, disant à Pignon : "Vous me ferez un beau costume, n'est-ce pas ?" C'est à cette occasion que Gérard est à plusieurs reprises venu chez nous, rue du Moulin-Vert, où nous habitions à l'époque. Il était fou de mise en scène, hélas faudrait-il dire, car s'il était un magnifique comédien, il n'était pas un très grand metteur en scène[1]. »

Sans doute. Et toutes ses tentatives dans ce domaine n'ont guère été couronnées de succès[2]. Comme si le formidable instinct de Philipe acteur disparaissait dès que le metteur en scène montre le bout de l'oreille. Quand le raisonneur, « celui qui veut connaître le fond des choses », comme dit Hélène Parmelin[3], fait taire l'intuitif. S'il s'adresse sans se tromper à des dramaturges de talent, s'il les soutient efficacement pendant leur travail, Gérard Philipe, en revanche, se révèle incapable de juger l'œuvre achevée. Ni *La Nouvelle Mandragore* ni *Nucléa* n'auraient en effet dû aborder la scène telles quelles. D'importantes coupures, voire des remaniements, s'imposaient, dans un cas comme dans l'autre. Philipe n'a pas su – ou pas pu – les exiger.

Des coupures, c'est précisément ce que demande Jean Vilar, effrayé par la tournure que prennent les événements à quelques jours de la répétition générale. Toute l'équipe, metteur en scène, régisseur et techniciens, se ligue pour les obtenir de Vauthier. Qui lutte pied à pied, refuse de retrancher un seul mot et, parce qu'ils insistent, jette rageusement la brochure à terre… Sur quoi, très maître de lui, Jean Vilar l'informe que, à cause de ce geste, il n'inscrira plus jamais une de ses œuvres à l'affiche du TNP[4].

1. Entretien avec l'auteur, novembre 1991.

2. *Lorenzaccio* constitue un cas à part. D'abord, le choix de l'œuvre revient à Vilar, ensuite, le travail réalisé par Philipe est comme une copie conforme de ce qu'aurait fait l'animateur lui-même, si la maladie ne l'avait immobilisé. On se souvient d'ailleurs que ce dernier avait dû publiquement rappeler que « la conduite scénique [était] de Gérard Philipe ».

3. Ce sont les termes mêmes qu'emploie la romancière, quand elle évoque ses conversations avec Gérard Philipe.

4. Il tiendra parole. *Les Prodiges* seront mis en scène par Claude Regy, dans la petite salle du TNP, en février 1971, alors que Vilar n'en assure plus la direction depuis longtemps.

Mais il note, compatissant, dans son *Mémento* : « Nos exigences lui faisaient mal et nous faisaient mal [...]. Du moins ces querelles entre un écrivain de race et une compagnie sont-elles bénéfiques[1]. »

Est-il besoin de le dire ? De Jean-Jacques Gautier, dans *Le Figaro*, à Renée Saurel, dans *Les Lettres françaises*, en passant par Robert Kemp *(Le Monde)* ou Marc Beigbeder *(Le Parisien libéré)*, l'accueil de la critique est unanime. Trois mots reviennent dans tous les articles : « grossièreté », « lourdeur », « longueur ». Et *La Nouvelle Mandragore* disparaît définitivement du programme à la sixième représentation.

1. Cité par Jean-Claude Bardot, *Jean Vilar*, *op. cit.*

13

16 novembre 1952, note de Jean Vilar à Gérard Philipe : « Ne pourrais-tu préparer déjà ta distribution de *Lorenzaccio* ? Ce serait une avance très profitable et cela me permettrait de répondre aux comédiens. » En effet, le TNP a inscrit le drame de Musset à son programme pour le début de l'année. Le 28 février, à l'issue de la première représentation parisienne, le miracle d'Avignon se reproduit. Malgré l'absence des murailles quasi florentines du château des Papes, remplacées par les rideaux noirs de Chaillot qui donnent une étrange profondeur au plateau, les somptueux tableaux colorés emportent l'enthousiasme du public. Plus qu'en plein air, où se diluait peut-être sa force dramatique, il semble que la pièce trouve ici des accents shakespeariens. C'est en tout cas ce que constatent les très nombreux spectateurs. Car le TNP est à la mode en cette fin d'hiver de 1953, et *Lorenzaccio*, la pièce à voir.

Par ces crépuscules qu'adoucit l'approche du printemps, Gérard se rend souvent à pied au palais de Chaillot. Anne l'accompagne, et tous deux suivent la Seine jusqu'à l'Alma ou jusqu'à la tour Eiffel, avant de traverser le fleuve pour rejoindre le théâtre. Ils s'engouffrent dans l'entrée des artistes, qui ressemble, avec sa pente bétonnée, à une rampe de garage. Voici la loge. L'inventaire est vite fait : un canapé, deux chaises, un lavabo, une table à maquillage... Gérard s'assoit devant son reflet. D'abord le fond de teint, qu'il étale à l'aide d'une petite éponge. Puis les yeux : deux traits noirs agrandissent le regard, un point rouge, posé à l'angle interne de la paupière, le fait briller. Comme le trait blanc qu'il trace au bord de l'œil, sur la tempe. Jeanne, son habilleuse, l'aide à passer le costume de Lorenzo, le collant noir, le pourpoint. Il place lui-même la perruque, le collier de barbe. Il est prêt. Il ne lui reste qu'à accomplir la dernière métamorphose, la transformation essentielle. Très vite, à petits gestes brefs, il étend sur son visage les ombres lasses et floues, la pâleur de Lorenzaccio. Autour de la bouche, de chaque côté du nez. Assise dans un coin de la loge, silencieuse, Anne le regarde : « On observe les artifices et cependant la métamorphose intérieure affleure. On pourrait retirer les cheveux de fille, le collier de barbe, les rides dessinées, le maquillage imprécis des lèvres, on retrouverait Lorenzo [1]. »

Mais Gérard est contraint d'abandonner *Lorenzaccio* à la vingt-deuxième représentation, début avril. Il est en effet attendu au Mexique, où Yves Allégret met la dernière main au film qu'il doit tourner d'après une histoire de Jean-Paul Sartre.

Ce départ, bien que prévu de longue date, qui interrompt la carrière de la pièce pour de longs mois, est un rude coup pour l'équilibre financier du TNP. Jean Vilar s'en émeut dès le mois de mai et fait part de son inquiétude à Gérard, dans une lettre adressée à l'hôtel Mocambo, à Veracruz, où il évoque la prochaine saison d'hiver : « CI-MU-RA m'a dit ton désir de ne jouer que trois fois par semaine. Trois fois sur sept représentations : cela me paraît bien peu, Gérard. Pense à *Lorenzaccio*, à *Hombourg* aussi, au *Cid* peut-être. Il y aura des matinées étudiantes (presque toutes) avec *Lorenzaccio*, il ne resterait donc que deux soirées. Je tremble un peu. Nous arrivons, au prix de quelles peines, à une détente. Il faudra encore affermir notre position, vaincre ici et là. J'imagine mal la victoire sans toi… »

Et puis, comme s'il craignait de ne pas être compris, il revient à la charge, sous la forme d'un long et très explicite post-scriptum manuscrit : « Et toutes ces pièces si lourdes de frais qui ne sont pas amorties ! D'autre part, les missions en banlieue nous font casser les reins à des œuvres qui ici, à Chaillot, partaient admirablement (ex. : après la 8e de *Danton* [2], on file à Saint-

1. Anne Philipe, *Ici, là-bas, ailleurs*, Gallimard, 1974.
2. *La Mort de Danton*, de Georg Büchner, traduction d'Arthur Adamov, créée le 14 avril.

Denis. 2e ex. : on lance *Lorenzaccio* et à la 22e arrêt pendant huit mois. 3e : après ces huit mois, on ne jouerait que deux fois Lorenzo ?). Ceci est terrible et nous brime sur tous les plans : revenus, rentabilité et prestige. Les créations d'Avignon, quel que soit leur sort, n'empêcheront pas que jouer seulement trois fois par semaine Lorenzo est un crime. Sur tous les plans qu'on étudie l'affaire. Et juste au moment où je t'apporterais, je crois, une troupe masculine *bien plus*[1] solide[2]. » Message reçu : en décembre, lorsque Gérard reprendra son rôle, le TNP pourra annoncer six représentations supplémentaires de *Lorenzaccio*...

Le scénario que s'apprête à tourner Yves Allégret, Jean-Paul Sartre l'a situé dans un pays colonisé. En Indochine, où il imaginait qu'un médecin, écœuré par la conduite des Français vis-à-vis des habitants, se laissait glisser dans la débauche ; une fille l'aidait à s'en sortir. Or le Mexique est indépendant depuis 1821... Les frustrations, les haines, les clivages de société inhérents au racisme y sont inconnus. Bref, après les avoir conduits à modifier les lieux de l'intrigue, les nécessités d'une coproduction franco-mexicaine vont contraindre les auteurs à modifier aussi l'histoire et ses personnages : *Typhus* devient *Les Orgueilleux*.

A peine débarqués à Cuernavaca, petite station touristique située à une centaine de kilomètres de Mexico, Yves Allégret et Jean Aurenche, bientôt rejoints par Gérard, se mettent au travail. « Aurenche et Allégret ont tenu à ce que le Mexique soit un des "auteurs" du film, confie le comédien au magazine *Positif*. Le scénario de Sartre traitait d'un pays colonisé, seuls l'anecdote et l'orgueil pouvaient en être retenus. »

C'est d'ailleurs ce qu'il écrit à Sartre lui-même, le 25 mai, quand il apparaît clairement qu'il ne reste plus rien de son travail : « Le scénario a de nouveau pris une ligne différente. Vous verrez qu'entraîné par les facteurs qui lui étaient imposés, Aurenche a écrit un autre film que celui que vous proposiez. Le

1. Jean Vilar a souligné ces deux mots.
2. Archives Gérard-Philipe, Maison Jean-Vilar.

script n'a été terminé que durant le tournage. Et c'est, je suppose, au retour à Paris qu'il vous sera confié. Il me semble que la déviation a été telle que votre scénario reste intact. Deux vedettes et un pays non colonisé ont détourné le sujet de son cours[1]. » Puis il conclut sa lettre : « J'espère vous revoir bientôt à Paris et parler avec vous du Mexique que vous avez dû aimer. Il nous passionne, ma femme et moi. »

C'est vrai, tous deux ont eu le coup de foudre, et, profitant de longs week-ends que leur octroie la production, ils partent, le plus souvent en avion-taxi, à la découverte du pays. Aussi bien du vieux Mexique mythique des civilisations précolombiennes que du Mexique contemporain, où Gérard se réjouit de trouver à chaque pas les traces et les acquis de la révolution : « La vie du Mexique surprend et conquiert l'étranger, à tel point qu'il n'est pas difficile de se sentir chez soi auprès des Mexicains. La vie syndicale et sociale est certaine depuis la révolution, les peintres et les architectes ont suivi le mouvement. Quoi de plus beau, en Amérique hispanique, que cette cité universitaire qui a vu dernièrement le jour à côté de la capitale Mexico bâtie sur les laves, et dont les fresques extérieures et intérieures sont signées de Riveyra, Siqueyros[2]. »

Mais les conditions de travail sont éprouvantes à Alvarado, ce petit port du golfe du Mexique où Yves Allégret a finalement installé ses caméras. Il y règne, en cette saison de l'année, une chaleur féroce. Jusqu'à soixante-quinze degrés sous le toit de tôle d'un hangar où l'on tourne ! Et Michèle Morgan, vedette féminine du film, recommence plusieurs fois la scène au cours de laquelle elle s'assoit dans une Jeep chauffée à blanc sous le soleil. Constance d'autant plus méritoire que son rôle, revu par Jean Aurenche, n'est ni très long ni très consistant, et qu'elle commence à se demander s'il était bien utile de traverser l'Atlantique pour tourner ces aventures d'une Française confrontée aux mœurs d'un pays inconnu… Isolée dans un village mexicain,

1. Archives Gérard-Philipe, Cinémathèque française.
2. *Positif*, n° 10, 1954.

où son mari vient de mourir brutalement d'une méningite cérébro-spinale, Nellie, alors que l'épidémie gagne la population, attache son destin à celui de Georges, médecin alcoolique déchu, à qui l'amour et la lutte contre la maladie apporteront la rédemption.

« Vers minuit, j'ai terminé la lecture du découpage qui m'a enfin été remis, raconte Michèle Morgan. [...] Une grande intensité dramatique, un climat impressionnant se dégagent de l'ensemble. Le dialogue est sobre, naturel, du beau travail. Il fait mieux encore ressortir, par opposition, la faiblesse de mon personnage, pour ne pas dire sa nullité. Le film est entièrement construit autour du rôle du médecin. [...] Et moi là-dedans qui suis-je ? A peine le contrepoint féminin de ce film, un faire-valoir[1]. »

Sans doute les auteurs sont-ils conscients de cette faiblesse qui risque un tant soit peu de déséquilibrer le film. Vite on ajoute deux scènes à Nellie. L'une où la jeune femme promène avec délices un ventilateur sur son corps baigné de sueur ; l'autre où, fouillant les poches du cadavre de son époux, elle découvre avec désespoir qu'il la laisse sans un peso... Aurenche a été bien inspiré, car c'est précisément cette dernière séquence que retient le critique Jacques Siclier, « véritable morceau d'anthologie », dit-il, tout comme « la danse délirante de Gérard Philipe ». Celle-ci, qui donne le ton du film, aucun spectateur ne l'a oubliée. Cette gesticulation d'ivrogne, frénétique et grotesque, qu'exécute Georges pour les clients du bistrot, en échange d'une bouteille de tequila, le comédien sait en faire le symbole même de l'avilissement du personnage. Et dans le même mouvement, parce que Nellie, tout à coup, en est témoin, celui de son salut prochain.

Pour composer ce personnage, Gérard s'est beaucoup inspiré des habitants d'Alvarado, saisissant ici un détail vestimentaire, là un geste, ailleurs cette démarche molle, si particulière, que donne l'abus des alcools tropicaux : « Le costume, par exemple, fut emprunté directement à un pêcheur, souligne-t-il, ainsi que

1. Michèle Morgan, *Avec ces yeux-là*, Robert Laffont, 1977.

son chapeau. L'ivresse due à la tequila donne une démarche facile à observer sur place[1]. » Bref, pour sa première véritable composition, il s'en tire en évitant les outrances habituelles dans de tels rôles. C'est cette mesure dans la démesure qui frappe aujourd'hui, quarante ans après, face à Michèle Morgan, qui est la mesure même. De sorte que ces acteurs, tous deux au sommet de leur renommée, parviennent, dans des rôles difficiles, à ne pas se porter ombrage. « C'est qu'il était un partenaire parfait, explique aujourd'hui Michèle Morgan, très fair play et ne tirant jamais la couverture à soi[2]. » Un partenaire parfait. Et rien d'autre. Car pour le reste... « A la vérité, je ne sais pas qui était Gérard Philipe, poursuit-elle. Dès qu'il ne tournait pas, il disparaissait... C'était quelqu'un de difficile à approcher, comme s'il refusait le contact. Chez aucun de mes partenaires avant ou après, que ce soit Gabin, Raimu, Bourvil ou d'autres, je n'ai senti ce recul... Comme si nous étions sur deux planètes distinctes. »

« Comment va le Mexique ? Comment va le film ? Ici, *La Mort de Danton* va bien. Avignon s'annonce... », écrit Jean Vilar à son interprète, au mois de mai, craignant peut-être que les charmes de l'Amérique latine ne lui fassent oublier ses attaches théâtrales. Le directeur du TNP peut se rassurer. Comme prévu, le comédien rejoint la troupe à Hambourg, le 15 juin, venant directement du Mexique, après un interminable voyage. Sans souci de la fatigue ni du décalage horaire, il s'attaque aussitôt au *Prince de Hombourg*. Raccords, répétitions... Et triomphe. Mitraillé par les photographes, il est ovationné sans fin par une salle en délire. Tant et si bien que, à la longue, la direction fait baisser le rideau de fer pour calmer le public. Mais celui-ci ne l'entend pas ainsi. Des spectateurs montent sur scène et martèlent le rideau à grands coups de poing jusqu'à ce que les comédiens reviennent saluer. Une fois, deux fois... A la fin, Gérard

1. *Positif*, n° 10, 1954.
2. Entretien avec l'auteur, novembre 1991.

Philipe escalade le rideau de fer en coulisses et se laisse tomber de l'autre côté, sur le plateau, provoquant le redoublement des clameurs... Même accueil à Recklinghausen, à Cologne, pendant les dix jours que dure la tournée.

Hombourg, si longtemps interdit en Allemagne, ignoré, méprisé, rentre chez lui en vainqueur. Mais le sage Jean Vilar, pas grisé pour un sou, en profite pour glisser un soir cette note à Gérard : « *Le Prince de Hombourg* n'est pas seulement un chef-d'œuvre. Nous le savons. C'est aussi une pièce bien faite, comme disent les mauvais auteurs. Mais elle est bien faite, parce que Kleist a eu un coup de sang vrai (il en a eu beaucoup dans sa vie courte). Et c'est la scène de la lâcheté. Certes, il faut tout bien jouer de bout en bout. Mais cette scène, il faut que l'acteur s'y perde. S'y noie. Tout est permis. Il faut, tu es de mon avis, n'est-ce pas, que tous les soirs, toutes tes ressources physiques et tes faiblesses d'homme jeune y contribuent. Le reste, grosso modo, fait partie du dialogue. On te parle, tu réponds. N'oublie pas cependant l'ivresse de la bataille proche. L'odeur de la poudre n'est pas un vain mot. Des pacifiques (et istes) s'y perdent. Ne ralentis pas, ou du moins soutiens. Ne joue jamais la tendresse chez Kleist. Ou bien, alors, rudement. Kleist est l'auteur de *Penthésilée*[1]. »

Se perdre, se noyer... La leçon a été entendue : « Dans *Le Prince de Hombourg*, raconte Françoise Spira, je n'avais qu'un petit rôle, je pouvais bien le regarder. Il allait au fond du romantisme. Il osait tout[2]. »

Cette année, Avignon se passera de lui ! On s'attriste dans la cité des Papes, en apprenant que Gérard Philipe n'est à l'affiche d'aucune des créations du TNP, *Dom Juan* et *Le Médecin malgré lui*, de Molière, *Richard II*, de Shakespeare. Il est à Londres depuis le 1er juillet, où il tourne *Monsieur Ripois* sous la direction de René Clément. Anne et son fils Alain l'accompagnent.

1. Archives Gérard-Philipe, Maison Jean-Vilar.
2. *Souvenirs et Témoignages*, *op. cit.*

Celui-ci va d'ailleurs les quitter bientôt pour rejoindre la famille qui l'accueille dans le sud de l'Angleterre, où il va pouvoir perfectionner sa pratique de la langue.

Production franco-britannique (titrée *Knave of Hearts*, c'est-à-dire « valet de cœurs », dans sa version anglaise), *Monsieur Ripois* est adapté du roman de Louis Hémon, *Monsieur Ripois et la Némésis*. Ce ne serait qu'un film de plus si Gérard n'y affirmait aussi fortement une volonté qui s'annonçait déjà dans *Les Orgueilleux* : celle de ne plus s'en tenir aux rôles charmants qui semblent faits tout exprès pour lui, mais d'aborder les contre-emplois. Car c'est bien d'un contre-emploi qu'il s'agit ici. Sur le point de divorcer de sa riche épouse, André Ripois, Français vivant à Londres, tente de séduire la meilleure amie de celle-ci en lui racontant son passé de séducteur impénitent. Dans ce salon « cosy » où il confesse ses aventures devant un feu de bois, c'est alors la figure d'un coureur minable et vénal qui se substitue peu à peu à celle du narrateur…

Et le miracle joue. Entouré essentiellement d'acteurs britanniques (dont Joan Greenwood et Natasha Parry), Gérard Philipe, séduisant tour à tour une fraîche jeune fille ou une prostituée au grand cœur, sans rien changer à son apparence physique, sans subterfuge, parvient à endosser l'indécise, la fluctuante personnalité de Ripois. Alors que l'anti-héros des *Orgueilleux* vivait sa déchéance sur le mode douloureux, Ripois, lui, traverse le film sourire aux lèvres. Mais, comme le souligne René Clément : « Il faut un grand désespoir dans le cœur pour interpréter Ripois[1]. »

Tourné dans les rues de Londres, le film doit beaucoup de son authenticité aux trésors d'ingéniosité dépensés par l'équipe technique, obligée, pour ne pas attirer l'attention des passants, d'asseoir le cameraman dans un fauteuil d'infirme, celui-ci maniant sa caméra portative comme un jouet ou, d'autres fois, la dissimulant sous un journal… Ce qui fait dire à Gérard : « Depuis *Fanfan la Tulipe* et *Les Orgueilleux*, je croyais avoir

1. *Ibid.*

l'habitude des prises de vues en extérieurs. Mais Clément me démontra que je n'avais encore rien vu[1]... »

Pour finir l'année, une apparition en septembre chez Sacha Guitry, sous le costume de d'Artagnan, au générique du fameux *Si Versailles m'était conté* qui réunit, sous les lambris du château de Louis XIV, tout le gratin du cinéma français. Puis un sketch à Rome, en octobre, dans *Les Amants de la Villa Borghèse*, une si médiocre histoire que Micheline Presle, qu'il retrouve pour la troisième fois, avoue elle-même en avoir oublié le sujet...

Le vendredi 16 octobre, à vingt-deux heures trente, après quarante-cinq heures de vol, l'avion des Scandinavian Airlines se pose à Haneda, l'aéroport international de Tokyo. Cohue indescriptible sur la piste : photographes, journalistes, et des dizaines de jeunes filles, les bras chargés de fleurs, poussant des cris aigus. L'avion s'immobilise enfin, on approche la passerelle. Et celui qu'ils attendent tous apparaît en haut des marches, précédé de son épouse.

Depuis plusieurs jours, la presse nippone annonce ce Festival du film français qui doit se tenir du 18 au 24 octobre. A l'affiche : *Les Belles de nuit*, *Un caprice de Caroline Chérie*, *Thérèse Raquin*, *Justice est faite*, *Le Salaire de la peur*, *Souvenirs perdus*, *Le Petit Monde de Don Camillo*. La liste des personnalités françaises qui viendront à Tokyo pour l'occasion circule. On parle de Françoise Arnoul, Simone Signoret, des réalisateurs Henri Georges Clouzot et André Cayatte[2]. Et surtout de Gérard Philipe. Traitement de faveur pour celui qui jouit ici d'une immense popularité, grâce au succès remporté par *Fanfan la Tulipe*. La presse japonaise de langue anglaise, notamment, n'y va pas par quatre chemins. Le *Nippon Times* : *« Gérard Philipe, the reigning idol. » The Mainichi*, lui, titre : *« French film idol arrives in Tokyo »...*

1. *Ibid.*
2. En fait, André Cayatte viendra seul, Henri Georges Clouzot, malade, ayant déclaré forfait. Du côté des comédiennes, on note seulement la présence de Simone Simon et de Denise Provence.

Au pied de la passerelle, on se bouscule, les bouquets pleuvent dans les bras de Gérard. Il se penche, embrasse deux joues au hasard, les plus proches, dont la propriétaire s'évanouit presque de plaisir et de confusion. Enfin, soutenant Anne, il peut se frayer un passage jusqu'à Nagamasa Kawakita, le président de la puissante compagnie Towa, qui importe au Japon les films européens.

Pendant tout son séjour, celui que l'on a déjà surnommé ici le « samouraï du printemps » sera l'objet d'une sorte de dévotion populaire. Toute une foule de jeunes surtout, qui le reconnaissent, s'assemblent sur son passage, l'applaudissent, voulant le toucher, lui parler… Tandis que lui les regarde avec cette curiosité toujours en éveil qui est la sienne : « C'est la jeunesse qui m'a le plus frappé au Japon. On la rencontre partout : des enfants d'abord, portés sur le dos de leur mère ou tirés par la main dans des rues animées où chaque maison est une boutique ; des écoliers, des étudiants qui se promènent en groupes, en cortèges, en équipes. Les filles ont des cols marins, les garçons des casquettes de base-ball, mais tous sont également propres et soignés[1]… »

Même s'il se déroule sous de prestigieux auspices (des textes de Paul Claudel et Jean Cocteau, écrits pour l'occasion, enrichissent le programme), ce festival n'a pour ambition que d'être une vitrine du cinéma français. La présence à Tokyo, depuis deux semaines, de Robert Cravenne, le délégué général d'Unifrance, en est la preuve formelle. Et Gérard, pendant cette semaine, ballotté de présentation en cocktail, de dîner en interview, va consciencieusement jouer son rôle de voyageur de commerce. Le 17 octobre, vêtu d'une veste de daim et d'un pantalon de flanelle grise, il tient une conférence de presse : « J'ai pris quinze jours de vacances pour venir saluer mes amis japonais. » Le lendemain, on le voit sur la scène du Daiichi-Seimei Hall présenter *Les Belles de nuit*. Le 22, en smoking et nœud papillon, accompagné d'Anne, rayonnante dans une élégante robe claire, il assiste à la projection du *Salaire de la peur*… Et il recommence,

1. *Arts*, n° 437, 12 novembre 1953.

la semaine suivante, à Kyoto et Osaka. Avec quelques compensations cependant : « Étant moi-même acteur de théâtre, déclare-t-il à la presse dès son arrivée, je suis très intéressé par le Kabuki et le Nô, et je voudrais bien profiter de mon séjour pour voir quelques spectacles[1]. » Ce qu'il fait dès le lendemain. Tout comme il se gorge de films japonais, découvrant avec admiration cette audace et cette violence qui permettent aux acteurs japonais d'« aller plus loin », de passer sans en souffrir ce qu'on appelle chez nous les « limites du ridicule ». « Ce paroxysme-là enrichit un acteur quand il le voit, parce qu'il sent qu'il pourrait le faire. Mais on a peur de passer la limite : au moment où on déclencherait peut-être le rire, on a peur d'aller plus loin[2]. » Ce paroxysme-là, c'est bien celui que lui conseillait Jean Vilar : se perdre, se noyer. Tout est permis !

Ce cinéma japonais qui l'a tant frappé, et qui semble lui ouvrir des possibilités nouvelles et illimitées, Gérard ne l'oubliera jamais. A sa mort, ses proches trouveront dans ses archives les nombreux scénarios qu'il a gardés. *Konketsuji*, par exemple, ou *Sinkuchitai* (Vaccum Zone), de Satsuo Yamamoto. Ce dernier film est d'ailleurs un de ceux qu'il analyse longuement au cours d'une interview accordée aux *Lettres françaises*, à son retour du Japon.

« J'aurais pourtant bien aimé commencer à mettre en répétition, avec toi, une grande chose, tout doucement, et nous serions arrivés tout tranquillement prêts au printemps[3] », lui disait Jean Vilar l'année passée, en déplorant la longue absence du comédien. Qu'à cela ne tienne. Gérard a mis les bouchées doubles. Et dès février, entre une tournée en Tunisie et quelques représentations en Belgique, il répond présent au rendez-vous que lui a implicitement fixé le directeur du TNP.

Le 3, il inaugure la saison de printemps en reprenant le rôle-titre, jusqu'ici joué par Vilar lui-même, dans *Richard II*, de Sha-

1. *The Mainichi*, 18 octobre 1953.
2. In *Cinéma 56*, n° 8.
3. Lettre inédite, Archives Gérard-Philipe, Maison Jean-Vilar.

kespeare. Trois semaines plus tard, il crée *Ruy Blas*, où sa fougue, sa jeunesse renouvellent les situations archiconnues et les conventions du drame d'Hugo. Le soir de la première, dans une salle bourrée à craquer, le public de 1954 retrouve comme d'instinct des habitudes oubliées depuis bientôt un siècle... Celles du mélodrame, où les spectateurs conspuent les méchants, mettent en garde les purs contre les traquenards et les machinations. Et lorsque la reine, à l'acte V, veut empêcher Ruy Blas d'exécuter don Salluste, un spectateur crie bien fort au balcon : « Tue-le[1] ! » Une autre fois, Gérard Philipe, au dernier tableau, se saisit de la fiole de poison fatal : « Triste flamme, éteins-toi... » Un frémissement court alors dans l'assistance et plusieurs voix s'élèvent : « Non ! Non ! »

Ce n'est pas le héros hugolien que les spectateurs conjurent ainsi de s'épargner. Ni Ruy Blas qu'ils acclament sans fin à l'issue de la représentation. Non, c'est Gérard Philipe, héros moderne de ces foules adolescentes qui envahissent la salle de Chaillot pour ces fameuses « matinées étudiantes » qu'organise le TNP. Quelle bousculade après ! Devant le plan incliné qui ressemble à une entrée de garage et qui est l'« entrée des artistes », ils sont des centaines à l'attendre. Il sort toujours tard, longtemps après ses camarades, comme s'il espérait que l'attroupement se sera dispersé. En vain. Ils sont là. Il grimpe alors sur un petit muret et commence à signer... Les programmes, bien sûr, mais aussi des cahiers, des bouts de papier, des carnets de note... Tout ce qui peut recevoir une signature.

Un engouement ne se mesure pas en chiffres, mais au contraire aux efforts que celui – ou celle – qui en est l'objet déploie pour lui échapper. « Personne ne s'immiscera dans ma vie privée, dit-il. Je boxerai tous ceux qui viennent m'ennuyer sur ce sujet. » Et régulièrement, comme il se doit, journalistes et échotiers lui décernent ce « prix Citron » qui épingle les acteurs les moins coopératifs avec la presse. Autour de lui, la consigne du silence est bien gardée. Si bien qu'aujourd'hui, trente-cinq ans après sa

1. Rapporté par Jean-Claude Bardot, *Jean Vilar*, *op. cit.*

mort, ses meilleurs amis, étrangement, préfèrent se taire à son sujet, comme s'ils craignaient encore de troubler une intimité qui appartient pourtant désormais à l'Histoire.

Cependant, Gérard lui-même, de temps en temps, doit sacrifier à sa célébrité. Comme lorsqu'il se prête à ces concours qu'organisent périodiquement les magazines de l'époque et dont il constitue, en quelque sorte, le premier prix ! Dans son numéro du 26 mars 1959, par exemple, *Cinémonde* annonce que deux lectrices, Marianne Fosserier et Christiane Lefranc, sont les heureuses bénéficiaires d'un tirage au sort : elles passeront une journée avec leur idole. La semaine suivante, la revue présente le reportage photographique réalisé aux studios de Boulogne, où l'acteur tourne *Les Liaisons dangereuses* : sourires, poignées de main, poses décontractées... Bref, les clichés – à tous les sens du mot – attendus. Corvée ? C'est vite dit. Il n'est pas certain, en effet, que Gérard reste toujours insensible à ce flot d'admiration qui roule vers lui. N'en a-t-il pas conservé, dans ses archives, un témoignage attendrissant ?

Une certaine Claire, porteuse d'un billet signé Gérard Philipe dont nous ignorerons toujours la nature, a réussi à forcer tous les barrages. Elle est parvenue jusqu'à lui, au fond des coulisses du TNP, un soir où il joue *Le Cid*. Bouleversante aventure qu'elle ne peut s'empêcher de narrer à celui-là même qui en fut la cause...

« Hors d'haleine, nous arrivons dans une petite chambre, où sont empilés des projecteurs et des banquettes, quelques chaises, ensemble poussiéreux. D'une porte sort un homme qui nous empêche de passer. Le mot de Gérard Philipe suffit pour transformer ses protestations en un grognement sourd et affirmatif : "Montez au premier." Arrivées au premier, nous hésitons devant deux petits couloirs étroits, mal éclairés et sans porte. Celui de droite nous conduit dans une partie plus habitée où, par une porte entrouverte, nous voyons don Sanche se débarrasser de son manteau. A notre vue, par un excès de pudeur, il ferme la porte ; ce qui nous oblige, après des recherches vaines, à crier dans la serrure : "Vous savez où se trouve la loge de Gérard Philipe ?" Une voix étouffée répond : "Prenez le couloir de gauche !"

Nouvelle cavalcade à travers un couloir plus long, plus étroit encore, et enfin une porte vitrée, avec une ouvreuse qui nous attaque : “Savez-vous que c’est défendu ? Que faites-vous là, mesdemoiselles ?” Un nouveau geste avec le mot magique apaise ce second cerbère. “Bon, attendez là.” Assises sur un panier, nous nous levons aussitôt, énervées et tremblantes comme des feuilles. Des voix ; il sort quelqu’un. C’est lui ? Non, mais si, non, il n’est pas si petit, si, il en a la tête. Nous faisons un pas, puis reculons. Non, ce n’est pas lui. Cela se répète quatre ou cinq fois. Nous sentons que si cela dure encore un peu, on va éclater : l’énervement devient insupportable. Pourvu qu’il sorte de la porte du fond ! On le reconnaîtra de loin. Je commence à prendre des notes, pour faire quelque chose. Ça ne fait que m’énerver plus. Mon Dieu, pourvu qu’il arrive vite ! Je ne parviens plus à écrire, tellement je tremble. Nos prières ne sont pas exaucées. Il sort de la porte la plus près de nous. Le voilà donc, celui qu’on a tant attendu. Mais il a changé ! Il est d’une longueur bouleversante. Misère, où sont les belles phrases que nous avions toutes deux préparées ? Un murmure, les paroles nous restent dans la gorge. Par réflexe, je lui serre la main. Un éclat de rire des hauteurs me réveille et me fait lever les yeux. Non, sa figure n’a pas changé : il est toujours beau. Voit-il ma confusion ? Qui sait ? Toujours est-il que c’est lui qui commence à parler. D’abord il nous demande comment nous avons pu pénétrer dans ce fin fond des loges. Le geste magique avec le mot se répète devant l’acteur. Il le lit et, à mon grand étonnement, me demande si ça s’est bien passé, sans un moment hésiter sur le sujet de mon premier abord. Mémoire sans égale ! Puis il nous signe, d’un geste d’habitude, nos programmes et m’ajoute même ses meilleurs vœux pour mon anniversaire. Tout à fait conquises, nous le suivons vers la sortie du couloir. Au moment où je franchis la porte vitrée, il me passe le bras autour des épaules et, ainsi entortillés, nous entrons dans l’ascenseur. Là il me lâche pour appuyer sur le bouton. Nous voilà arrivés ; il nous ouvre la porte, nous laisse passer, nous parle. Déjà nous nous sentons approcher de l’adieu : nouvelle émotion. Pas pour lui, qui va parler au concierge. Je veux ouvrir la porte, mais elle est dure, et je n'y arrive pas. Quand elle cède soudain, je me retourne et vois Gérard Philipe qui, de deux pas de ses longues jambes, est venu à mon secours. Chacune d'un côté de l'acteur, nous sortons du souterrain. On l'attend. Une foule d'admirateurs se presse sur le trottoir, se hisse sur les grilles. Je lui jette un regard plaintif : "Et votre dîner ?" Il rit, confiant. Il doit avoir l'habitude, le pauvre. Puis il nous crie : "Au revoir !" et monte sur un pilier de la grille. La foule hurle de plaisir. Mais nous, seules parmi les voitures parquées, fixons les yeux sur notre héros, là-haut, sur son piédestal. On l'acclame et, malgré nous, une certaine fierté nous gagne. Cette main qui signe maintenant tant de photos ne m'a-t-elle pas écrit personnellement ? N'a-t-elle pas signé mon programme en premier et n'a-t-elle pas reposé sur mon épaule quelques minutes auparavant ? Sa haute silhouette se dresse contre le ciel gris parisien. Notre héros ! Pensera-t-il encore à nous, quelquefois ? Nous, nous n'oublierons jamais cette rencontre.

« Claire [1]. »

1. Archives Gérard-Philipe, Maison Jean-Vilar.

14

Un samedi d'avril. Ciel gris. Il fait froid encore. La voiture roule lentement dans la campagne. Tandis que Gérard est au volant, Anne le guide en suivant les instructions du plan que leur a remis l'agence immobilière. Ce qui n'empêche pas qu'ils se soient déjà trompés plusieurs fois de route. Tout près de Pontoise, voici enfin le village de Cergy. Et, tout au bout, le chemin du bac de Gency. Et la grande grille qu'on leur a décrite, ouvrant sur l'allée. « Nous avons suivi l'allée d'arbres et, tout au fond, la maison est apparue, laide, jaune et rouge, affublée en son milieu d'un perron fixé comme une verrue sur le nez. Seul le toit de vieilles tuiles était élégant[1]. »

Pourtant, c'est tout de suite le coup de foudre. Dès ce moment, eux qui cherchaient sans succès une maison de campagne sont certains de l'avoir trouvée. Un endroit où Gérard pourra se « désintoxiquer » du théâtre et du cinéma. Car l'année qui vient de s'écouler a été dure. Coup sur coup *Les Orgueilleux* et *Ripois*, sans compter l'exténuant voyage au Japon et les représentations du TNP. Dure, mais aussi fructueuse. Gérard compte à présent parmi les acteurs les mieux payés de France. Le film de Clément, par exemple, lui a rapporté 16 700 000 francs et *Le Rouge et le Noir*, qu'il est précisément en train de tourner, plus de 18 millions. De quoi, effectivement, s'offrir cette demeure dont ils sont tombés amoureux. Et quinze jours plus tard, lorsqu'ils reviennent, c'est pour acquérir la « Gentilhommière », comme on l'appelle

1. Anne Philipe, *Le Temps d'un soupir*, Julliard, 1963.

quelquefois dans le pays. En deux semaines, le printemps a pris possession du parc, de ses vieux arbres, de ses pelouses : « Le printemps triomphait. Le soleil était déjà haut, et dans le silence de la campagne nous l'avons regardé boire lentement la brume et découvrir, enfoui dans les arbres, le toit de la maison que nous venions d'acheter[1]. » Le bonheur. Doublement le bonheur. Car cette fois, Anne en est sûre, ce qui n'était qu'un espoir lors de leur précédente visite est à présent une certitude : elle attend un enfant.

Située au bord de l'Oise, la propriété de Cergy est un véritable enchantement. Pas assez, cependant, pour que n'y parvienne le bruit des armes. Le conflit, qui déchire l'Indochine depuis la fin de la Seconde Guerre mondiale, vient d'entrer dans une phase dramatique que beaucoup considèrent comme décisive pour son issue : le 13 mars, le Viêt-minh a lancé une attaque massive sur la cuvette de Diên Biên Phu où se sont retranchées les forces françaises. On en parle à Cergy, entre amis. Car, très vite, cette demeure, de belles proportions, construite à la fin du XIXe siècle, devient le rendez-vous de tous les amis.

Mais patience ! En ce printemps de 1954, Cergy est d'abord livré aux ouvriers. Sous la direction d'un ami du couple, l'architecte Manolis Kindinis, ils vont rénover de fond en comble les six cents mètres carrés du bâtiment, répartis sur trois niveaux. Car les nouveaux propriétaires n'ont de cesse qu'ils n'aient édifié la maison de leurs rêves : « La maison serait ce que nous la ferions[2]. » Cloisons déplacées, escaliers reconstruits, fenêtres ouvertes dans l'épaisseur des murs, rien ne leur fait peur. Claude Roy en témoigne : « Pendant des mois, Gérard et Anne, les premiers travaux achevés, s'installent à Cergy et vivent dans la poussière, le brouhaha, les échafaudages et les coups de marteau[3]. »

Alain Fourcade, le fils d'Anne, n'a pas oublié cette demeure qui fut pour lui, durant quelques années, le havre des vacances : « Combien ? Quatre, cinq hectares peut-être, entièrement clos de

1. *Ibid.*
2. *Ibid.*
3. *Souvenirs et Témoignages, op. cit.*

murs et situés sur la pente d'un vallon, au bord de l'Oise. Un petit bois, une grande allée de marronniers, une pelouse, et l'on débouchait devant la maison. Celle-ci surplombait une sorte de verger avec, au second plan, le fleuve. De l'autre côté, étagés, il y avait un potager, des serres vitrées, des arbres fruitiers. Je me souviens avoir mangé des figues, des mûres, des cerises... Tout cela entretenu par le jardinier, monsieur Brunet. Il y avait aussi un tennis où j'ai appris à jouer. Gérard jouait bien d'ailleurs, et nous avons disputé de nombreuses parties ensemble. Une petite maison accueillait parfois des amis, une minuscule étable a un temps abrité deux ou trois chèvres... Un poulailler, la maison du gardien... Et beaucoup de fleurs, des rosiers, des bambous, un bassin avec des nénuphars [1]... »

A Cergy, Gérard se découvre à son tour le goût des travaux de plein air. Comme naguère son frère Jean, à Grasse. Tailler les broussailles, émonder les arbres, soigner les plantations – c'est bien volontiers qu'il donne un coup de main à M. Brunet. Ce qui ne l'empêche pas de se retirer dans le cabinet de travail qu'il s'est fait aménager au rez-de-chaussée. C'est là, lorsqu'il ne joue pas, qu'il profite du week-end pour rédiger son courrier. Et qu'il lit. Ou relit. « En littérature, êtes-vous à la page ? Qu'aimez-vous lire ou relire ? », lui demande Jacques Baroche, parmi cent autres questions, pour son ouvrage *Vedettes au microscope* [2]. « Je ne suis pas dans l'actualité, répond-il. J'en suis à découvrir Roger Martin du Gard. Mais j'aime toujours bien Balzac. »

Et aussi Henri Pichette. Car Gérard n'oublie pas son ami, qui traverse alors de grosses difficultés financières. Désireux de lui venir en aide, il a tout à coup une idée : le mécénat. Pourquoi en effet, à l'instar des princes d'autrefois qui appointaient les artistes, leur permettant ainsi de travailler sans se soucier du vivre ni du couvert, ne pas commander une œuvre à Pichette ? Contre espèces sonnantes et trébuchantes, bien sûr. L'idée mérite d'être creusée. Mais les temps ont changé, il faut trouver une for-

1. Entretien avec l'auteur, février 1991.
2. Contact-Édition, 1961.

mule adaptée à l'époque. Et Gérard décide de constituer un groupe. Ce qu'il explique aux quelques personnes, amis et relations, qui reçoivent la lettre suivante, datée du 30 avril :

« Les amis d'Henri Pichette, s'étant réunis l'autre soir, ont eu une idée diabolique, amicale et intéressée.

« J'aurais aimé que vous fassiez partie de ce groupe en formation. Il s'agirait de commander une œuvre à Henri Pichette et, pour lui permettre d'écrire dans le calme, de lui verser chacun 1 000 francs par mois pendant six mois.

« Nous serions trente à avoir versé 6 000 francs et un tirage au sort attribuera finalement le manuscrit d'Henri à l'un d'entre nous.

« C'est durant le mois de janvier 1955 que se fera le tirage au sort. »

Oui, répondent aussitôt Fernand Léger, Michel Leiris et Jean Cocteau… Mais le temps passe, et Gérard ne jouera jamais cette pièce que Pichette lui a promise : *Jésus et Madeleine* : « Une des plus déchirantes histoires d'amour, et d'amour universel[1]. »

On rêve de ce phalanstère d'écrivains qu'aurait pu accueillir Cergy. Pichette et les autres… Car c'est là que Georges Perros a conçu la plus grande partie de ses *Papiers collés*, tandis que Claude Roy y écrivait *Le Soleil sur la Terre*. Mais la mort du comédien a dispersé les uns et les autres. Déserté, le domaine sera acquis par l'État – il s'agit en fait d'une véritable expropriation[2] – en 1973, dans le cadre de l'opération « Cergy-Pontoise ». Avant de connaître des fortunes diverses, pillage et vandalisme compris. Racheté en 1990 par l'Établissement public d'aménagement de Cergy-Pontoise, très soigneusement restauré, il accueille à présent des manifestations culturelles.

Un soir de septembre 1991, dans le parc mouillé de pluie, où la brume s'irise dans la lumière des projecteurs, cinq ou six comédiens rendent hommage au maître de maison. Textes de Musset, Camus, Corneille, témoignages d'amis… Tout cela est un peu

1. Lettre d'Henri Pichette, 30 septembre 1950.
2. Anne Philipe affirmait avoir été expropriée dans de mauvaises conditions, rapportent ses enfants : un million de francs, somme bien inférieure à la valeur de la maison.

maladroit, perdu sous les frondaisons magnifiques. Mais, tout à coup, un jeune comédien, surgi du couvert des arbres, apparaît. Il n'a pas encore parlé, mais la foule des spectateurs, d'un seul mouvement, s'avance vers lui. Comme au-devant d'une apparition…

Claude Autant-Lara et Gérard Philipe, dont les avis parfois divergent, sont bien d'accord sur un point : si *Le Rouge et le Noir* peut être réalisé en 1954, c'est parce que le comédien accepte enfin le rôle qu'Autant-Lara lui proposait en vain depuis plusieurs années. Non sans hésiter d'ailleurs, tourmenté par un scrupule dont il est coutumier et qui l'honore : l'âge. Cette impression d'être trop âgé pour le rôle qu'il ressentait au moment de tourner *Le Diable au corps*, voilà qu'il l'éprouve une fois encore. Il vient d'avoir trente et un ans. N'est-ce pas trop pour figurer Julien Sorel, que Stendhal, aux premières pages de son roman, décrit comme « un petit jeune homme de dix-huit à dix-neuf ans, faible en apparence, avec des traits irréguliers, mais délicats, et un nez aquilin » ?

Mais le réalisateur insiste et Gérard Philipe se met au travail dès le mois de mars. « On a commencé par tourner les scènes du couloir, dans la maison des Rênal, se rappelle Rosine Delamare, créatrice des costumes. Je n'ai jamais vu deux acteurs aussi angoissés que Danielle Darrieux, qui jouait Mme de Rênal, et Gérard Philipe, lorsqu'ils se sont trouvés face à face pour la première fois sur le plateau. L'énorme admiration qu'ils éprouvaient l'un pour l'autre les paralysait[1]… »

1954. C'est encore en France le début de la couleur : Agfacolor, Gevacolor, Eastmancolor… La pellicule a une fâcheuse tendance à virer au bleu. Un bleu impérieux, dont rien ne semble pouvoir venir à bout ! De guerre lasse, Rosine Delamare trempe dans un bain de teinture rougeâtre les soutanes que revêtiront au séminaire les condisciples de Julien. A la projection, un œil exercé décèle tout de même un reflet azuré dans la robe des

1. Entretien avec l'auteur, février 1991.

séminaristes… Les surprises sont parfois plus graves. C'est ainsi que la scène du jardin, où Julien, profitant de l'obscurité, saisit sous la table la main de Mme de Rênal, doit être entièrement retournée. Car, dès la projection des rushes, il faut bien se rendre à l'évidence : les couleurs des costumes, tout comme celles du décor, ont complètement viré… « J'avais fait pour Jean Martinelli, qui interprète M. de Rênal, raconte Rosine Delamare, une redingote de drap gris argent avec un col de velours gris foncé. A l'écran, elle était devenue bleu turquoise et le col vert billard… »

Mais que sont ces problèmes techniques, face aux énormes difficultés d'ordre littéraire et dramatique que représente l'adaptation du roman ? Avant Autant-Lara, d'autres cinéastes s'y sont attaqués, certes. L'Italien Mario Bonnard dès 1920. Gennaro Righelli, un autre Italien, par deux fois : d'abord en 1928, puis en 1947. (C'est paradoxalement un film américain, *Une place au soleil*, adapté d'un roman lui-même américain, et tourné par George Stevens vers la même époque, qui semble, entre ambition sociale et passion, le plus proche d'un univers stendhalien modernisé.) Mais aucune de ces œuvres ne prend vraiment en compte les nécessités de la transposition cinématographique.

Premier écueil : la longueur. Claude Autant-Lara avait d'abord pensé à un film en deux parties, chacune durant cent vingt minutes. Consultés, les distributeurs s'y opposent. Et le réalisateur doit se contenter d'une durée de deux cent dix minutes, bien vite ramenées à cent quatre-vingt-dix par les soins de la censure…

Difficile, dans ces conditions, de chipoter sur les vertus et les manques d'une adaptation qui se trouve ainsi amputée, ici et là, de ses meilleurs moments. Ou du moins de moments importants, tombés sous les ciseaux des censeurs. Et, d'ailleurs, les partisans les plus farouches du roman ont eux-mêmes depuis longtemps absous Autant-Lara. Au XIe Congrès international stendhalien, qui se tient à Auxerre en 1976, ils reconnaissent volontiers les qualités du film : les actes de ce colloque, publiés deux ans plus tard à Grenoble, patrie du romancier, en font foi. Mais, sur le moment, quelle volée de bois vert !

En fait, comme le souligne alors Gérard Philipe dans une interview, le travail d'Aurenche et de Bost n'est pas achevé lorsque le réalisateur donne le premier tour de manivelle : « Il faut donc faire très vite, et ce système permet les discussions avec l'acteur, parce que Lara lui-même a quelques doutes sur quelques points du découpage, et qu'il s'en réfère à ceux qui l'entourent[1]. »

Pour Gérard, ces discussions ne sont jamais anodines, bien qu'il affirme contre toute vraisemblance : « Je n'aimerais pas être un acteur qui réfléchit[2] !... » Il est vrai qu'il corrige aussitôt cette affirmation : « Devant un personnage littéraire, c'est très différent. On garde l'impression première laissée par le roman que l'on a lu. On reprend celui-ci au moment où les pourparlers sont en cours : c'est-à-dire avant la remise du scénario. On se trouve ensuite devant ce scénario auquel ont travaillé diverses personnes dont chacune a eu du héros une conception différente de la vôtre... Après plusieurs lectures du découpage, on se fait une idée des personnages, nette ou floue. Il serait bien alors de pouvoir discuter avec le metteur en scène[3]. »

Et il ne s'en prive pas ! Claude Autant-Lara : « Les rapports de travail étaient laborieux avec lui, car Gérard analysait beaucoup, ne laissait rien au hasard. Il n'aimait pas les solutions simples, il compliquait parfois les choses par son goût de raisonner[4]. »

A force de raisonner, il arrive que la raison l'emporte ! Comme en cette fin d'année 1954. Depuis longtemps déjà, il sent qu'il lui faut prendre du recul, s'éloigner. Bref, souffler. Aussi bien, depuis deux ans, il mène un rythme d'enfer, enchaînant film sur film, pièce sur pièce. Sans compter voyages et tournées. En 1953, par exemple, l'« année du tapis volant », comme il dit drôlement, les engagements se sont succédé sans discontinuer : *Les Orgueilleux* au Mexique ; les représentations du TNP en

1. In *Cinéma 56*.
2. *L'Écran français*, n° 129.
3. *Ibid.*
4. Cité dans *Souvenirs et Témoignages (op. cit.)*, sans indication d'origine.

Allemagne; *Monsieur Ripois* à Londres; la Semaine du film français au Japon; les répétitions de *Ruy Blas* à Chaillot... Trop pour qu'il trouve même le temps de penser à son cher projet de *Till l'Espiègle*, auquel il n'entend pas renoncer.

Sa décision est prise : à la fin de l'année il se mettra en congé du TNP. L'enfant qu'attend Anne n'est peut-être pas étranger non plus à sa détermination : ne doit-il pas naître, justement, au mois de décembre? Aussi, c'est l'esprit tranquille, un peu comme un coureur de fond qui aborde sa dernière ligne droite, que Gérard s'envole au début du mois de septembre pour le Canada, où le TNP, à l'invitation de la Direction des relations culturelles et de l'Association française d'action artistique, va donner une quinzaine de représentations dans le cadre de la Foire française de Montréal. Pour sa première visite aux « cousins » canadiens, la troupe a mis au programme son répertoire français du moment : *Dom Juan*, *L'Avare*, *Le Cid*, *Ruy Blas*. Le même qu'elle emporte à Varsovie quelques semaines plus tard. Puis à Cracovie et à Stalingrad.

Le syndrome « Fanfan la Tulipe » ici aussi joue à plein, et Gérard ose à peine quitter son hôtel, tant sa présence, dès qu'elle est signalée quelque part, provoque d'immenses rassemblements...

Jean Vilar, à qui Gérard a fait part de son intention d'arrêter pour un temps son activité théâtrale, entoure son interprète de tous ses soins. Le 5 octobre, à peine arrivé à Varsovie, après une dure nuit en chemin de fer, il glisse un mot sous la porte du comédien, qui a confortablement voyagé en avion : « Je te laisse dormir, car il est 8 heures. Il faut que tu sois en pleine forme ce soir. Revois ce matin ton texte, calmement, dans ton lit. A la 150e, les grands textes risquent de n'être plus que des textes pour l'interprète. Revois (de tête et de *cœur*[1]) les longues tirades avec Chimène (3e et 5e actes), le combat des Maures. Et fais en sorte de te laisser aller au chant simple des stances. Retrouve la rigueur de jeu des premières représentations. Ne te mets pas à

1. C'est Vilar qui souligne.

genoux dans les “Maures”, souviens-toi que tu étais plus dans le ton fier de Rodrigue, le jour où, par force, tu as dû dire les “Maures” assis. Tu peux jouer à la fois Rodrigue et Fanfan. Mais joue Rodrigue quand c’est *Le Cid* que tu joues, et garde Fanfan pour *Fanfan*. Il y a beaucoup de plaisanterie amicale dans mes dernières lignes mais aussi un peu de vrai. »

Revenant en France, la troupe, qui voyage en train, fait escale en Allemagne, où plusieurs séries de représentations sont prévues, à Stuttgart, Bonn, Munich et Cologne. Coup de théâtre : en gare de Stuttgart, alors que l’on ouvre le wagon transportant décors et costumes, un homme saute brusquement sur le quai, bousculant les porteurs, et se perd dans la foule… Un voyageur clandestin, sans doute embarqué en Pologne. L’événement est vite connu à Paris et largement commenté, notamment par la presse de droite, qui s’en amuse. Voilà donc Gérard Philipe, dont personne n’ignore les sympathies de gauche, même s’il n’a jamais été inscrit au parti communiste, se contentant du rôle de compagnon de route, le voilà libérateur malgré lui des Polonais opprimés par le communisme. Certains journaux affirment même que c’est lui qui a fait sortir le fuyard !

L’affaire tombe à point. Même si sur le moment le comédien garde le silence, il est clair que ce voyage a ébranlé sérieusement ses convictions. Ce qu’il a vu, ce qu’il a entendu : les dures conditions de vie des ouvriers et des paysans, proches de la misère, la censure, l’antisémitisme, tout cela ne colle pas, ne colle plus avec le discours officiel. Il lui faudra beaucoup de temps pour l’admettre, plus encore pour le dire, comme à nombre de compagnons de route, littéralement crucifiés par ces prises de conscience sur le terrain. Beaucoup de temps, oui. Deux années. Jusqu’à un certain déjeuner du mois de novembre 1956, au cours duquel, sans doute, il ne peut plus dissimuler son malaise. Quelques jours plus tôt, l’Armée rouge a écrasé sous ses chars les insurgés de Budapest. A ce déjeuner, parmi les convives, Gérard et Anne, Mme Paul Eluard, Claude Roy, Simone Signoret et Yves Montand. Qui raconte : « Nous étions tous tristes et profondément remués. Gérard a commencé à parler de la Pologne ; il a raconté ce qu'il avait vu, les erreurs, la misère, et ce qu'il a dit m'a fait mal, très mal. Parce que, pas une seconde, je ne pouvais mettre en doute ce que décrivait un homme qui était l'honnêteté même. [...] Là, il s'est rendu compte qu'il s'était trompé. C'était encore plus déchirant parce qu'il parlait avec beaucoup de tristesse, de consternation, et sans colère [1]. »

Mais, en 1954, il est trop tôt pour reconnaître ces déchirantes vérités. Trop tôt pour les proclamer. Ses doutes, il les garde pour lui. C'est la logique de l'époque : si l'on n'est pas – ou plus – dans un camp, c'est qu'on est dans l'autre. Et, celui-là, pas question de renouer avec.

Anne-Marie est née. Avec les derniers jours de l'année : le 21 décembre, en pleine nuit ! A l'aube, revenant à la clinique visiter sa patiente, le docteur Vellay trouve le jeune père dans un fauteuil, assoupi près du lit de son épouse et du berceau où vagit le bébé...

Et quand la presse, trompée, et trop tard avertie, se précipite enfin, c'est pour voir Gérard derrière les grilles tirées, criant : « Laissez-la-moi ! Laissez-la-moi [2] ! »

Boulevard d'Inkermann, l'appartement est maintenant trop petit. A dire vrai, ce n'est pas seulement sa taille qui pousse les Philipe à le fuir. Ce perchoir entouré de terrasses, qui fut le refuge du couple, son pied-à-terre entre deux films, entre deux voyages au bout du monde, ne convient plus à la famille qui est en train de se constituer, même s'il est agréablement situé, dans un coin verdoyant et calme de Neuilly.

Verdures pour verdures, Gérard et Anne choisissent celles du jardin du Luxembourg. C'est aux grilles mêmes du parc que s'ouvrira leur nouveau logis, rue de Tournon. Ils y seront en bonne compagnie : au 27 ont vécu Clément Marot et Casanova ;

1. Hervé Hamon, Patrick Rotman, *Tu vois, je n'ai pas oublié*, *op. cit.*
2. Daniel Ivernel, *in* Paul Giannoli, *La Vie inspirée de Gérard Philipe*, *op. cit.*

au 21, Gabriel Marcel ; au 19, John Paul Jones, héros de l'indépendance américaine ; au 7, enfin, Léon Gambetta… Eux s'installeront au 17. Un porche paisible dissimulant un escalier, une cour presque provinciale, un tranquille immeuble… Mais l'appartement élu, au deuxième étage, n'est guère habitable pour l'instant. De longs travaux sont nécessaires et, en attendant, ils campent 10, rue Oudinot, au deuxième étage, non loin des Invalides. Cela quand Gérard tourne. S'il ne travaille pas, tout le monde se replie à Cergy. Y compris Consuelo, la femme de chambre, et Carmen, la cuisinière.

Cergy, ses grands arbres que le printemps ranime, l'Oise paresseuse où glissent les péniches – c'est tout cela que Gérard doit quitter à la fin du mois d'avril pour rejoindre une fois encore René Clair aux studios de Boulogne. Où il revêt l'uniforme d'Armand de la Verne, sémillant lieutenant au 33e dragons, face à Michèle Morgan, ravissante modiste qu'un pari stupide va broyer. Car *Les Grandes Manœuvres*, commencées sur le ton du vaudeville, s'achèvent en tragédie. Comme l'écrit à l'époque Jacques Audiberti, dans *Les Cahiers du Cinéma* : « Le film lui-même a les pieds dans Courteline et la tête dans Racine. »

C'est vrai. Sous le brillant des images, la légèreté des situations, la convention voulue des personnages, des êtres humains souffrent, espèrent, mendient, aiment… Une petite ville de garnison, au début des années 1910. Au cours d'un dîner de garçons, le lieutenant de la Verne, séducteur impénitent, s'engage à séduire la première femme que le sort désignera. Ce sera Marie-Louise Rivière, jeune divorcée tout juste arrivée de Paris. Jeux de la séduction, de la pudeur, du refus, et de l'amour enfin. Sous l'œil terrible de la bourgeoisie locale… Mais Marie-Louise découvre de quel pari elle est l'enjeu. Et Armand partira seul, sans la revoir, pour les grandes manœuvres. Qui ne sont qu'une répétition de celles d'août 1914…

Énorme succès public, en tête des recettes pour la saison 1955-1956, *Les Grandes Manœuvres* réunissent de nouveau, dans un registre très différent, le couple des *Orgueilleux*. Et, comme pour *Les Orgueilleux*, ils obtiendront l'un et l'autre les Victoires du meilleur acteur et de la meilleure actrice[1]. Et toute la France chante la valse des *Grandes Manœuvres* : « Nous n'avons plus rien à nous dire, tout entre nous n'était qu'un jeu... », ravissante mélodie de Georges Van Parys, dont René Clair confie l'exécution à la belle Magali Noël.

Il ne laisse rien au hasard, René Clair ! Quand il arrive sur le plateau, son scénario est fin prêt, chaque scène écrite, chaque mouvement de caméra prévu. « Le film est préparé de telle sorte qu'il est absolument réalisé sur le papier, déclare Gérard au journaliste Pierre Billard. Il ne viendrait pas à l'esprit de parler à René Clair d'un changement à faire dans son scénario, parce que le film c'est l'homme, et qu'aucune scène dramatique de son film, aucune réplique de son dialogue n'a été lancée sur le papier sans être mûrement réfléchie. Il m'est arrivé de lui signaler une phrase qui me paraissait drôlement construite et, immédiatement, il se référait à quatre répliques plus bas, où l'emploi de telle expression imposait que, plus haut, on s'exprime ainsi[2]. »

Peu au fait sans doute de l'étiquette des armées, Clair s'est assuré la collaboration d'un conseiller, son ami Jacques Porel, fils de la grande comédienne Réjane, qui a été lui-même dragon dans sa jeunesse. « J'avais un excellent tailleur, raconte de son côté Rosine Delamare. Un tailleur militaire comme il n'en existe plus à présent. Les cols des vareuses, par exemple, étaient montés à la main sur du cuir ; c'est comme cela que c'est joli : haut mais souple, le col prend bien la forme du cou de celui qui le porte. Aujourd'hui, on les monte sur de la grosse toile. Résultat : ils sont raides et blessent les comédiens ! » Les culottes des dragons, elles, sont taillées dans un superbe drap rouge. Des culottes à large fond, comme le veut le règlement, confortables pour monter à cheval. Mais peu seyantes lorsque le cavalier descend de sa monture et marche... Par dérogation spéciale de la production, le jeune premier aura donc droit à deux culottes ! La

1. Gérard Philipe a obtenu cette distinction (préfiguration des actuels Césars), qui récompense alors chaque année les meilleurs acteurs de cinéma, en 1948 et, sans interruption, de 1952 à 1955. Il est dès lors hors concours et fait partie du jury d'honneur.
2. In *Cinéma 56*.

première tout à fait protocolaire, la seconde plus flatteuse, c'est-à-dire ajustée, et réservée aux séquences à pied. Bref, la culotte de caserne et la culotte de ville. Las ! Un beau jour, Gérard accepte, par exception, de poser à cheval pour complaire à quelques journalistes. Il n'a pas sitôt mis le pied à l'étrier que l'étoffe se fend en deux... Un magnifique accroc au genou de la culotte de ville. Et il n'y a plus un seul mètre de drap disponible chez le fournisseur Prudhomme. De son côté, le tailleur n'a pas conservé les chutes de tissu. L'affaire se terminera par un délicat et laborieux stoppage.

On est frappé, en découvrant ces anecdotes, du peu de moyens dont disposent décorateurs et costumiers, les producteurs serrant les cordons de la bourse au maximum. Dans *Les Belles de nuit*, par exemple, la doublure de Gérard doit revêtir le plus souvent les propres costumes du comédien, pour la bonne raison que Rosine Delamare n'a pas le budget nécessaire pour les faire exécuter en deux exemplaires. Toute l'équipe vit alors dans l'angoisse de l'accident : une tache, une brûlure, une déchirure...

Cette angoisse-là n'est pas de celles qu'il risque de rencontrer sur le plateau de *La Meilleure Part*. Drôle de plateau d'ailleurs : un barrage. Estimant que l'on ne construit pas assez d'ouvrages hydroélectriques en France (nous sommes en 1955), un important groupement d'entrepreneurs, conduit par EDF, se propose de produire un film qui raconterait l'épopée des bâtisseurs de barrages. Carte blanche est laissée aux auteurs, Yves Allégret et Jacques Sigurd. « Lorsqu'on est allé sur un barrage, témoigne celui-ci, lorsqu'on y a vécu, lorsqu'on y a connu et vu vivre ouvriers, cadres, lorsqu'on a vu leurs luttes, leurs difficultés, leurs problèmes, on se rend compte de ce qu'il faudrait dire, crier[1]. » Le ton est donné : *La Meilleure Part* sera un film social. Les revendications ouvrières trouvent en effet tout naturellement leur place dans cette histoire d'un ingénieur solidaire de ses hommes jusqu'à l'épuisement. L'actualité la plus douloureuse y a sa part aussi, à travers le personnage d'un ouvrier nord-africain, Ali.

1. *Les Lettres françaises*, 29 mars 1956.

Ceux qui déclaraient, l'année précédente, que le renouvellement des mêmes erreurs conduirait en Afrique aux mêmes déboires qu'en Asie n'ont pas été entendus. Après des troubles graves en Tunisie et au Maroc, l'insurrection s'est développée en Algérie dès le mois de novembre 1954, gagnant rapidement la plus grande partie du pays : les Aurès, la Kabylie, l'Oranie, le Constantinois, où les massacres se multiplient dans les deux camps. L'état d'urgence, déclaré en mars 1955, est prolongé de six mois le 29 juillet, tandis qu'en août le gouvernement décide de rappeler le contingent libéré en avril… L'enlisement commence.

Tourné pendant cet été de 1955, alors que prend corps le drame algérien, le film n'aura guère de succès. Malgré les magnifiques paysages montagnards des environs de Modane, malgré la couleur et le Cinémascope, procédé alors en vogue. Et malgré Gérard Philipe. Lui, pourtant, aimait bien cette *Meilleure Part*. Il en conservait un bon souvenir. Sans doute parce qu'il y trouvait, exaltées, des vertus et des idées qu'il partageait, véhiculées, comme il le soulignait alors, « dans un film romancé qui est un grand documentaire[1] ». Et aussi – et surtout – parce qu'il profite du moindre instant de loisir que lui laisse le tournage pour travailler au scénario de *Till l'Espiègle*.

Till… A croire que le héros national flamand, depuis qu'il l'a découvert à la fin des années quarante, exerce sur lui une véritable fascination. Car il revient régulièrement dans ses projets. Repris, ajourné, repris de nouveau… Enfin, en 1955, Gérard, qui a toujours affirmé attendre son trente-cinquième anniversaire pour se lancer dans la réalisation, saute le pas et devance l'appel de deux années. C'est qu'il vient de s'assurer le concours de Joris Ivens, le célèbre documentariste néerlandais, qui accepte de l'assister dans l'entreprise.

Georges Sadoul est à l'origine de cette collaboration. Il connaît la passion de Philipe pour le personnage du roman de Charles De Coster. « Or, raconte-t-il, mon vieil ami Joris Ivens m'apprit, lors

1. *Ibid.*

d'un de ses passages à Paris, que la DEFA, de Berlin-Est, voulait lui confier la direction d'un autre *Till*. Il hésitait à se lancer dans une mise en scène à grand spectacle, se déroulant dans les Flandres à la fin du XVIe siècle [1]. » Pourquoi, dans ces conditions, ne pas mettre en contact les deux hommes ? La rencontre a lieu dans un petit restaurant des quais, La Bouteille d'Or, en face de Notre-Dame. Au dessert, c'est dit, ils s'attaqueront ensemble à la réalisation de *Till*, et la DEFA produira le film.

Gérard a déjà beaucoup travaillé sur le projet. A partir d'un premier traitement dû à René Wheeler, il a lui-même réalisé, après plusieurs brouillons, une continuité d'une soixantaine de pages. Il la soumet fin août à Joris Ivens. Et les deux hommes, assistés d'un troisième compère en la personne de René Barjavel, vont bâtir le scénario définitif, qui est prêt fin octobre. Pas facile, cette collaboration ! Gérard étant retenu près de Modane par le tournage de *La Meilleure Part*, Joris Ivens fait quelquefois le voyage pour confronter leurs points de vue. Ces fois-là, ils dînent dans un tranquille petit restaurant montagnard, où ils peuvent parler en paix. Mais, le plus souvent, les échanges se font par lettres…

Mais quoi ! De découpage en adaptation, de révisions en annotations, cahin-caha, *Till* avance : « Je me suis référé d'une part à l'histoire des Flandres, d'autre part aux personnages de De Coster, explique alors Gérard. La première adaptation aurait donné un film de six heures. Il me fallut donc élaguer, tout en gardant l'esprit du sujet et en laissant subsister la notion de temps et celle du pays [2]. »

1. Georges Sadoul, *Gérard Philipe*, *op. cit.*
2. *Unifrance Films*, n° 45, octobre-novembre 1956.

15

« A Moscou et à Leningrad, se rappelle Georges Sadoul, les Philipe me parlèrent de *Till l'Espiègle*[1]. » Et pour cause. Lorsqu'il arrive en octobre 1955 dans la capitale soviétique, où va se dérouler une Semaine du cinéma français, le comédien vient tout juste de mettre la dernière main à son scénario. Encore s'en faut-il de beaucoup qu'il soit complètement achevé... Gérard connaît trop le métier pour ignorer que les difficultés ne font que commencer.

La délégation française, réunie par les soins d'Unifrance, est particulièrement prestigieuse. Outre Gérard Philipe, Danielle Darrieux, Nicole Courcel, Dany Robin – et René Clair, qui a réservé au public moscovite la première mondiale des *Grandes Manœuvres*. A Paris, on a voulu marquer le coup : c'est en effet la première fois depuis la révolution qu'un groupe de comédiens français est reçu officiellement en URSS.

Ce qui ne veut pas dire que les Soviétiques ignorent tout du cinéma français. Au contraire. Les films de Darrieux, ceux de Philipe, pour ne citer que les participants au voyage, font ici l'objet d'un véritable culte. Lorsqu'elle arrive à l'hôtel Sovietskaïa, Nicole Courcel, quasi débutante à l'époque, est déjà connue de tous : *Papa, Maman, la Bonne et Moi* vient de remporter un triomphe dans toute l'URSS. Le petit groupe va d'ailleurs pouvoir juger rapidement des avantages et des inconvénients d'une telle notoriété.

Dans le cours d'un emploi du temps très chargé, les organisa-

1. *Gérard Philipe, op. cit.*

teurs ont prévu une visite des studios Mosfilm. Sans doute la nouvelle a-t-elle transpiré : c'est une foule serrée qui attend les acteurs devant leur hôtel, criant en chœur, dès que celui-ci apparaît : « Gérard ! » Et brandissant papiers et stylos. « Je me rappellerai toujours ces grappes humaines se pendant à ses basques, se souvient Nicole Courcel, toutes ces jeunes filles qui l'attendaient dans les gares, les bras chargés de fleurs. » A Moscou, comme partout, Fanfan la Tulipe est célèbre, et le plus souvent c'est aux cris de « Fanfan ! » que les juvéniles admiratrices, auxquelles se mêle une forte proportion masculine, accueillent leur idole.

Aux studios Mosfilm, construits à deux pas de l'université, sur ces collines d'où, dit-on, Napoléon contempla Moscou, les Français visitent consciencieusement les installations. Gérard se fait expliquer le fonctionnement des studios, Anne prend des notes.

Tandis qu'ils profitent d'une pause sur le plateau pour saluer le réalisateur Samsonov, des ouvriers reconnaissent Gérard Philipe. On s'attroupe autour de lui. Poignées de main, congratulations… Volodia, l'interprète, traduit. Emporté par la chaleur de l'échange, un électricien arrache de sa poitrine la brochette de décorations qui s'y trouve épinglée, la tend à Gérard : « Je les ai gagnées en prenant Berlin. Je vous les donne[1]. »

A Kiev non plus, les Français n'échapperont pas à la visite des studios. Ni à Leningrad. Mais là, une bonne surprise les attend : Marc Donskoï, en train de tourner *La Mère*, d'après Gorki[2]. Gardons-nous de railler ces pratiques qui consistaient à gaver les hôtes de visites et de films censés les édifier sur les vertus du socialisme. Sur le moment, ceux qui en étaient l'objet, sans doute gagnés d'avance, ne songeaient pas à s'en moquer. C'est Gérard Philipe lui-même qui voudra assister à la projection complète du *Soldat Maxime Perepelitsa* dont on lui montrait des extraits, ravi d'y retrouver l'esprit moqueur de *Fanfan la Tulipe*.

1. *Ibid.*
2. Il s'agit du deuxième film tourné d'après l'œuvre de Gorki, le premier étant signé Poudovkine. Donskoï est notamment l'auteur de trois films adaptés également de Gorki : *L'Enfance de Gorki*, *En gagnant mon pain*, *Mes universités*.

Non, nulle raillerie. « Ce qui me reste de ce voyage, ce sont des images de fraternité, souligne Nicole Courcel. Ce n'est qu'après, bien plus tard, que la vérité s'est fait jour… C'est vrai, quand on allait au Goum, le grand magasin, on voyait bien qu'il n'y avait pas grand-chose sur les étalages, mais en même temps les gens étaient toujours correctement habillés et on ne rencontrait pas de mendiants dans les rues ; on savait que tout le monde était soigné… Grosso modo, le voyage correspondait à ce que nous attendions. Nous n'avons rien vu d'autre que cette joie de vivre et cette gentillesse des gens… »

C'est vrai, partout l'accueil est chaleureux. Les fêtes succèdent aux fêtes, improvisées chez l'un ou chez l'autre. On boit jusqu'à l'aube, les artistes soviétiques posent mille questions aux Français. Qui les interrogent à leur tour. Un véritable courant de sympathie se crée.

A Leningrad, où se rend ensuite la délégation, Gérard prend la parole devant 2 000 étudiants. Question : « Pourquoi aimez-vous votre métier ? » Réponse : « Celui qui dirige et mérite son destin aime son métier. » « Qu'avez-vous visité à Leningrad ? – Il m'a fallu faire très vite pour voir le plus de choses possible. J'ai eu l'impression de visiter un verger dans lequel je faisais, en hâte, provision de fruits pour pouvoir les manger et les digérer plus tard »[1]. On l'acclame : « Fanfan Tulipan ! Fanfan Tulipan ! » Dehors, il neige. Gérard façonne une grosse boule entre ses mains, la lance par jeu sur Nicole Courcel. Qui lui répond, bientôt imitée par les étudiants qui les escortent. Alors s'engage une gigantesque bataille de boules de neige…

La bataille se transforme en course-poursuite le lendemain 21 octobre, lorsque Gérard et quelques-uns de ses compagnons, après avoir admiré l'isba où résida Pierre le Grand tandis qu'on construisait sa capitale, se mettent en tête de visiter le musée de l'Ermitage. Celui-ci, qui occupe le palais d'Hiver, est, comme la plupart des musées soviétiques, bondé de visiteurs venus des quatre coins de l'Union. A peine les Français ont-ils franchi le

1. Paul Giannoli, *La Vie inspirée de Gérard Philipe*, *op. cit.*

seuil que la nouvelle, propagée mystérieusement, fait le tour du bâtiment : Gérard Philipe est à l'Ermitage ! « Dès le vestiaire, note Georges Sadoul, commencera un film-poursuite dans le style du *Million* de René Clair, que la foule submergea lui-même à plusieurs reprises. » C'est donc au pas de charge que les amis traversent le département des antiquités grecques et égyptiennes, pourchassés par les admirateurs de Gérard. Quatre à quatre qu'ils grimpent les escaliers monumentaux conduisant aux salles des étages supérieurs. En vain, les gardiens verrouillent derrière eux les portes : la foule, opérant un mouvement tournant, les rejoint devant les Botticelli, et ils doivent renoncer à Léonard de Vinci. Ils ne feront qu'apercevoir les impressionnistes français.

Le soir même, on projette *Le Rouge et le Noir*, qui va bénéficier auprès du public de Leningrad d'un ambassadeur prestigieux : le grand acteur Tcherkassov en personne, l'interprète d'Eisenstein dans *Alexandre Nevski* et *Ivan le Terrible*. Danielle Darrieux et Gérard Philipe, après qu'il les a présentés, sont follement applaudis par les 2000 spectateurs présents, tandis qu'on leur remet des gerbes de fleurs.

Le film est ici exploité en deux parties, comme le souhaitait Autant-Lara, ce qui permet de rétablir les séquences supprimées en France[1]. Projeté dans son intégralité, *Le Rouge et le Noir*, qui semblait en France, à cause des coupures, trop centré sur les amours de Julien, redevient ce que ses auteurs ont voulu qu'il soit : stendhalien.

Assis dans la pénombre aux côtés de sa partenaire, Gérard Philipe est-il sensible à cette évolution ? Ou n'a-t-il d'yeux et d'oreilles que pour lui-même, « tout étonné de s'entendre parler aussi parfaitement le russe que les héros de *Guerre et Paix* ». Mais Georges Sadoul, également présent, écoute la salle, perçoit le moindre frémissement de ce public neuf, peu familier sans doute de Stendhal : « Chaque mot du dialogue portait, une vague d'émotion parcourait parfois les spectateurs, et ceux qu'avait

1. Notamment la maladie du fils de Mme de Rênal et la manière de manger « dévotement » un œuf à la coque.

enrhumés l'automne attendaient la fin d'une scène pour tousser discrètement[1]. »

Dimanche 23 octobre. Stade Dynamo à Moscou. Des drapeaux tricolores flottent au vent aigre, mêlés aux drapeaux rouges. *La Marseillaise* retentit dans la vaste enceinte, aussitôt suivie de l'hymne soviétique. Puis les haut-parleurs diffusent *Quand un soldat*, chanté par Yves Montand, et la foule reprend en chœur le refrain… La foule : 100 000 spectateurs en liesse, venus assister au match de football France-URSS. Gérard Philipe se lève, il porte un pardessus en tissu à chevrons. Dans les gradins on l'acclame, tandis qu'il descend sur le terrain. Crépitement des flashes, ronron des caméras qui vont montrer, à Paris comme à Moscou, Gérard Philipe donnant le coup d'envoi du match. Qui se terminera par un score nul d'ailleurs, les deux équipes ayant eu le bon goût d'égaliser leurs buts.

S'il avait quelque doute sur sa popularité de l'autre côté du rideau de fer, voilà Gérard rassuré. Il n'est pas près d'oublier cet hôtel de Kiev, tout plein encore de fastes impériaux décatis. Dehors, la cohue. Des milliers de personnes enthousiastes clamaient son nom. Et bloquaient la porte de l'hôtel. Nicole Courcel avait voulu tenter une sortie : la foule, en se précipitant sur elle, l'avait bien vite rejetée dans le hall. Le temps passait. « Fan-fan ! Fan-fan ! » Finalement, il s'était jeté dans la mêlée, fendant tant bien que mal ce flot agglutiné. Il avait pu se frayer un passage jusqu'à la Zim noire qui attendait de l'autre côté du fleuve humain… Puis il était revenu à l'hôtel chercher ses camarades, tandis que le chauffeur s'ouvrait un chemin à grands coups de klaxon.

Devant le Théâtre Michel, à Leningrad, où la délégation assistait à une représentation de ballets, il avait fallu l'intervention des gardes à cheval pour disperser les admirateurs. Et combien de jeunes Moscovites sur le quai, les bras chargés de fleurs, lorsqu'il était descendu de son wagon-lit le matin du match ?

1. *Gérard Philipe, op. cit.*

Mais toutes ces bousculades fraternelles, ces cohues amicales lui laissent un souvenir amer. Non point qu'il les méprise, lui qui, cette même année, déclare sans illusion à Pierre Billard : « Le moment où la vedette manifeste un certain dégoût ou un certain mépris pour l'enthousiasme du public indique que son standing est au meilleur point et qu'elle peut se permettre d'être méprisante. Le moment où la faveur du public se retire retrouve la vedette en plein désarroi et lui fait rechercher à nouveau cette faveur[1]. »

Non. C'est qu'il a constamment devant les yeux d'autres images. S'il n'a vu en Union soviétique que joie de vivre, gaieté et gentillesse, comme le rapporte Nicole Courcel, c'est sans doute qu'on a pris soin de lui cacher le reste. Mais à Ljubljana, six mois plus tôt, tandis que le TNP donnait une série de représentations en Yougoslavie, il n'a pas pu ignorer la situation de son ami, l'écrivain et cinéaste José Javorsek. Comme il n'avait pas pu, auparavant, ignorer ce qui se passait en Pologne.

Les deux hommes se sont connus à Paris, peu de temps après la guerre, alors que Gérard jouait *Caligula*, et se sont liés, dit Javorsek lui-même, d'une de ces « amitiés dont la richesse ne se perd pas de sitôt[2] ». Mais, début avril 1955, quand le comédien, en provenance de Bratislava, débarque avec la troupe du TNP à Ljubljana, dans le cadre d'une tournée à l'Est, il découvre quel calvaire son ami vient de traverser. Arrêté dès son retour en Yougoslavie en 1948, accusé sans preuve de stalinisme – crime majeur depuis que Tito a rompu avec l'URSS –, incarcéré dans des conditions extrêmement rigoureuses, Javorsek est resté quatre années en prison. Pour ne trouver à sa sortie que des gens qui se détournaient de lui comme d'un pestiféré. A commencer par sa famille. « Gérard a senti dans quel pétrin je me trouvais, témoigne-t-il, c'est pourquoi il s'est affiché partout avec moi et m'a entraîné devant les photographes et les cinéastes qui nous poursuivaient inlassablement. Sans parler des jeunes filles[3] ! » A

1. *Cinéma 56*, n° 8.
2. José Javorsek, *La Mémoire dangereuse*, Arléa, 1987.
3. *Ibid.*

Belgrade, où cinq représentations du *Cid* sont annoncées, le vice-président du Conseil exécutif fédéral et le ministre des Affaires étrangères, Kotcha Popovitch, un ex-poète surréaliste, honorent la première de leur présence. A l'issue du spectacle, la foule, qui semble bien décidée à ne pas bouger, bloque, une fois de plus, les issues du théâtre. Pas question de sortir avant plusieurs heures. Dans la loge où Popovitch l'a rejoint, Gérard prend son mal en patience : « Pourquoi me demande-t-on un passeport ? Tout le monde semble me connaître [1] ! » Et, puisqu'on en est au chapitre des passeports, il évoque le cas de son ami Javorsek… La faveur de Gérard Philipe vaut réhabilitation – ou presque. Et d'Athènes, où la tournée se poursuit, il peut télégraphier à son ami : « Ton passeport t'attend, au revoir. A Paris [2] ! »

9 février 1956. Soirée à l'ambassade de Pologne, à Paris. Toute la troupe du TNP est là. On attend Gérard. Les jeunes secrétaires de l'ambassade se désolent : « Quand est-ce qu'il vient, Gérard Philipe ? » Le temps passe. Coup de téléphone. « M. Philipe s'excuse, sa femme vient d'accoucher d'un garçon ; il ne pourra pas venir. » Alors, Daniel Ivernel : « Je ne savais même pas qu'il allait être père une seconde fois [3]. »

Tous le lui répètent sur le plateau, Joris Ivens le premier. Et sa script, Lucile Costa, qu'on appelle Minouche : « Laisse filer, Gérard, ne coupe pas si sec. » Mais Gérard ne veut rien savoir : « Coupez ! », commande-t-il à la caméra sans attendre. Il espère obtenir un rythme soutenu, un tempo vif, bien accordé aux espiègleries de Till. Or tout le monde sait que c'est le contraire qui se produit : au montage, on crée plus facilement le mouvement avec des séquences trop longues, les images pouvant alors se chevaucher d'une scène sur l'autre ; en revanche, des plans coupés trop court ralentissent un film. Tout le monde sait ça, sauf lui, qui ne veut pas le savoir et s'entête. « Laisse filer, Gérard, répète en

1. Cité par Jean-Claude Bardot, *Jean Vilar*, *op. cit.*
2. José Javorsek, *La Mémoire dangereuse*, *op. cit.*
3. *In* Paul Giannoli, *La Vie inspirée de Gérard Philipe*, *op. cit.*

vain Minouche pour la vingtième fois, tu vas avoir des ennuis au montage. »

A la projection, on se rend compte en effet que *Till* est un film massacré par le montage… Mais pour l'instant Gérard a bien d'autres soucis, à commencer par l'obligation d'être devant et derrière la caméra. Jouer la comédie et diriger en même temps des dizaines d'acteurs et de figurants, ce n'est pas une mince affaire – même s'il affirme : « C'est pratique, le metteur en scène que je suis n'a pas à expliquer le rôle à l'acteur que je suis[1]. » Surtout par moins vingt degrés. Craignant que le climat ne soit trop clément dans les Flandres (le scénario comporte des scènes de patinage sur les canaux gelés), Gérard Philipe et Joris Ivens, en accord avec la DEFA, ont décidé de planter leurs caméras en Suède, à Talberg, petite station de ski de fond, à une centaine de kilomètres au nord de Stockholm. Sur un grand lac gelé où les chasse-neige ont dispersé les congères, quarante-cinq hectares de plaine flamande ont ainsi été reconstitués. Et, pour compléter l'illusion, on a planté quelques arbres dans la glace : « C'était épatant, ce lac, commente aujourd'hui Rosine Delamare. Pour planter un arbre, il suffisait de faire un trou et de mettre l'arbre dedans. Avec le froid, ça gelait à nouveau en un temps record ! Et ça tenait ! » Les étudiants locaux fournissent la figuration. Car, durant trois semaines, vont être tournées ici les scènes de poursuite sur la glace, celles où Till, après une course éperdue sur les canaux gelés, rattrape le capitaine Juan alors que celui-ci s'apprête à tirer sur le prince d'Orange. Et détourne le coup au dernier moment.

Tout le film, chronique de l'occupation des Pays-Bas par l'Espagne au XVIe siècle, repose sur les faits et gestes de ce Till, héros mythique revendiqué au moins par deux cultures, l'allemande et la flamande.

Un village de la Flandre. C'est la fête du printemps, dont les jeunes gens, Till en tête, saluent le retour par des jeux et des danses. Une manière d'oublier que depuis vingt-cinq ans la

1. *Les Lettres françaises*, 1er novembre 1956.

domination espagnole pèse sur le pays. Justement une patrouille espagnole survient, à la recherche d'une autre patrouille disparue. Les occupants brutalisent les villageois. Claes, le père de Till, est brûlé vif sous les yeux de son fils, qui n'aura de cesse désormais qu'il n'ait libéré le pays de la tyrannie espagnole. Avec pour seule arme la bouffonnerie, les farces...

A la mi-mars, l'équipe plie bagages. Direction : Nice, les studios de la Victorine, où Léon Barsacq a reconstitué la grand-place et les maisons d'une bourgade flamande. De passage dans le Midi, à l'occasion du Festival de Cannes, Georges Sadoul rend visite à ses amis sur le plateau de la Victorine : « On me raconta les exploits acrobatiques de Gérard Philipe dans le grand décor du village flamand. On n'y tournait aucune scène ce jour-là. J'allais donc voir, dans une sorte de hangar, Gérard Philipe diriger l'acteur allemand Erwing Geschonnek, installé dans un carrosse que secouaient des machinistes. [...] Joris Ivens laissait faire Gérard, en se contentant de traduire du français en allemand quelques indications[1]. » Puis c'est l'Allemagne, les environs de Leipzig, où sont tournées les scènes de bataille. Des centaines de figurants, ouvriers des usines voisines quasi enrôlés de force, auxquels se sont mêlées des femmes, ce qui pose quelques problèmes à Rosine Delamare : « Elles étaient beaucoup trop petites pour les costumes ! »

Ces costumes, elle les a conçus en s'inspirant des tableaux de Breughel, comme le souhaitait Gérard Philipe. Une grande partie d'entre eux sera d'ailleurs réalisée en République démocratique, par les soins de la DEFA : « Les tenues des paysans, par exemple, taillées dans un molleton de coton beige dont on se sert habituellement pour doubler les rideaux ! C'est qu'il n'y avait pas un très grand choix de tissus. Mais ils l'ont teint d'après les maquettes que j'avais fournies, et comme c'est une matière qui prend assez mal la couleur, cela donnait exactement les nuances douces et un peu passées des Breughel. »

Les prises de vues se terminent le 13 juillet. Gérard a tout juste

1. Georges Sadoul, *Gérard Philipe*, *op. cit.*

le temps de rejoindre Avignon, où Jean Vilar l'attend le 15, pour trois représentations du *Prince de Hombourg*. Et pour une séance de lecture, « Poésie et revendication », qui a lieu au verger d'Urbain V et à laquelle participe aussi Henri Pichette. C'est là que le rencontre le reporter d'*Unifrance Films*, magazine professionnel destiné à promouvoir les nouveautés cinématographiques : « Le Rhône roule ses eaux épaisses devant la terrasse ensoleillée. Sur l'autre rive, au-delà des feuillages de l'île, on aperçoit les tours du palais des Papes où Gérard Philipe sera ce soir le jeune prince de Hombourg. Mais pour l'heure il est tout entier avec Till dans la plaine flamande. Il se réjouit de l'épreuve, sans se méprendre pour autant sur les dangers et les embûches de cette nouvelle tâche[1]. »

A croire que le journaliste possède le don de double vue... Car les embûches, en effet, ne vont pas manquer.

Est-ce la fin de la guerre froide ? A Moscou, où se tient en février le XXe Congrès du parti communiste de l'Union soviétique, Khrouchtchev affirme haut et fort que la guerre n'est pas inévitable ; la victoire de la classe ouvrière ne passe pas nécessairement par la lutte armée. A l'Ouest, la surprise est grande, d'autant plus lorsque commence à transpirer le contenu du long rapport qu'a prononcé le 25 février, à huis clos, le premier secrétaire du Parti devant les délégués éberlués. La brutalité du réquisitoire a effectivement de quoi surprendre : la dénonciation des crimes de Staline est sans équivoque. Tout est dit, chiffres à l'appui : les déportations, les procès, les exécutions. Ce qui ne manque pas de soulever aussitôt des questions. Comme le souligne Simone de Beauvoir, évoquant ce moment dans *La Force des choses* : « Il ne suffisait pas de déboulonner Staline, il aurait fallu analyser le système qui avait rendu possibles sa tyrannie et ses "crimes sanglants". [...] La dictature policière ne risquait-elle pas de renaître au profit d'une autre équipe ? Les gens qui dénonçaient aujourd'hui le "culte de la personnalité"

1. *Unifrance Films*, n° 45, octobre-novembre 1956.

avaient travaillé avec Staline : pourquoi n'avaient-ils rien dit? Jusqu'où allait ou n'allait pas leur complicité ? Et quel crédit leur accorder ? »

Autant de questions, autant de silences. Surtout à Paris, où le PC garde un mutisme prudent : les lecteurs de *L'Humanité* n'ont droit qu'à quelques vagues commentaires du rapport « attribué » à Khrouchtchev. L'heure de la déstalinisation n'a pas encore sonné. Mieux, à peine rentré de Moscou, Jacques Duclos fait acclamer le nom de Staline lors d'un meeting parisien qui se tient salle Wagram. Et lorsque *Le Monde*, le 6 juin, commence la publication du fameux rapport, des voix s'élèvent, au sein du Parti, pour en contester l'authenticité. En conséquence de quoi le XIVe Congrès, qui se tient au Havre dans le courant de l'été, fait purement et simplement l'impasse sur le sujet.

Bien sûr, la manœuvre ne passe pas inaperçue. Même dans les rangs communistes, où il se trouve des militants pour la contester : Hélène Parmelin et Édouard Pignon, entre autres, quitteront spectaculairement le congrès. Gérard Philipe s'alarme. Lui qui a toujours voulu comprendre, honnêtement comprendre, sent quelque chose vaciller : pourquoi cette fronde ? Et, surtout, pourquoi maintenant? Pourquoi ces communistes, qui ont tout avalé[1] depuis la Libération, sont-ils à présent en rupture ? « Je me souviens d'un matin où nous sommes allés chez lui à sa demande, se souvient Hélène Parmelin. Il était un peu souffrant et nous l'avons trouvé encore couché. Très troublé par le fait qu'au Havre le PC soit resté sur ses positions en choisissant d'ignorer les dénonciations de Khrouchtchev. D'autant plus troublé qu'il avait souvent payé de sa personne, sinon dans les rangs communistes, du moins dans ceux du Mouvement de la paix… »

Les semaines qui vont suivre ne contribueront guère à le rasséréner. Car si les communistes français ont gardé le rapport Khrouchtchev sous le boisseau, à l'Est, au contraire, il est en train de faire l'effet d'une bombe. Les Polonais, les premiers, vont tenter d'en tirer parti. Dès le mois de juin, les métallos se

1. C'est exactement le mot employé par Gérard Philipe, précise Hélène Parmelin.

mettent en grève à Poznań : ils protestent contre un régime qui les ligote et les affame. La police tire. Bilan officiel : 48 tués. Ce qui n'empêche pas les désordres de reprendre en octobre. Moscou cède – ou paraît céder – et rappelle Wladyslaw Gomulka, l'ex-secrétaire général du parti ouvrier chassé par les staliniens en 1948. Et l'on commence à parler d'autonomie, de retrait des troupes soviétiques, de gestion ouvrière dans les entreprises – bref, de démocratisation. Quand, brusquement, Khrouchtchev en personne, flanqué de Molotov, de Joukov et de quelques autres, débarque à Varsovie... Les blindés soviétiques ont pris position autour de la capitale. Dans les usines, les ouvriers s'arment. Gomulka rameute les troupes polonaises. L'affrontement paraît inévitable. C'est alors que Khrouchtchev repart, tout aussi soudainement qu'il était arrivé... La voie de la déstalinisation semble libre.

Déjà, le levain de la liberté a pris ailleurs. En Hongrie, où, le 23 octobre, 300 000 personnes défilent dans les rues de Budapest pour manifester leur soutien à la Pologne. Mais, très vite, les « Vive Nagy ! » – écarté de la scène politique pour avoir sonné trop tôt l'heure des réformes – se substituent aux « Vive la Pologne ! ». Et quand le cortège parvient sur la rive gauche du Danube, les manifestants s'attaquent sans hésiter à la monumentale (sept mètres de hauteur) statue de Staline qui domine la place Kossuth de toute sa masse de bronze. Le soir même, le « Petit Père des peuples » décapité gît dans la poussière. Le lendemain, l'insurrection a gagné tout le pays. Les insurgés réclament le retour d'Imre Nagy, une politique indépendante de l'URSS, certains allant jusqu'à réclamer l'abandon du pacte de Varsovie. Autant de revendications que reprend à son compte Imre Nagy dès qu'il est appelé au pouvoir par le Comité central. Le soulèvement affiche désormais son anticommunisme à visage découvert. Ce que Moscou ne peut tolérer plus longtemps. Le 4 novembre, les chars de l'Armée rouge entrent dans Budapest. L'intervention va durer cinq jours, jusqu'au 8 novembre. Violente, meurtrière : 13 000 blessés, plus de 3 000 morts, d'après les statistiques officielles – beaucoup plus, sans doute. Lorsque tout rentrera « dans l'ordre », quelques semaines plus tard, une implacable répression s'abattra sur le pays : arrestations en masse (dont celle de Nagy, réfugié à l'ambassade de Yougoslavie), reconstitution de la police politique... Et la peur, la vieille compagne, s'installe à nouveau. Tournant l'année suivante à Budapest[1], où elle réside quatre mois, Nicole Courcel constate : « Maintenant, tout le monde avait peur de parler. »

En France, l'émotion est considérable. *Paris-Match* publie les photos des émeutes au cours desquelles le reporter Jean-Pierre Pedrazzini a été tué par une balle soviétique. Au milieu de la réprobation générale – de la colère aussi –, le parti communiste, seul, soutient l'intervention russe. Par le biais d'un communiqué, repris le 5 novembre dans *L'Humanité*, et qui porte à un tel point le style maison qu'il en semble parodique : « Barrant la route à ceux qui furent les alliés de Hitler, aux représentants de la réaction et du Vatican que le traître Nagy avait installés au gouvernement, la classe ouvrière hongroise, dans un sursaut d'énergie, a formé un gouvernement ouvrier et paysan qui a pris en main les affaires du pays. »

Cette attitude achève de jeter le trouble chez les intellectuels, déjà sous le choc de l'événement. Picasso et neuf compagnons, dont Édouard Pignon, Francis Jourdain, Henri Vallon, rendent publique une lettre – on l'appellera la « Lettre des Dix » – dans laquelle ils demandent au PC la réunion immédiate d'un congrès extraordinaire. En vain. De leur côté, Sartre, Beauvoir, Roger Vailland, Claude Roy, Vercors, auxquels se joint Gérard Philipe, signent une protestation contre l'intervention russe que publie *France-Observateur*. Certes, ils prennent soin de préciser qu'ils dénient le droit de s'indigner à ceux qui n'ont pas élevé la voix, l'année précédente, pour défendre le Guatemala écrasé sous la répression – mais le cœur n'y est pas.

En ces jours houleux, Gérard Philipe fréquente assidûment les studios de la rue Francœur, au pied de la butte Montmartre : il met au point la copie définitive des *Aventures de Till l'Espiègle*,

1. *La Belle et le Tzigane*, de Jean Dréville et Marton Keleti.

dont la sortie est annoncée sur les écrans parisiens le 7 novembre. Sur un plateau voisin, ses amis Simone Signoret et Yves Montand tournent les dernières scènes des *Sorcières de Salem*, sous la direction de Raymond Rouleau. Le film, coproduit lui aussi par la DEFA, a pris beaucoup de retard sur les bords de la Baltique, pendant le tournage des extérieurs. Le chanteur s'est donc trouvé contraint de retarder la série de récitals qu'il devait donner en URSS dès les premiers jours de novembre. Maintenant, le voilà piégé. Tout le monde guette la réaction du couple vedette. Partira ? Partira pas ? Partir et chanter à Moscou, c'est cautionner l'invasion soviétique ; rester, c'est faire le jeu des réacs…

Un de ces soirs-là, le 5 novembre sans doute, Gérard et les Montand dînent ensemble dans un petit bistrot proche des studios. C'est l'heure des informations télévisées ; dans la salle, un récepteur diffuse les images enregistrées à Budapest : les chars, les cadavres, les maisons éventrées, la fusillade… Accablés, ils regardent en silence. « Gérard Philipe, qui est placé au milieu, attrape soudain Montand et Signoret par le cou et leur susurre doucement à l'oreille : "Vous allez être heureux en URSS, très heureux. Heureux comme ça." Et, d'un coup, il feint de les étrangler, puis de leur taper sur le crâne [1]. »

Très vite, dans les rangs des intellectuels, la contestation fait place à la grogne. « Il y avait de grandes réunions du Mouvement de la paix », note Simone Signoret dans *La nostalgie n'est plus ce qu'elle était*. Séances houleuses, car le Mouvement, fidèle comme toujours à la ligne du Parti, approuve l'intervention des chars au lieu de la condamner. « Je n'oublierai jamais, poursuit Signoret, ce dimanche après-midi […]. Vercors […] a fait un discours superbe dans lequel il expliquait qu'il avait été une potiche pendant très longtemps, et content d'être une belle potiche exhibée dans les occasions particulières ; il avait été une bonne potiche pour les Rosenberg, mais maintenant il sentait qu'il n'allait plus pouvoir continuer à faire la potiche… »

Ce dimanche-là, aux côtés de Signoret et d'Yves Montand,

1. Hervé Hamon, Patrick Rotman, *Tu vois, je n'ai pas oublié*, *op. cit.*

Anne et Gérard Philipe ont pris place au premier rang. Le discours de Vercors les atteint en plein cœur. Eux aussi, et plus d'une fois, ont joué les potiches. Des potiches, comme le souligne l'orateur, qui se plaçaient toutes seules sur des étagères où elles faisaient très bien… « Tandis que je parle, raconte Vercors, ce regard de Gérard Philipe ! Brillant, intense, l'attention et l'indignation l'éclairent d'un feu sombre et violent. C'est pour lui maintenant que je parle. Lorsque j'en viens à comparer, dans le Mouvement, les rapports dictatoriaux de la majorité (communiste) avec la minorité (qui ne l'est pas) au mari qui a tout réglé dans son ménage, Gérard éclate de rire[1]. » Rire amer. Car le comédien vient de prendre sa décision : il ne remettra plus les pieds aux réunions du Mouvement.

Mercredi 7 novembre 1956. Depuis le début de l'après-midi, *Les Aventures de Till l'Espiègle* sont à l'affiche de trois cinémas parisiens : le Paris, sur l'avenue des Champs-Élysées, le Wepler, place Clichy, et le Berlitz, près de l'Opéra. Qui s'en soucie ? La nuit est déjà tombée quand, vers dix-huit heures, des groupes se forment sur les Champs-Élysées et les avenues voisines convergeant vers l'Étoile. Une foule dense, grossie de minute en minute, qui vient manifester sa colère et surtout son soutien à la Hongrie martyrisée. Sous l'Arc de Triomphe, près de la flamme, le ministre de la Justice, François Mitterrand. A ses côtés, d'autres ministres, anciens ou actuels : Georges Bidault, Paul Reynaud, Antoine Pinay… Mais aussi, entourés de leurs troupes, les avocats Tixier-Vignancourt et Biaggi, ténors de l'extrême droite, prêts s'ils le peuvent à récupérer la manifestation. La foule est nerveuse. Des cris fusent : « Thorez au poteau ! » Des mots d'ordre contradictoires courent dans les rangs : « Carrefour Châteaudun ! », « A *L'Huma* ! » Quelques milliers de jeunes gens s'engagent alors au pas de course sur les Champs-Élysées, dans le but de rejoindre, rue Le Peletier, le bastion du parti commu-

1. *L'Événement du Jeudi*, 18 février 1988. Vercors reprend la comparaison avec les potiches dans son ouvrage *PPC*.

niste, où va s'organiser pendant quelques heures un véritable siège. Ils passent en courant devant la façade éclairée du Paris, sans jeter un regard à l'affiche où Gérard Philipe sourit, coiffé du bonnet bigarré de Till. Ce Till, défenseur de son peuple opprimé par l'occupant…

Pendant ce temps, d'autres manifestants se lancent à l'assaut des locaux de *L'Humanité*, boulevard Poissonnière. Tandis que les typographes, retranchés dans les étages, bombardent les assaillants à l'aide de lingots de plomb, ceux-ci, qui ont fait main basse sur toutes les poubelles du quartier, s'abritent sous les couvercles retournés comme sous des boucliers. Le lendemain, les journaux publient une photo du siège du PC d'où s'échappe une épaisse fumée. Titre : « L'incendie du Reichstag français. »

Dans la presse comme dans l'opinion, l'anticommunisme est au plus haut. Les compagnons de route ne sont pas davantage épargnés. C'est la curée. Cela pour le plus grand malheur de la carrière des *Aventures de Till l'Espiègle*. Il va arriver au film ce qui est naguère advenu au *Dernier Milliardaire* de René Clair (le réalisateur s'y moquait des dictateurs), sorti début février 1934, en pleins troubles populaires : l'échec commercial pur et simple. A vingt années de distance, les mêmes causes reproduisent les mêmes effets. En outre, comme le souligne Rosine Delamare, qui a vécu ces journées : « Un film qui montre l'occupation d'une manière légère, comique, avec un héros qui fait des farces aux occupants en leur jetant de la farine ou en les prenant dans un filet, cela peut passer en temps normal. Mais au moment où tout un peuple se fait massacrer par les tanks, ça tombe mal ! »

D'autant plus mal que le film en question a été largement financé par des capitaux venus du camp de l'oppresseur et que personne n'ignore que c'est de ce côté que vont les sympathies politiques du réalisateur… Mais tout cela aurait sans doute été oublié si le film avait emporté l'adhésion. Après tout, la cote d'amour de Gérard auprès du public est intacte, son charisme, comme on dit aujourd'hui, sans faille. Hélas, il faut bien le reconnaître, *Till* est un film médiocre. L'esprit léger qui soufflait sur *Fanfan la Tulipe* n'est pas au rendez-vous. Médiocre, mal monté et mal joué. A commencer par Gérard Philipe lui-même, sans doute trop occupé par sa tâche de metteur en scène, qui gambade en vain, tandis que Jean Vilar campe un improbable duc d'Albe.

C'est un double éreintement que va subir Gérard. De la part des critiques, notamment André Bazin, François Truffaut, ce qui n'a rien d'inhabituel [1]. Mais aussi de la part de toute une presse qui d'ordinaire le respecte. Dans *Le Canard enchaîné*, par exemple, l'humoriste Treno, raillant les hésitations d'Yves Montand qui ne se décide pas plus à partir à l'Est qu'à annuler sa tournée, égratigne au passage communistes et compagnons de route. Gérard n'est pas épargné : « Cette Commune de Budapest qui ne veut pas mourir, malgré les tanks et l'artillerie, malgré les sbires de Kadar et malgré Stil-l'Espiègle [2], elle est bien gênante, on vous l'accorde. »

On comprend donc qu'il soit horriblement triste, comme le rapporte Yves Montand, ce déjeuner qu'organisent chez eux, rue de Tournon, Anne et Gérard Philipe, dans la seconde quinzaine de novembre – en quelque sorte, le déjeuner des illusions perdues.

Un mois plus tard, le 16 décembre, le chanteur s'envole enfin pour Moscou. Il emporte dans ses bagages un exemplaire des *Temps modernes*, la revue dirigée par Jean-Paul Sartre. Réalisé entre le XXe Congrès et les événements de l'automne, ce numéro fait le point sur la situation, critique les relations de l'URSS avec les pays satellites et blâme les interventions russes. C'est Gérard Philipe qui le lui a donné avant le départ.

Si Montand est finalement parti, c'est à cause d'un coup de téléphone. Le 3 décembre, en effet, le producteur Henry Deutschmeister, pour qui il doit incarner le peintre Modigliani sous la direction de Max Ophuls, lui met brutalement le marché en main : « Si tu pars chanter là-bas, tu ne fais pas le film. Mes

1. François Truffaut a toujours manifesté une grande violence dans ses jugements à l'égard de Gérard Philipe, comme Jean-Luc Godard ou Éric Rohmer. C'est-à-dire les tenants de la future Nouvelle Vague.

2. « Stil-l'Espiègle » désigne l'écrivain-journaliste communiste André Stil qui, le 20 novembre, écrit dans *L'Humanité* : « Budapest recommence à sourire à travers ses blessures. » Dans *La Force des choses (op. cit.)*, Simone de Beauvoir commente : « Le sourire de Budapest d'André Stil resta en travers de bien des gorges. »

distributeurs et les exploitants m'ont fait savoir que, dans ce cas, ils ne voudraient pas d'un film dans lequel tu serais[1]. » Rage froide du chanteur, qui décide sur-le-champ de partir. Et reçois, deux mois plus tard, alors qu'il se trouve à Leningrad, un télégramme de Gérard Philipe lui demandant s'il doit accepter le rôle de Modigliani que lui propose le même Deutschmeister. « Fais comme tu le sens », répond Montand. Qui avouera toutefois, trente ans plus tard : « Ce film, je l'aurais fait avec joie. A cause de ça, j'ai d'ailleurs été fâché quelque temps avec Gérard Philipe et Jacques Becker[2]. »

Car Max Ophuls est mort à Hambourg, le 26 mars 1957, et c'est Becker qui le remplace au mois d'août, derrière la caméra, pour raconter les dernières années du grand « Modi ». Étrange film, qui accumule, au cours de sa réalisation, les contretemps et les contradictions, les scénaristes, les procès, les titres *(Montparnasse 19, Les Amants de Montparnasse, Montparnasse)*. Et d'où, finalement, le personnage d'Amedeo Modigliani est comme évacué, chassé par l'énorme présence de Gérard Philipe. Une fois encore, malgré tout le talent de Becker, le cinéma se révèle impuissant à montrer le génie. Vies romancées d'écrivain, de musicien, de peintre – combien en avons-nous vu de ces histoires pleines de cris, de doutes et d'alcool, tournant à vide sans parvenir à sortir des ornières de la convention. Sans doute parce que le génie est inimitable. Et les tourments qu'exprime Gérard Philipe, bien qu'au dire de Georges Annenkov il se soit initié à la manière de tenir une palette, de se camper devant un chevalet, ne sont pas un instant – ne peuvent pas être – ceux qu'éprouva Modigliani. Rendant compte du film, le critique Georges Charensol, qui a connu le Montparnasse des années vingt, conclut dans ce sens son article des *Nouvelles littéraires* : « Il n'en reste pas moins que nous sommes quelques-uns à pouvoir dénoncer la totale fausseté de cette pâle imagerie d'Épinal. »

1. Simone Signoret, *La nostalgie n'est plus ce qu'elle était, op. cit.*
2. Entretien inédit.

16

L'année 1956 a été rude. Aussi, c'est avec empressement qu'Anne et Gérard répondent, au printemps 1957, à l'invitation de la Direction des relations culturelles de se rendre en Chine. De véritables vacances, après ces semaines rongées par le doute et l'impression d'avoir été joués. Anne retrouve en outre un pays qu'elle a connu et aimé dix ans auparavant, et qui s'ouvre aux étrangers en cette période libérale dite « des Cents Fleurs »[1].

A Pékin, sous la conduite de leur guide, ils peuvent constater « la patience et l'obstination des Chinois qui sont en train de vaincre lentement et résolument la pauvreté et l'ignorance, et de faire de leur pays misérable une grande nation[2] ». Et quelle surprise lorsque, sur l'écran géant d'un cinéma de Shanghai, ils entendent tout à coup Fanfan parler chinois... L'infatigable Fanfan que la jeunesse, aussi enthousiaste qu'ailleurs, surnomme ici « Fanfan le Lotus ».

« Gérard avait pu accumuler de précieuses et rares expériences : débarquer par exemple de Chine pour prendre, quelques jours plus tard, l'avion pour New York », note Claude Roy[3]. En effet, il est à New York en avril, accompagnant une fois de plus une délégation du cinéma français. Avec lui, Micheline Presle, Françoise Arnoul et Jean Marais. New York... Autant dire un autre monde après la Chine : cocktails, réceptions, mondanités

1. Elle retournera en Chine, seule, vingt ans après la mort de Gérard, en 1979.
2. Lettre de Simone de Beauvoir à Nelson Algren, citée *in* Deirdre Bair, *Simone de Beauvoir*, *op. cit.*
3. *Souvenirs et Témoignages*, *op. cit.*

en tout genre, interviews... La plupart du temps, c'est Micheline Presle qui répond aux questions des journalistes, car elle est la seule dans le petit groupe à parler convenablement l'anglais. Comme ce jour où ils sont conviés à une émission fameuse qui se flatte d'avoir eu sir Winston Churchill parmi ses invités. Des invités qui ne sont pas à la fête, puisque le principe de l'émission veut qu'à la fin de l'entretien une « question surprise » – et de préférence perfide – leur soit posée. On parle des uns et des autres, des films présentés, du cinéma français, et arrive le moment de la fameuse question. L'animateur se penche vers Micheline Presle et lui demande à brûle-pourpoint ce qu'elle pense de l'accueil que Paris vient de faire à un général allemand reçu sous l'Arc de Triomphe avec tous les égards. « Or, raconte la comédienne, je venais juste d'apprendre une chose qui m'avait paru sur le moment extraordinaire, à savoir qu'après Pearl Harbour les Américains avaient continué à vendre des bateaux de guerre aux Japonais. J'ai appris depuis que ça se faisait couramment ! » Alors Micheline Presle, du tac au tac : « Et vous, monsieur, que pensez-vous des États-Unis qui, pendant la guerre, vendaient des bâtiments de combat aux Japonais ? » Interloqué, le journaliste bat en retraite : *« Thank you, miss Presle. »* Lorsqu'elle rejoint ses camarades, Gérard n'est pas le dernier à la féliciter pour son sens de la repartie.

Après New York, le petit groupe poursuit sur San Francisco, Los Angeles. A Hollywood, les Français sont reçus par quelques acteurs américains : Jean Simmons, Joan Fontaine, Glenn Ford, David Niven, Russ Tamblyn... Et Jayne Mansfield, vêtue de dentelle et de mousseline noires, pose près de Gérard pour les photographes.

Au mois de mai, tandis qu'il tourne *Pot-Bouille* aux studios de Billancourt, Gérard reçoit dans sa loge la visite de Jean Darcante. L'ex-secrétaire général du Syndicat national des acteurs vient en solliciteur, mandaté par quelques-uns de ses camarades. Depuis déjà des années, la confusion règne dans le syndicat, où se heurtent deux groupes antagonistes. D'une part, les « anciens », partisans, comme leur nom l'indique, de la tradition et qui tiennent le conseil syndical ; de l'autre, groupée autour de Jean Darcante, une nouvelle génération, issue de la guerre, consciente des problèmes qui se posent à la profession avec le développement de la télévision et la décentralisation théâtrale. Le conflit est arrivé à un point tel que le syndicat semble au bord de l'éclatement. Ce que Darcante et ses amis, Bernard Blier notamment, voudraient éviter, conscients de la gravité d'une scission syndicale. Gérard Philipe, symbole du théâtre populaire, leur semble le recours. Autour de lui, prestigieux entre tous, personnalité incontestée, ils veulent tenter de réunir assez de comédiens pour impressionner les « anciens » du conseil syndical.

Dans sa loge, encore vêtu de la redingote d'Octave Mouret, Gérard Philipe écoute son camarade sans broncher. Jusqu'ici, les questions corporatives ne l'ont guère préoccupé. Non point qu'il n'ait pas de position syndicale, mais, tout en étant d'accord pour l'essentiel avec son interlocuteur, il doit avouer qu'il ignore tout des remous qui agitent la profession. Mais il veut comprendre, comme à son habitude, comprendre complètement. « Raconte », demande-t-il à Jean Darcante[1].

Les problèmes ne datent pas d'hier, et d'ailleurs leur évolution au cours des années explique en grande partie la crise actuelle. Créée pendant la Première Guerre mondiale, l'Union des artistes a d'abord eu une vocation sociale. C'est à partir de 1936, c'est-à-dire à l'époque du Front populaire, qu'elle prend le nom de Syndicat national des acteurs (gardant en sous-titre la mention « Union des artistes dramatiques et lyriques de langue française »). Celui-ci adhère à la CGT deux ans plus tard, adoptant du même coup des positions plus revendicatrices (création de conventions collectives, par exemple). Pendant l'Occupation, le syndicat retrouve sa vocation sociale, organisant notamment le déjeuner des artistes au premier étage du magasin des Galeries Lafayette, un « restaurant » où les acteurs peuvent manger pour 1 franc. Ce qui n'empêche pas que se crée un réseau de résis-

1. Jean Darcante, *Bulletin du SFA*, 1960.

tance, fin 1943-début 1944. Dont les membres, à la Libération, vont tenter de s'emparer du pouvoir, au détriment de la vieille garde : prise *manu militari* des locaux de l'Union, rue Monsigny, comités d'épuration... C'est une période incertaine qui commence – elle durera une année, jusqu'à l'assemblée générale de juin 1945, au cours de laquelle vont cohabiter deux tendances opposées : les « vieux », ceux qui ont en quelque sorte gardé la maison pendant la guerre, et les « jeunes », issus de la Résistance, conduits par des hommes tels que Jean Meyer, Jean Darcante ou Julien Bertheau.

Coup de théâtre : à l'assemblée générale de juin 1945, qui réunit 2500 personnes dans la salle du Châtelet, les « vieux », contre toute attente, sont mis en minorité[1]. L'Union radicalise alors ses positions dans un esprit résolument syndical et, en 1948, lors d'une seconde assemblée générale historique, qui se tient cette fois à l'Opéra-Comique, décide à l'unanimité son maintien à la CGT. La crise n'en est pas pour autant définitivement résolue ; elle ne demande qu'à se manifester à nouveau. Au seuil des années cinquante, elle va cristalliser sur deux phénomènes récemment apparus : la télévision et la décentralisation théâtrale. Il n'est pas nécessaire d'être devin pour comprendre alors que la télévision, qui n'en est encore qu'à ses débuts, est appelée à un grand avenir et qu'elle constitue un débouché important pour les artistes. Ce que conteste le courant traditionnel, partisan d'un corporatisme strict et qui s'en tient à sa propre conception du théâtre : le boulevard et les troupes institutionnelles (celle de la Comédie-Française, par exemple) – tout le reste n'étant à ses yeux qu'amateurisme. Le reste, c'est-à-dire la télévision, mais aussi les centres dramatiques de province qui sont en train de voir le jour, le TNP déjà célèbre... Bref, tout ce qui représente à bien des égards la partie la plus vivante, la plus riche de la profession.

Tout cela ne serait qu'anecdotique si les traditionalistes n'avaient peu à peu, au fil des ans, regagné le terrain perdu, sans

1. Le SNA compte à l'époque environ 6000 membres.

doute parce que les plus jeunes, requis par leur métier, leur ont abandonné les responsabilités syndicales. Et s'ils n'essayaient pas d'imposer leur loi, souvent avec succès, comme dans leur tentative d'éliminer Jean Darcante, bouillant secrétaire général, qui va se trouver contraint d'abandonner son poste au profit d'une obscure fonction de délégué général. Dans l'autre camp, le mécontentement gronde, beaucoup ne se sentant désormais ni défendus ni même représentés. Les assemblées, houleuses, sont de plus en plus violentes… La déchirure semble proche.

Dans la petite loge de Billancourt, Jean Darcante s'est tu. Il attend maintenant les réactions de son camarade. Mais celui-ci veut en savoir davantage. « Inlassable, il pose des questions, rien n'était inutile ni superflu », raconte l'ancien secrétaire général du syndicat[1]. Car Gérard, cette fois, n'a pas répondu non, comme il le faisait naguère, chaque fois que se présentait une aventure digne de lui… Et, quelques jours plus tard, il est là, prêt à épauler ses camarades : Bernard Blier, Raymond Bussières, Simone Renant, Jean Darcante… Et c'est une sorte de comité de défense de la profession qui va se constituer autour de lui et du petit noyau.

« Toutes les tentatives pour faire pression sur le conseil syndical avaient échoué, raconte Robert Sandrey, aujourd'hui président honoraire du SFA, qui vécut ces événements auprès de Gérard Philipe. Même la grève du 1 %, lorsque 800 artistes décidèrent de ne pas verser leur cotisation au syndicat, mais de la bloquer sur un compte[2]. Au mois de juin 1957, cependant, il fallut se rendre à l'évidence, la tension s'aggravait : nous n'avions pas d'autre solution que la scission. »

D'autant que le conseil syndical vient de s'opposer à des élections partielles, pourtant prévues aux statuts. Fin juin, la rupture est consommée. Sur les 4000 adhérents du syndicat, 1500 claquent la porte avec fracas, pour s'en aller fonder le Comité national des acteurs (CNA) dont Gérard Philipe est élu président le

1. *Bulletin du SFA*, 1960.
2. Cotisation égale à 1 % des cachets, ce qui explique le nom donné à cette grève

29 septembre, tandis qu'il tourne *Montparnasse 19*. Le conseil syndical du CNA comprend une cinquantaine de membres, où brillent les noms de Signoret, Montand, Blier, Simone Renant, Yves Robert, Danièle Delorme…

Voilà bientôt trois ans que Gérard s'est éloigné du TNP (sa dernière création restant celle de *Ruy Blas*, en février 1954). Il faut croire que les quelques représentations qu'il a accepté de donner depuis cette date, au cours de tournées en France ou à l'étranger, n'ont pas suffi à contenter son goût des planches. Au mois de mai, il pense très sérieusement à son retour et confie à Jean Vilar qu'il aimerait l'effectuer dans le rôle d'Hector (*La guerre de Troie n'aura pas lieu*, de Jean Giraudoux). Il s'y voit très bien. Vilar aussi, qui répond aussitôt à sa proposition et souhaite prendre date : « Je quitte rapidement Paris une fois de plus. Il est difficile de te toucher par téléphone. Oui pour Hector et "la guerre" de Giraudoux [1]. Quand ? Nous verrons bien à notre retour de Dublin, le 27 de ce mois [2]. Vu Titus-Olivier, quel beau travail, on n'en voit pas les coutures. Une fois de plus, devant lui j'ai baissé le pavillon [3]. »

En attendant, il poursuit le tournage de *Pot-Bouille*, où, comme disent les journaux, « les plus charmantes comédiennes de Paris », Danielle Darrieux en tête, lui donnent la réplique : Anouk Aimée, Micheline Luccioni, Michèle Grellier, Judith Magre, Danielle Dumont… Et Dany Carrel, engagée au dernier moment par le réalisateur Julien Duvivier, qui aurait préféré Mylène Demongeot. La jeune femme est très impressionnée par son célèbre partenaire, bien qu'elle l'ait déjà approché pendant la réalisation des *Grandes Manœuvres*, où elle tenait un petit rôle.

1. C'est après la mort de Gérard que Jean Vilar mettra la pièce de Jean Giraudoux au répertoire du TNP. La première représentation aura lieu durant le Festival d'Avignon 1962.

2. Mai 1957. La troupe rentrera en effet du Festival de Dublin, où elle a joué *Le Faiseur* de Balzac et *Le Malade imaginaire* de Molière, le 27 mai.

3. Ce même mois de mai, Laurence Olivier et son épouse Vivien Leigh ont remporté un immense succès au Théâtre Sarah-Bernhardt dans *Titus Andronicus*, de Shakespeare. Vivien Leigh a été faite chevalier de la Légion d'honneur.

Mais tout se complique, car elle est secrètement amoureuse de lui. Et le film comporte quelques scènes de lit qui, tout en la ravissant, la frustrent quelque peu : « Couchée à peu près nue dans les bras de Gérard Philipe, malgré les sunlights, je croyais rêver... A la fin de la scène, je n'osais pas bouger[1]... »

Le film terminé, les deux comédiens, comme c'est l'usage, entreprennent, fin 1957, une sorte de tour de France des cinémas pour le présenter au public de province. Marseille, Lyon, Bordeaux, Toulon, Nice... Et même Londres. Autant d'escapades pour lesquelles la jeune femme s'embarque le cœur battant : « J'ai été amoureuse de lui, c'est vrai. Et je crois bien qu'il n'y a pas été insensible. Tous ces voyages restent des souvenirs enchanteurs[2]. »

Marseille. Cohue sur la Canebière. On se presse pour apercevoir Gérard Philipe, qui assiste à la première marseillaise de *Pot-Bouille* au cinéma Odéon. « Je me sentais bien petite face à un tel déchaînement d'enthousiasme, dit Dany Carrel, et restais derrière lui. Je ne connaissais personne en France capable, à ce point, de déplacer les foules[3]. » Après la projection, souper au champagne. Tard dans la nuit, les deux comédiens rejoignent chacun leur chambre au Grand Hôtel de Noailles, lui aussi situé sur la Canebière. Tandis que Dany se débarrasse de sa belle robe verte, le téléphone sonne. « Je reconnus aussitôt la voix : “Si ça ne t'ennuie pas, je veux bien venir te dire bonsoir. – Mais viens vite, Gérard”[4]. »

Les souvenirs qui concernent deux êtres ne doivent pas être divulgués par le survivant, affirme Dany Carrel. « Gérard a toujours passé pour un modèle de vertu. Je pense qu'il aurait aimé l'être ; heureusement pour lui il ne l'était pas : il aimait les femmes, et bien. Mais son image d'archange lui a toujours collé à la peau[5]. »

1. Dany Carrel, entretien avec l'auteur, janvier 1992.
2. *Ibid.*
3. Dany Carrel, *L'Annamite*, Robert Laffont, 1991.
4. *Ibid.*
5. Entretien avec l'auteur, janvier 1992.

Sitôt élu à la tête du CNA, le premier geste de Gérard est une sorte de manifeste qu'il signe, le 16 octobre, dans l'hebdomadaire *Arts*. Titre : « Les acteurs ne sont pas des chiens. » Il y explique que les comédiens sont des travailleurs comme les autres, qui, comme les autres, connaissent des difficultés de toutes sortes. A commencer par les rapports employeurs-employés, ce qui justifie leur lutte syndicale. « L'amélioration des conditions sociales du comédien demeure notre souci essentiel, conclut le nouveau président. Que le public nous aide et prenne nos problèmes au sérieux. Il ne doit pas ignorer les mouvements multiples qui opposent les acteurs au sein de leurs syndicats. Il sera le principal bénéficiaire de cette lutte : plus le comédien sera assuré de la défense de ses intérêts, plus il sera détendu et épanoui. »

Le CNA prospère, chaque jour qui passe lui apporte de nouvelles adhésions. Et comme il a fallu abandonner les locaux de la rue Monsigny au syndicat rival, Gérard offre une pièce de son appartement de la rue de Tournon à l'équipe dissidente. Qui s'y installe aussitôt, avec dossiers et machine à écrire. « Ce fut une période magnifique », se rappelle Robert Sandrey. Magnifique, certes. Mais ambiguë. Car, en se séparant du vieux syndicat, la nouvelle équipe s'est, par voie de conséquence, coupée de la CGT. Ce qui constitue un véritable crève-cœur pour ces femmes et ces hommes majoritairement de gauche. D'autant plus que la vieille garde du SNA, qui demeure, elle, à la CGT, se situe plutôt à droite.

De ce déchirement naîtra une volonté de réunification dont l'idée, au fond, n'a jamais abandonné Gérard et ses amis, même au plus fort de la crise. Peu à peu, des liens sont rétablis avec la CGT, au niveau syndical mais aussi à l'échelon du secrétariat confédéral de la centrale. Les bonnes volontés vont déplacer des montagnes. Au SNA aussi, l'idée de réunification a fait son chemin, appuyée par des hommes comme Jacques Dumesnil, son président, Fernand Gravey ou Louis Arbessier. Et, finalement, les deux parties se mettent d'accord sur une procédure : chacun des deux conseils syndicaux élira en son sein vingt-cinq conseillers qui, réunis, formeront le conseil du Syndicat français des acteurs (SFA), fusion du Comité national des acteurs et du Syndicat national des acteurs. Le 15 juin 1958, une assemblée générale fixe les statuts de la nouvelle organisation, directement inspirés de ceux du CNA, et Gérard est porté à la présidence.

« Je ne sais où il trouvait le temps de tout faire, souligne Robert Sandrey. Le cinéma, le théâtre, les réunions quasi quotidiennes du conseil. Il s'occupait de tout, absolument de tout dans le détail. Le matin, il me téléphonait pour faire le point, parfois on allait manger un sandwich entre deux répétitions... »

Malgré ses lourdes responsabilités syndicales, malgré les discussions et les réunions qui commencent parfois à minuit et s'achèvent tard dans la nuit, malgré la fatigue, Gérard ne cède pas un pouce de terrain sur le plan professionnel. Après avoir tourné en janvier le rôle de Désiré, dans *La Vie à deux* de Clément Duhour, film inspiré du dernier scénario de Sacha Guitry, il enchaîne avec *Le Joueur*, de Claude Autant-Lara, médiocre adaptation du roman de Dostoïevski, où il retrouve Bernard Blier. « Le ridicule était partout autour de nous, dans ce film, dit celui-ci, et il nous arrivait d'en rire [1] ! »

En même temps, il commence à répéter *Les Caprices de Marianne*, sous la direction de Jean Vilar. C'est finalement la pièce de Musset qu'il a choisie pour sa rentrée au TNP, dans le cadre du prochain Festival d'Avignon. Ce qui comble de joie son vieux maître, Georges Le Roy : « Vous vous doutez que je suis fort heureux de votre retour à Musset, lui écrit-il. Naturellement, je suis à vous si vous souhaitez que nous nous confrontions [2]... » Parlant du rôle que va jouer Gérard, Le Roy ajoute : « Je n'ai jamais osé jouer Octave, mais je vois celui-ci rôder autour de vous et en vous, et je n'entends que de beaux accords. »

De telles paroles ont-elles le pouvoir de rasséréner le comédien ? Épuisé, anxieux, accaparé par les innombrables difficultés que soulève la réunification, il semble parfois se perdre dans la

1. Interview inédite, 1960, Archives Gérard-Philipe, Maison Jean-Vilar.
2. Lettre du 26 mars 1958, *ibid.*

mêlée confuse qu'est sa vie en ce début de 1958. Au mois de janvier, Jean Rouvet, l'administrateur du TNP, s'effraye de sa soudaine maigreur, de sa pâleur et des propos qu'il tient. Il affirme en effet que, après bientôt deux années loin de la scène, il a peur de se tromper en jouant Musset, peur du public, peur de l'échec : « D'ailleurs, cette fois, si ça ne marche pas, je partirai au bout de trois mois, je n'aurai pas de scrupules, je ne suis plus indispensable à la bonne marche du TNP. » Rouvet, ignorant sans doute les pressions de toutes sortes qui s'accumulent sur les épaules du comédien, conseille durement à Jean Vilar : « Je pense que vous devez maintenant lui parler comme à un gosse égoïste et peureux qu'il est[1]. » Vilar a-t-il parlé à Gérard ? La lettre qu'il lui adresse de Strasbourg, où le TNP se trouve en tournée, peut en tout cas tenir lieu d'avertissement, si ce n'est de mise en garde. Jamais exprimé, le reproche affleure sous chaque ligne :

« Voici donc que tu rejoins le Théâtre National Populaire après trois bonnes années d'éloignement. Tu ne retrouveras pas notre équipe telle qu'elle était il y a quelques années. La différence, je ne saurais pas te l'expliquer. Car depuis des années – hors mon escapée *[sic]* sous tes ordres à Nice pendant 10 jours[2] – je vis à l'intérieur de ce groupe humain, à la fois comme acteur agi et comme dirigeant [...]. Ceci me permet de te conseiller, de te proposer :

« – N'exige pas plus d'un groupe sur la brèche depuis des mois (certains depuis le 25 août 1957), et surtout en cette fin de saison, plus que ses moyens ne peuvent donner.

« – N'exige pas des nouveaux (Reynal, Sellers, Bouchateau, etc.[3]) un "style" de travail et surtout de jeu qui n'est *peut-être* pas encore le leur. J'ai, dans les mois à venir, et à travers d'autres rôles, confiance en Reynal[4].

« – Exige de toi, impose-toi une discipline en ce qui concerne

1. Rapporté par Jean-Claude Bardot, *Jean Vilar*, *op. cit.*
2. Pour le tournage des *Aventures de Till l'Espiègle*.
3. Pierre Reynal, Catherine Sellers, Simone Bouchateau.
4. Ce paragraphe s'explique par le fait que Gérard s'apprête également à reprendre la mise en scène de *Lorenzaccio*.

l'*arrivée* aux répétitions. Je parle de l'arrivée à l'heure. Et pour les représentations, bien à l'avance. Le TNP a depuis trois ans au moins une bonne et saine tradition : "commencer à l'heure". Ceci dit, chacun doit faire évidemment ce que ce programme du 12e Avignon exige. Mais, je t'en prie, cela ne nuira pas à la qualité de ton exécution (Lorenzaccio) si tu exiges "tout" certes, sans oublier cependant que certains ont entre le 25 août 1957 et le 27 juin 1958 répété ou repris ou créé 12 à 15 pièces. En cette fin de saison, il serait cruel et injuste qu'ils soient malmenés, incompris dans leur dévouement, par celui qui les régit et qui fut d'autre part absent pendant trois ans (et qu'ils aiment bien aussi). Un dernier mot concernant ton ami et le responsable du TNP. Tu oublies trop que j'ai toujours fait l'effort de mettre de l'ordre dans cette vie à multiples et quotidiennes décisions qui est la mienne. Mais souvent, au cours de ces derniers mois, à l'heure où j'étais dispos et prêt à prendre avec toi les décisions concernant Lorenzo, tu n'étais pas là. Le programme du TNP peut être prévu six mois, huit mois à l'avance et cela est bien, c'est le résultat de sept années d'attentions. Mais la vie de l'être humain que je suis, avec ses charges, sa santé, ses moyens intellectuels et physiques, ses devoirs, cela non, ô liberté, ne peut être rigoureusement prévu. Car le jour où le directeur d'un théâtre est esclave permanent de son théâtre, la scène de ce théâtre est en ordre certes, mais elle sent le rance[1]. »

Vilar n'a pas tort, mais il est dans la logique TNP. Gérard Philipe, lui, est dans une autre logique. La sienne, où celle du TNP doit coexister avec toutes les autres : celle du cinéma, celle de la politique, celle de la famille, celle du syndicat... Ce qui peut paraître en effet, aux yeux de certains, l'attitude d'un « gosse égoïste ».

Geneviève Page, qui joue à ses côtés le rôle-titre des *Caprices de Marianne*, est le témoin de cette fameuse difficulté à respecter les horaires de travail. Qui se complique avec des problèmes de mémoire dus au manque de temps pour apprendre son texte.

1. Lettre du 25 juin 1958, Archives Gérard-Philipe, Maison Jean-Vilar.

Deux jours avant la première, il bute encore sur les répliques. Finement, la comédienne devine les tourments d'un hommé tiré à hue et à dia : « A cette époque, il était en plein drame avec les syndicats qu'il essayait de réunifier ; ses départs étaient aussi précipités que ses arrivées, et son éternel sandwich traînant dans tous les coins du plateau disait assez le temps qu'il se gardait pour lui-même[1]. »

Si peu de temps, en effet, et toujours quelqu'un en travers de sa route, pour mendier quelques minutes d'attention. Et encore quelques-unes... Il refuse rarement. Le 2 février, le demandeur s'appelle Jacques Cru, un ancien camarade de Grasse, qui lui adresse une lettre tout hérissée de sigles : MLP, NG, JR... Autant de groupes dissidents de la SFIO qui viennent de se regrouper au sein du parti d'Union de la gauche socialiste, le PUGS, creuset du futur PSU. « Connaissant les positions que tu as prises notamment lors des événements de Hongrie, écrit son correspondant, je pense que tu seras peut-être intéressé d'avoir quelques informations sur ce nouveau parti. » Suivent les noms de quelques compagnons d'autrefois, ayant en commun d'appartenir au PC[2]. Au-dessus de la première ligne, Gérard a écrit : « Répondu le 19 février. Appelle-moi le 5 mars pour qu'on dîne un soir. »

Printemps 1958. La IVe République vit ses dernières semaines. Le conflit algérien, qui n'a cessé d'empirer, a divisé le pays jusqu'à faire craindre la guerre civile. La France n'a pu ni imposer la paix ni gagner la guerre. On parle maintenant de plus en plus d'un retour du général de Gaulle aux affaires. Le 13 mai, à Alger, sur le Forum, une manifestation tourne à l'insurrection. Le gouvernement général est pris d'assaut. Deux jours plus tard, le 15, le général Salan lance à la foule : « Vive de Gaulle ! » Ce n'est plus maintenant qu'une question de jours... La gauche, toutefois, se mobilise dans la métropole contre un danger fasciste qu'elle estime imminent. Le mercredi 28 mai dans l'après-midi,

1. *Souvenirs et Témoignages*, *op. cit.*
2. Archives Gérard-Philipe, Maison Jean-Vilar.

à Paris, plus de 500 000 personnes défilent de la Nation à la République aux cris de : « Le fascisme ne passera pas ! Massu au poteau ! », tandis que de nombreux manifestants brandissent des pancartes portant l'inscription « Vive la République ! ». Anne et Gérard y sont en bonne place, accompagnés de Claude Roy, qui vient de demander sa réintégration au PC. Et en bonne compagnie : Simone de Beauvoir et Jean-Paul Sartre, Adamov, Tzara, Pozner, cent autres... Le 1er juin, Charles de Gaulle est président du Conseil.

« Il me fallait revenir au théâtre dès cette année, parce qu'il m'a paru que je ne pouvais attendre que mes cheveux tombent pour jouer Musset[1] », déclare en riant Gérard Philipe, à peine arrivé en Avignon. Son retour sur la scène de ses plus grands succès est le véritable événement de ce douzième festival (un retour dont personne ne peut savoir qu'il est aussi un adieu définitif). Les journalistes l'assaillent, le public se bouscule aux guichets. En quelques jours, la location atteint le double du niveau de l'année précédente. Plus de « premières » cette année : comme à Chaillot, Vilar et ses collaborateurs ont instauré le système des avant-premières, ouvertes aux collectivités. Les 1 500 cheminots du dépôt de la SNCF, les 3 000 ouvriers des usines de la Sorgue, les comités d'entreprise de Monoprix, des Dames de France et des Nouvelles Galeries, les employés de banque, les instituteurs vont donc bénéficier de places réservées au prix unique de 300 francs[2].

Pourtant, ni le temps ni les événements ne sont de la partie. Il pleut sur *Marie Tudor*, le mistral emporte les répliques des *Caprices de Marianne*. A Paris, le général de Gaulle présente l'avant-projet de la nouvelle Constitution au Comité consultatif constitutionnel, et annonce des mesures économiques et financières. Musset et ses interprètes, en tout cas, remportent chaque soir un triomphe. Vercors assiste à l'une des sept représentations

1. *Bref*, n° 20, novembre 1958.
2. 300 francs de 1958.

que donne la troupe dans la cour du palais des Papes. Il fait beau cette fois, le ciel limpide scintille d'étoiles, la rude muraille se couvre de lierre… Et l'auteur du *Silence de la mer* se laisse prendre à la magie de cette nuit d'été : « Mais voici que paraissent, masqués et enrubannés, montant lentement d'un escalier derrière les tréteaux de la scène, au son d'une tendre musique empreinte d'une gaieté déchirante, Octave et ses compagnons. Et voici qu'en même temps, là-haut, voici que lentement surgit la lune[1] ! »

Le 3 août, après avoir participé l'avant-veille au match de football qui oppose devant 2 000 spectateurs l'équipe du TNP (Georges Wilson, Philippe Noiret, Roger Mollien, Jean Deschamps, Jean Vilar, Maurice Jarre, Roger Coggio, Jean-François Rémi) à celle de l'Olympique avignonnais[2], Gérard s'éclipse… Direction : La Rouillère, sa maison de Ramatuelle.

1. *Souvenirs et Témoignages*, *op. cit.*
2. 4 buts à 3 au bénéfice du TNP, Gérard Philipe étant gardien de but.

17

La Rouillère. Rien d'une de ces riches demeures avec piscine qui bordent le littoral varois. Un mas, un simple mas, au crépi rose, aux volets de bois. Autour, vingt-neuf hectares de vignes et de pins parasols. C'est la première année que les Philipe peuvent vraiment profiter de ce domaine provençal qu'Anne tient de sa famille : un locataire indéracinable l'occupait jusqu'à présent.

Un logis sombre, rustique, carrelé de faïences défraîchies, que, à peine installés, ils se sont empressés de rajeunir avec, comme à Cergy, l'aide de leur ami Manolis Kindinis et celle du maçon de Ramatuelle, Gabriel Giraud. Cet été, c'est au tour du parc de changer d'allure. Déjà, l'allée bordée d'aloès qui venait bêtement buter contre la maison n'existe plus. Après le passage des bulldozers, elle tourne et descend parmi les pins, pour s'achever en terre-plein derrière la maison.

Gérard, torse nu, dirige les opérations et ne dédaigne pas de s'installer parfois au volant d'un tracteur : il s'agit maintenant d'aménager des terrasses sur le terrain en pente douce. Ensuite, il faudra planter des mimosas, des eucalyptus, des vignes, débroussailler les bois… Tout cela confié aux soins d'un jeune pépiniériste qui vient de s'installer dans la région.

Peu de monde à La Rouillère, cet été. Gérard, Anne, les enfants Anne-Marie et Olivier, et Alain, le grand fils d'Anne. Quelques intimes aussi : Suzanne Dodin, affectueusement surnommée « Ziquette », Vercors et Rita, son épouse. « Nous ne recevons jamais personne, dit Anne, hors les amis que nous aimons[1]. »

1. *Souvenirs et Témoignages*, *op. cit.*

Et c'est vrai qu'ici on vit en toute simplicité : « Comme chez n'importe qui », affirme Suzanne Dodin. On se couche tôt, on se lève de même. Pour se retrouver à l'heure du petit déjeuner, autour de la table en carreaux de céramique abritée sous les arbres. Jours pareils et trop courts, rythmés par le bain, la plage, la sieste dans les chambres fraîches ou sous l'ombrage des pins, la promenade… Avant d'aller s'asseoir, la journée finie, devant un verre au Café de l'Ormeau [1]. A condition d'être revenu à temps pour le coucher des enfants. Car Gérard ne raterait pour rien au monde cette heure d'intimité et de bonheur, moment privilégié de la journée, d'où tout tiers est exclu. De leur chambre, au premier étage, Anne-Marie et Olivier appellent leur père à tue-tête. Et commence alors, parmi les cris et les rires des petits, un nouvel épisode, improvisé, des aventures de Zoé. Vercors : « Nous entendions à travers les murs Gérard déclamer, élever peu à peu le ton, pousser un hurlement sauvage, soudain parler tout bas, avec des tremblements dans la gorge, se taire dans un long suspense, reprendre brusquement avec verve […], avec toutes les ressources de ce timbre admirable, de ce talent inimitable [2]. »

« Gérard Philipe star in Musset revival », titre la presse anglophone de Montréal pour saluer la performance du comédien dans *Lorenzaccio*. Alors que, en France, le général de Gaulle soumet au référendum le texte de la nouvelle Constitution et que les murs se couvrent de slogans : « Votez oui, votez non, mais votez », le TNP entame à partir du 22 septembre une longue tournée de près de deux mois en Amérique du Nord : Montréal, Québec, New York, Philadelphie, Washington, Princeton, Boston. Au programme : Hugo *(Marie Tudor)*, Musset *(Lorenzaccio)*, Marivaux *(Le Triomphe de l'amour)*, Corneille *(Le Cid)*. Seul étranger

1. L'arbre tricentenaire qui donnait son nom au café et à la place a été arraché en 1983 et remplacé par un olivier. Depuis très longtemps il ne tenait debout que grâce à des étais en béton. Autre changement : le Café de l'Ormeau ne sert plus de repas.

2. *Souvenirs et Témoignages, op. cit.* Alain Fourcade rapporte par ailleurs que, lorsqu'il était lui-même enfant, Gérard lui racontait volontiers des histoires, notamment celle de Ouin-Ouin.

admis dans ce répertoire strictement français : Pirandello, avec *Henri IV*.

Voilà quatre années que la troupe n'est pas retournée au Canada français, et les quelques réticences qui s'étaient manifestées du côté de la critique lors de son premier passage sont cette fois complètement oubliées. C'est un concert de louanges : « Du grand art », « Hallucinant Henri IV », « Casarès frémissante et passionnée »[1]...

Le 12, Gérard arrive à New York et s'installe aussitôt à l'hôtel Gotham, où il occupe l'appartement 1205. La générale new-yorkaise étant fixée au mardi 14, il va passer ses deux premières journées en répétitions et raccords, seulement interrompus par quelques rencontres avec les journalistes, notamment Dick Wald, du *New York Herald Tribune*. Le théâtre de Broadway est bien petit, et bien modeste le plateau... Mais Vilar a fait construire un proscenium qui rend un peu d'espace aux comédiens, et le drame de Musset est ici parfaitement à sa place. Gros succès, qui tourne d'ailleurs à l'événement mondain après minuit, pendant le souper organisé au Waldorf Astoria : Marlene Dietrich y brille de toute sa blondeur – se souvient-elle de la visite qu'elle fit à Gérard, rue du Dragon, à l'époque déjà lointaine de *Caligula* ?... Au total, Gérard Philipe donnera neuf représentations à New York : six de *Lorenzaccio* et trois du *Cid*. C'est peu pour un marathonien tel que lui, entraîné par le système de l'alternance à jouer parfois jusqu'à quatre spectacles différents au cours d'un même week-end. Aussi ne marchande-t-il pas sa présence aux divers cocktails organisés en l'honneur des comédiens français. Ni les interviews destinées à promouvoir les pièces : Wanda Hale *(News)*, Jessy Zunger *(Cew Magazine)*, Dave Dugan, animateur de la célèbre émission radiophonique *This is New York*, Sue Solter (*The Monitor*, autre émission connue), Irene Thyra *(New York Post)*...

Il est question du TNP, bien sûr, de Rodrigue et de Lorenzo,

1. Tous ces titres relevés dans la presse québécoise sont rapportés par Jean-Claude Bardot, *Jean Vilar*, *op. cit.*

mais aussi de *Pot-Bouille*, qui débute sa carrière américaine. Quand on peut faire d'une pierre deux coups, pourquoi s'en priver ? D'autant plus que le temps risque de lui manquer. Entre une projection des *Racines du ciel*, le film-événement de Daryl Zanuck, et une représentation de *West Side Story*, la comédie musicale qui fait courir New York depuis quelques saisons, il faut caser un déjeuner avec le réalisateur Sydney Lumet, accueillir Arthur Miller, qui vient voir jouer *Lorenzaccio*, sans négliger de visiter Central Park, le Bowery, Harlem, l'Empire State Building, deux ou trois musées, les magasins… Et rencontrer les délégués de l'Actor's Equity, pendant américain du SFA.

Le 28 octobre, vers dix heures du matin, il arpente à grands pas la 44e Rue, accompagné de quelques camarades américains. Ceux-ci l'ont persuadé d'assister au cours de l'Actor's Studio, le fameux établissement d'enseignement d'art dramatique créé par Lee Strasberg et Elia Kazan. Gérard n'a guère d'affinités avec les méthodes professées à l'Actor's Studio ; ce professionnalisme du travail de comédien lui déplaît. Soit. Encore que le système ait produit James Dean, Eva Marie Saint, Marlon Brando. Et d'autres… Il prend toutefois rendez-vous avec Kazan pour le surlendemain. Surprenante rencontre. D'un côté un comédien français, acquis aux idées communistes, de l'autre un réalisateur américain, ex-communiste lui-même, qui n'a pas craint de se ranger en 1951 dans le camp des chasseurs de « sorcières », allant jusqu'à acheter une page du *New York Times* pour justifier ses délations… Mais nul ne saura jamais ce qu'ils se sont dit au cours de l'entretien…

Après New York, le TNP se rend à Philadelphie, où il donne *Le Cid* le 3 novembre. Le drame de Corneille est encore à l'affiche du Lissner Auditorium de Washington le 5 et le 6 novembre, à Princeton le 7, à Boston le 8 et le 9. Avant de revenir à New York le 10, où les Français, à l'invitation du secrétaire général Dag Hammarskjold, doivent jouer dans la grande salle de l'assemblée générale de l'ONU. La boucle est bouclée. Le lendemain, toute la troupe se retrouve à l'aéroport d'Idlewild. Direction : Paris, où la saison d'hiver commence à Chaillot dès le 15, avec

Les Caprices de Marianne… Ce qui ne laisse pas une seconde à Gérard pour souffler !

D'autant qu'il est également attendu avec impatience rue Monsigny. Au SFA, se prépare en effet un projet de réorganisation du théâtre dramatique et lyrique en province.

L'idée de réformer le théâtre en province est née d'une simple constatation : l'écart démesuré existant entre les aides versées par l'État aux théâtres de province et celles allouées aux salles subventionnées parisiennes. En 1957, par exemple, les théâtres de province ont reçu 300 millions de francs, tandis que les établissements subventionnés de la capitale percevaient 2 milliards… Rien d'étonnant à ce que le SFA mette en parallèle ces deux chiffres pour démontrer la nécessité de créer à l'échelle nationale une structure capable de rééquilibrer les deux pôles, une sorte de théâtre national populaire régional. N'est-ce pas ce que suggère Philipe lui-même lorsqu'il s'écrie : « Ce que nous voudrions faire, c'est établir dans toute la France cet esprit unique au monde que Vilar a réussi à créer au TNP[1] » ?

Il est vrai que, à l'exception des quelques centres dramatiques dus à l'initiative de Jeanne Laurent, la province vit alors dans un véritable sous-développement dramatique et lyrique. Condamné à des opérettes usées jusqu'à la trame ou aux « grandes tournées » des succès parisiens, le public sait-il même qu'il existe un théâtre de qualité ? Le SFA estime de son devoir de l'en informer… Le moment paraît bien choisi. A peine parvenu à la magistrature suprême le 21 décembre 1958, le général de Gaulle s'est empressé de nommer André Malraux aux Affaires culturelles, ce qui laisse supposer – en tout cas la nouvelle Constitution permet de le croire – que, à la différence de ses éphémères prédécesseurs, Malraux aura le temps de mener à bien de longs desseins. Et de mettre en place une politique de décentralisation que le SFA entend bien lui souffler.

C'est donc un programme en plusieurs points que le Syndicat français des acteurs, par la voix de son président, présente aux

1. In *Progrès-Dimanche*, 11 janvier 1957.

pouvoirs publics, aux élus nationaux, départementaux et municipaux, le 15 janvier 1959.

Le plan prévoit notamment le découpage du territoire en huit régions autonomes, ayant chacune à sa tête un directeur général et disposant de six troupes spécialisées : opéra, opéra-comique, opérette, comédie classique, tragédie, théâtre moderne. Après avoir abordé les questions de la désignation des directeurs des troupes, du répertoire et du calendrier des tournées, le plan suggère que les régions aient une gestion administrative et financière autonome, avec un budget annuel de 750 millions de francs chacune. C'est-à-dire au total 6 milliards de francs, financés à hauteur de 40 % par l'État, tandis que départements et municipalités apporteraient respectivement 10 et 50 %.

C'est sur ces suggestions que vont se pencher les pouvoirs publics. Utopies et réalités y font curieusement bon ménage. On voit aujourd'hui qu'un tel projet, fortement étatisé, n'avait que peu de chances de réussir. L'administration Malraux lui a préféré les maisons de la culture. Tel qu'il est, toutefois, il jette des idées, des principes dont beaucoup ne sont pas étrangers au développement de la vie artistique nationale des trente dernières années[1]. C'est bien comme cela d'ailleurs qu'il fut accueilli. Le commentant dans les colonnes de son journal, Robert Kemp constate : « Ce document en somme est comme la première bûche posée dans une cheminée. Le foyer reste à construire. On peut prendre le plan comme base de discussion[2]. » N'empêche, la discussion risque d'être longue…

Tandis qu'il bataille sur le front de la décentralisation théâtrale, le président du SFA défend les couleurs de Musset à Chaillot[3] :

1. A commencer, précisément, par l'importance qu'il donne à la province. Ce qui n'est pas courant à l'époque. Dans son article du *Monde*, alors qu'il évoque le déséquilibre entre aides provinciales et subsides parisiens, Robert Kemp ne craint pas d'affirmer : « Est-il bien nécessaire d'exciter la province contre Paris ? N'est-il pas toujours certain que Paris est la source où boivent les théâtres de province ? »

2. *Le Monde*, 17 janvier 1959.

3. « Monsieur le Président, lui notifie Vilar, début janvier 1959. 1) Puis-je vous demander et vous prier de ne point faire de réunion syndicale dans le théâtre et à l'entracte d'une œuvre dont vous avez la responsabilité scénique (*Lorenzaccio*, le

Lorenzaccio, *Les Caprices de Marianne*, *On ne badine pas avec l'amour*. « Cela fera une sorte de cycle Musset, déclare-t-il. Après quoi je me sentirai libéré, je pourrai envisager autre chose ; le répertoire où il est permis de perdre ses cheveux, les rôles où l'âge compte moins, Corneille, Racine, Molière, en espérant qu'un auteur français contemporain se présente un jour et s'impose [1]. »

D'ores et déjà, la partie est gagnée. Du moins en ce qui concerne *Les Caprices de Marianne*, qui, à Paris plus encore qu'en Avignon, enchantent les critiques. Jean-Jacques Gautier *(Le Figaro) :* « J'ai d'abord été ravi par le cheminement aérien de la délicieuse mélodie de Maurice Jarre qui semblait, dans la demi-obscurité, parcourir la salle... C'était harmonieux, tendre, berceur et mélancolique. » A quoi fait écho Robert Kemp dans *Le Monde* : « De bout en bout, la tendre musique de Maurice Jarre, ses rondeurs, son esprit tout français, m'ont infiniment plu. » Enfin, *L'Humanité* : « Vous y verrez Gérard Philipe en pleine possession d'un art porté à un rare niveau de perfection, d'exactitude et de fini [2]. »

Les choses se gâtent un peu avec *On ne badine pas avec l'amour*. Tout avait pourtant bien commencé : la pièce est prévue de longue date [3], et on sait qu'auprès de Philipe on pourra voir Suzanne Flon dans le rôle de Camille et que tous deux seront dirigés par René Clair. Le premier accroc viendra de celui-ci. Le 11 janvier, au cours d'une de ces rencontres qu'affectionnent Jean Vilar et ses collaborateurs, René Clair, questionné sur sa

---

lundi 29 décembre 1958). 2) Puis-je vous demander et vous prier de ne point faire de réunion en tant que président du Syndicat des Acteurs dans un des bureaux du TNP, s'il vous plaît. J'admire tes projets. Mais sont-ils les nôtres ? Je pense te parler désormais aussi fermement, jusqu'au moment où tu comprendras quelle sorte de fidélité me lie à toi, mais quel genre d'insolence m'en sépare. »

1. *Bref*, n° 20, novembre 1958.

2. *L'Huma-Dimanche*, 30 novembre 1958.

3. Le 15 avril 1958, Vilar adresse une note à Gérard Philipe où sont précisées les conditions financières des représentations des *Caprices* et d'*On ne badine pas avec l'amour*. On lit notamment : « Cachet brut et fixe de 30 000 francs par représentation, étant entendu que le traitement mensuel qui te sera payé par le Théâtre National Populaire ne pourra être inférieur au montant de dix cachets (300 000 francs). »

conception de la pièce de Musset, résume ses intentions en quelques mots : « Le public veut du neuf. » Il n'en faut pas plus, la malveillance aidant, pour que se propage la rumeur de dissensions entre le directeur du TNP et le metteur en scène invité. Après tout, affirmer que « le public veut du neuf », n'est-ce pas sous-entendre que sous la houlette de Vilar on ne lui a jusque-là proposé que du vieux ?

Du neuf ? En voici ! Clair a demandé à Édouard Pignon de réaliser les décors de la pièce. Or celui-ci, accaparé par sa propre production picturale, décline d'abord l'offre. Avant de se raviser. Il rentre d'Italie, où il a peint de nombreuses aquarelles, toutes très colorées, lumineuses, aux limites de l'abstraction. Il propose alors à Clair d'agrandir quelques-unes de ces aquarelles aux dimensions du plateau de Chaillot, de manière qu'elles figurent des toiles de fond. Ce qu'accepte le metteur en scène. Mis au courant, Gérard Philipe s'enthousiasme aussitôt, ravi d'évoluer parmi ces grandes taches de couleur qui évoqueront tour à tour une place, un jardin, un champ… « Cette réalisation constitue une révolution au TNP, confie Édouard Pignon, où, jusqu'ici, Vilar et Gischia avaient surtout utilisé praticables, escaliers et éléments décoratifs sur fonds noirs. C'est la première fois qu'on revient à l'esprit classique de l'emploi de toiles peintes mais, au lieu de faire un décor qui imite la nature, le décor la recrée [1]. » La révolution annoncée ne sera pas du goût de tous : « Le soir de la générale [2], se souvient Hélène Parmelin, Pignon était couché avec une grosse grippe. Il n'a donc pas vu ce qui se passait à Chaillot. Une moitié de la salle, debout, applaudissait frénétiquement, tandis que l'autre moitié sifflait. » En coulisses, depuis quelques semaines déjà, l'atmosphère n'est pas meilleure. Léon Gischia, soutenu par Vilar, est furieux de ce qu'il considère comme une atteinte au style du TNP. Il s'en explique d'ailleurs violemment avec Pignon, dans une arrière-salle de café, insensible aux arguments du peintre qui revendique la liberté de l'artiste. Et Gérard, au beau milieu de ce désastre, que la presse

1. *Combat*, 14 janvier 1959.
2. 4 février 1959.

s'est hâtée d'amplifier, ne peut s'empêcher de se sentir un tant soit peu responsable : c'est lui qui a amené René Clair au TNP.

La critique, qui tire à boulets rouges sur Clair, Pignon et Suzanne Flon, l'épargne. L'encense même, louant sa grâce et son exceptionnelle justesse dans le rôle rabâché de Perdican. Mais c'est triste, un succès solitaire. D'ailleurs, la pièce n'ira pas bien loin : seize représentations, 40 000 spectateurs. Ce qui est peu de chose à Chaillot. Échec ? Relatif en tout cas. Mais, au moment d'abandonner les rôles « où il faut avoir tous ses cheveux », le comédien aurait préféré un éclatant triomphe, dans la lignée de ceux qu'il obtint naguère – et toute la troupe avec lui – en jouant *Hombourg* ou *Le Cid*. Car Gérard, contrairement aux apparences, n'est pas insensible aux louanges. Hélène Parmelin, qui l'a vu plus d'une fois recevoir en coulisses les compliments des spectateurs, insiste sur ce point : « Il était sensible aux louanges, ce qui est bien naturel, mais avec grâce. Et c'était très beau de le voir accueillir des gens qui venaient lui dire qu'ils l'aimaient. »

Seize représentations d'*On ne badine pas avec l'amour*, deux du *Cid*, une des *Caprices de Marianne* : voilà le bilan du mois de février[1]. Dernier bilan. Jamais plus Gérard Philipe ne remontera sur la scène du TNP. Ni sur aucune autre… Ironie du sort, c'est à ce moment-là qu'il rencontre Peter Brook, et que tous deux évoquent la possibilité pour lui de jouer *Hamlet*. Le projet aurait-il vu le jour si le comédien avait vécu ? Peter Brook : « Tout de suite après avoir monté *Titus Andronicus*, je voulais entreprendre *Hamlet*. J'ai été pris d'humilité devant le chef-d'œuvre[2]. » Quant à Gérard lui-même, Claude Roy raconte qu'à cette époque il lit et relit le drame de Shakespeare, compare les traductions (celle de Marcel Schwob, celle de Pierre Leyris, sans doute aussi

1. Dix-neuf représentations, pour lesquelles il touchera un cachet total de 570 000 francs. Une fois déduites les retenues sociales, son bulletin de salaire de février 1959 fait état d'un net à payer s'élevant à 559 766 francs. Aucune commune mesure avec ce que lui rapporteront les films qu'il va tourner ce même printemps : 13 950 000 francs pour *Les Liaisons dangereuses*, 37 200 000 francs pour *La fièvre monte à El Pao*.
2. *In* Denise Bourdet, *Encre sympathique*, Grasset, 1966.

celle d'André Gide), et qu'il a déjà décidé que la célèbre phrase *To be or not to be* doit passer presque inaperçue.

Mais Jean Vilar, lui, voit plus loin : « Je crois qu'il faut que tu prennes garde à ne pas t'enfermer dans des terrains très connus ou très classiques : BAD + CAP + HAM[1]. Je crois que là où tu en es au théâtre, tu dois prendre sur ton dos quelque chose d'inconnu et de beau, de peu joué ou de pas joué en France (like *Hombourg*). Tout ton talent, qui a mûri et s'est comme étalé, doit être retrouvé à travers et par un personnage inconnu du public et de tous. Je le trouverai. Hamlet viendra un jour. Mais l'an prochain, après ces deux derniers Musset, je pense que tu dois t'agripper et éclairer quelque grand personnage oublié ou totalement inconnu du répertoire international[2]. »

Le cinéma, encore… Le 23 février, Gérard est sur le plateau de Billancourt. Dans un rôle à première vue inattendu pour lui : Valmont, le héros des *Liaisons dangereuses*, de Laclos. Vadim, le réalisateur, aurait préféré Laurent Terzieff, tout auréolé encore de la gloire sulfureuse des *Tricheurs*, le film de Carné sorti quelques mois plus tôt sur les écrans. Mais il semble bien que Philipe ait fait pression sur les producteurs pour obtenir le rôle… C'est en tout cas la thèse que soutient Yves Boisset dans *Cinéma 59*, avant d'affirmer que le comédien, « extraordinaire de sobriété, de classe et de subtilité », trouve là un de ses meilleurs rôles.

En 1959, la carrière cinématographique de Philipe marque le pas. Face au prestige de ses créations théâtrales, l'écran ne lui offre plus que de décevantes compositions : *Le Joueur* dans le pire des cas, *Pot-Bouille* dans le meilleur, ou bien *Montparnasse 19*, *La Meilleure Part*… Les jeunes turcs de la critique, les Truffaut, les Godard, les Rohmer, semblent par ailleurs ligués contre lui. On reste stupéfait aujourd'hui devant certains comptes rendus de François Truffaut : l'injure le dispute à l'injustice (« cette idole du public féminin entre quatorze et dix-huit ans est la terreur

1. *On ne badine pas avec l'amour*, *Les Caprices de Marianne*, *Hamlet*.
2. Lettre du 30 avril 1959, Archives Gérard-Philipe, Maison Jean-Vilar.

des bons metteurs en scène », « Gérard Philipe, dont le timbre de voix est vraiment une infirmité », « Ce qui est grave, c'est que Gérard Philipe a entraîné dans cette aventure déplaisante quelques bons acteurs », etc.). Mis en porte à faux par la critique, fragilisé par une succession de films médiocres, Philipe saisit l'opportunité des *Liaisons* pour redorer son blason. Après tout, Vadim est à la mode, et Valmont un avatar aggravé de M. Ripois. C'est bien vu, et le succès public du film, champion des recettes pour la saison 1959-1960, donne raison à l'analyse. Même si le roman de Laclos, brutalement transposé au XXe siècle par l'adaptation de Roger Vailland, perd dans ce voyage à travers le temps la plupart de ses séductions. Coupés de la sensibilité pré-révolutionnaire, les personnages ne sont plus que de froides créatures mondaines errant sans but entre Megève et le VIIe arrondissement. Leur perversité est devenue un jeu sans risque. Plus rien à voir avec ce défi que l'homme de 1780 jetait à la société, au pouvoir, à Dieu… Même la vénérable Société des gens de lettres s'émeut d'une telle trahison, et force Roger Vadim, au prix d'un retentissant procès, à ajouter le millésime « 1960 » à son titre. Ce qui en revanche n'ajoutera rien au film.

Vadim a loué la régularité, le calme et la précision de son interprète principal : « Je n'ai jamais rencontré quelqu'un d'aussi profondément et totalement investi par l'amour de son métier[1] », dit-il. Sans oublier de mentionner tout de suite après : « Et il trouvait encore le temps de s'occuper de son syndicat, régulièrement, sans défaillance. » Régulièrement, c'est peu dire ! La profession depuis quelque temps traverse une passe difficile. Le Syndicat des directeurs de théâtre se refuse systématiquement à toute négociation avec les acteurs, notamment en ce qui concerne les salaires minimaux. Début mars, un autre conflit, dans une radio privée celui-là, se solde par quelques heures de grève, au terme desquelles les interprètes obtiennent justice. De sorte que, peu à peu, l'idée de la grève fait son chemin dans les esprits. A Billancourt, c'est le défilé. Gérard est harcelé par ses camarades

1. *Souvenirs et Témoignages, op. cit.*

du syndicat, et Vadim ne voit pas d'un très bon œil tous ces gens qui troublent le travail en venant quêter à longueur de jour l'avis et les conseils du président sur telle ou telle question touchant au projet de grève. Simone Renant, sa partenaire : « Il est évident que pour lui qui avait la responsabilité d'un rôle important, c'était une situation très délicate. Il lui fallait répondre aux solliciteurs tout en veillant à conserver avec Vadim un climat de camaraderie et de gentillesse. Et s'arranger, bien sûr, pour garder la concentration nécessaire à son rôle. Sa vie n'était pas facile du tout[1]. » Mais s'est-il jamais soucié que sa vie fût facile ?

Le 12 mars, le SFA adresse une lettre signée Gérard Philipe à ses 4 000 adhérents. Devant l'intransigeance des directeurs, la grève est décidée : « Si samedi soir un seul théâtre se dérobait à la solidarité de tous, ce serait une atteinte sévère à notre communauté, un coup fatal à notre lutte constante pour maintenir à notre profession des salaires minimaux décents, ce serait, pour des années peut-être, notre organisation réduite à l'impuissance, car cet échec se répercuterait dans toutes les branches de notre activité. [...] Nous avons le droit d'affirmer que nous restons mesurés et dignes dans notre action, en limitant notre avertissement à un simple retard du lever de rideau dont le public lui-même a été averti par nos soins. »

Et, le samedi suivant, les théâtres parisiens frappent les trois coups avec une demi-heure de retard. Ce qui n'est pas du goût de tous : Pierre Dux, qui joue le rôle de Karl Marx sur la scène du Théâtre de Paris, s'élève contre cette décision en invoquant le respect du public, et tente d'entraîner ses camarades dans sa fronde. Après un échange de lettres rendues publiques avec Gérard Philipe, il sera radié du SFA. L'opération n'est en fait qu'un premier avertissement puisque, dans les jours qui suivent, la situation ne se débloquant pas, le SFA lance un ordre de grève. La vraie grève cette fois, rideaux baissés et projecteurs éteints. L'épreuve de force semble inévitable. C'est alors que Jean Dar-

1. Entretien partiellement inédit, 1960, Archives Gérard-Philipe, Maison Jean-Vilar.

cante propose sa médiation[1]. Intervenant auprès de Benoît-Léon Deutsh, président du Syndicat des directeurs de théâtre, il parvient à forcer le passage et obtient un compromis admissible pour les deux parties. Le mot d'ordre de grève est levé, et les deux syndicats, assis à la même table, vont pouvoir rediscuter la grille des salaires.

Depuis bientôt deux années, Gérard se dépense sans compter. « Entre 1957 et le début de 1959, il a été omniprésent, dit Robert Sandrey. Il avait l'œil à tout et connaissait tout dans le détail, aussi bien les côtés juridiques qu'artistiques ou financiers. Par exemple, il a demandé à un de ses amis directeur de production de nous faire un exposé sur la production cinématographique dans tous ses aspects techniques. »

Mais, coup de théâtre, Gérard annonce à ses amis qu'il ne briguera pas une nouvelle fois la présidence, au scrutin qui va s'ouvrir à l'issue de l'assemblée générale du 26 avril. Après deux années consacrées quasi exclusivement au syndicalisme, il veut souffler un peu. Fini le fauteuil de président, un strapontin au conseil syndical lui suffira désormais. Rue Monsigny, c'est la consternation. Et même un peu plus… « Je suis profondément attristé de ta décision, lui écrit aussitôt Jean Darcante. N'être pas candidat à la présidence est un coup sévère pour le SFA. » Puis le ton se gâte : « Abandonner le conseil sans l'ombre d'une seule raison syndicale valable, c'est pire qu'une trahison, ce serait une malhonnêteté […]. Il n'est pas possible qu'à la réflexion tu ne sentes pas combien ta manière de rejeter et la tâche et les hommes, brutalement, avec ton petit air altier qui semble dire : "Moi, je fais comme cela ! Tant pis si ce n'est pas l'usage", risque de devenir un peu odieuse[2]. »

Attaqué, Philipe se défend. Sans hargne, posément, point par point. « Que je puisse une année encore donner le temps que je donnais (et pas suffisant pourtant), c'est impossible », répond-il. Et surtout, souligne-t-il, c'est dans un état de crise donné qu'il a

1. Comédien, Jean Darcante est aussi le directeur du Théâtre de la Renaissance.
2. Archives Gérard-Philipe, Maison Jean-Vilar.

été mobilisé : « Un an nous a menés à la réunification, un an a fait vivre le nouveau syndicat dans l'esprit que nous avions souhaité. » Bref, les objectifs ont été atteints : « J'ai assuré le relais, la crise est passée, les hommes que tu préférais voir à la tête du syndicat y sont. Je ne crois pas avoir failli à ma promesse ; j'ai conduit le conseil jusqu'aux élections[1]. »

Sur sa santé, pas un mot, pas une allusion qui laisse supposer que la fatigue est aussi à l'origine de sa décision. Au contraire. Dégagé de la présidence, il continue à travailler d'arrache-pied pour préparer sa succession. L'avant-veille de son départ pour le Mexique, où il doit tourner *La fièvre monte à El Pao*[2], sous la direction de Luis Buñuel, il réunit encore tous ses proches collaborateurs rue de Tournon. « Après leur départ, raconte Robert Sandrey, Gérard m'a gardé ; nous avons rapidement avalé un beefsteack, puis il m'a dicté jusqu'à une heure tardive tout ce qu'il fallait faire dans les prochaines semaines... »

Au mois de mai, reçu chaleureusement à Mexico par Rodolfo Landa, vice-président de la Fédération internationale des acteurs, il s'empresse d'en faire part à ses camarades parisiens. De même qu'il leur fait parvenir en juin, tandis que s'achèvent les prises de vues du film, une sorte de rapport intitulé « Réflexions pour le conseil » : il s'agit d'un ensemble de notes, consignées au jour le jour, sur les améliorations que l'on peut apporter au fonctionnement du conseil syndical. Son dernier message aussi, sera pour eux. Le 23 novembre 1959, alité, il écrit à Michel Etcheverry, son successeur : « J'aurais aimé venir moi-même et plus vite vous assister parfois et dans la mesure du possible vous aider. Je n'ai pu malheureusement ni vous voir ni même passer le pas de la porte de notre syndicat depuis le mois d'août. Je viens de subir une intervention chirurgicale. Tout est au mieux maintenant et je rentre dans une période de convalescence qui sera longue. En attendant de vous revoir tous, je te fais parvenir des journaux et photos qui témoignent de la réception faite à Mexico en mai der-

1. *Ibid.*
2. Tournage du 11 mai au 11 juillet 1959.

nier par Landa au précédent président du SFA[1]. » Suivent quatre lignes de la main de Gérard Philipe, tracées de sa petite écriture fine : « Il est inutile de vous dire les souhaits que je fais pour votre travail et la marche de notre SFA. Amitiés. » Puis un post-scriptum : « Veux-tu dire au personnel mes meilleures pensées. »

Tardivement postée sans doute, la lettre ne sera distribuée que le surlendemain, mercredi 25 novembre. « Nous l'avons lue, Etcheverry et moi…, se rappelle Robert Sandrey. Le soir même, tous les journaux annonçaient la mort de Gérard Philipe. »

1. Archives du SFA.

18

Fausses nouvelles ? Gérard Philipe est fatigué, dit-on. On parle de dysenterie amibienne, contractée à Acapulco, pendant le tournage des extérieurs de *La fièvre monte à El Pao*. Ce qui ne l'empêche pas d'être tous les matins à l'heure dite devant la caméra de Buñuel.

El Pao n'aura marqué ni la carrière du comédien ni celle du réalisateur. Comment s'intéresser à cette histoire de dictature, où le héros, abandonnant le parti des bourreaux, se range, sans réelle conviction, aux côtés des prisonniers politiques ? Adaptée d'un roman de Henry Castillou, corsée d'une intrigue amoureuse aux limites du ridicule, elle marque pourtant l'unique rencontre Philipe-Buñuel.

Depuis longtemps les deux hommes souhaitent travailler ensemble – mais aucun de leurs projets communs n'a pu voir le jour : *Robinson Crusoé*, *Le Hussard sur le toit*, d'après Giono, *Le Moine* de Lewis… Et tous deux déplorent que leur collaboration se réalise enfin avec un film qu'ils ne peuvent prendre au sérieux ni l'un ni l'autre. « Nous avons conclu que nous ferions mieux la prochaine fois », commente Luis Buñuel [1].

Il n'y aura pas de prochaine fois. A Mexico, où se poursuivent les prises de vues en studio, l'acteur se sent de plus en plus fatigué. Il ne s'en inquiète toutefois pas outre mesure et, prenant sur lui, met ses malaises sur le compte de l'altitude. Avec Anne, qui l'a rejoint, il fait des razzias de bibelots et d'objets de pacotille

1. *Souvenirs et Témoignages*, *op. cit.*

qu'il achète aux étals des artisans indiens. Quatorze valises, pleines de ces colifichets, le précèdent sur le chemin du retour... Tandis qu'il fait escale à Cuba, hôte pour quelques jours du gouvernement révolutionnaire.

Cuba, en cet été de 1959, c'est encore la révolution dans son innocence[1]. Ou presque. Une révolution sans effusion de sang, plus politique que militaire. Les intellectuels français, encore échaudés par le rapport Khrouchtchev et la tragédie hongroise, voient dans la victoire de Castro comme la promesse d'un nouveau socialisme. C'est donc avec enthousiasme qu'Anne et Gérard débarquent à La Havane au mois de juillet. Le pays est en pleine effervescence. Le 4 juin, le Premier ministre a en effet décrété une réforme agraire générale. Au nom de quoi, le gouvernement a décidé la confiscation des terres appartenant aux planteurs américains. Ceux-ci détenant 40 % des superficies consacrées à la canne à sucre, la décision n'a pas manqué d'envenimer les relations déjà tendues entre Cuba et les États-Unis[2]. Et de susciter, par contrecoup, un grand élan national dans l'île.

C'est l'été de la liberté. Dans la capitale, on se prépare à commémorer pour la première fois, le 26 juillet, l'attaque de la caserne de la Moncada, à Santiago de Cuba : le 26 juillet 1953, en effet, Fidel Castro et ses partisans se lançaient à l'assaut du bâtiment militaire. L'offensive était certes durement réprimée, Castro emprisonné, mais l'événement n'en marquait pas moins le début du processus révolutionnaire.

La Havane est en fête, les paysans, les *guajiros*, affluent de leurs campagnes pour célébrer en ville, dans la félicité populaire, la fin des années noires : « La sève renouvelée de la révolution bouillonnait avec impétuosité dans les âmes, effaçant toutes les terreurs », écrit en style fleuri un journaliste cubain racontant ces journées[3]. C'est dans cette atmosphère surchauffée que les deux

1. Fidel Castro a pris le pouvoir le 5 janvier 1959.

2. Les États-Unis achètent alors 90 % de la production sucrière de l'île. Les raffineries seront nationalisées au mois d'août.

3. Héctor García Mesa, « La visite de Gérard Philipe », *Ciné Cubano*, n° 1, s.d. (1960). Sauf mention contraire, les citations qui suivent sont extraites du même article.

Français vont entreprendre le circuit que suivront après eux des dizaines d'intellectuels venus juger sur pièce du miracle cubain… On commence par la visite d'un complexe sucrier où, écrit García Mesa, « le sacrifice épique des travailleurs nous a donné foi dans notre destin ». Deuxième étape : l'université et les questions des étudiants. Troisième étape : le théâtre national en construction, où Gérard Philipe « ne peut cacher son admiration pour un mouvement qui, dans ses commencements mêmes, s'occupe de réaliser une véritable réforme agraire et, en même temps, de multiplier les œuvres à caractère culturel ». On passe ensuite à la séquence artistique. Gérard est curieux de connaître le cinéma cubain ? Qu'à cela ne tienne : ses hôtes organisent une projection du documentaire *Esta tierra nuestra.* A laquelle il assiste en compagnie de Raúl Castro, frère du Premier ministre et chef des forces armées, Efigenios Almejeiras, chef de la police nationale, Osmani Cienfuegos, directeur de la Culture de l'armée rebelle, et Alfredo Guevara, directeur de l'Instituto cubano del arte y industria cinematográficos (ICAIC). Avant de rencontrer, couronnement suprême, Fidel Castro en personne dans les locaux de l'INRA[1].

Le programme ne serait pas complet s'il n'y avait la traditionnelle conférence de presse. Au cinquième étage de l'immeuble Atlantic, qui abrite les modestes bureaux de l'ICAIC, Gérard, vêtu d'une chemisette blanche et d'un pantalon clair, est lâché devant un public composé non seulement de journalistes, mais aussi d'écrivains, de comédiens, de critiques. Et qui se contente de peu. Drôles de questions, en effet, que celles posées au comédien, curieusement mouchetées, en tout cas anodines : le néoréalisme, la Nouvelle Vague, les rapports littérature-cinéma… Mais l'enthousiasme de ces gens est bouleversant et Gérard répond à tous, faisant à chacun le « cadeau de son clair sourire ».

Gérard et Anne ont-ils été trompés ? Trop facile de répondre oui aujourd'hui, après trente-cinq ans. A ce compte, d'autres aussi l'ont été : Sartre, Beauvoir, Françoise Sagan, qui les ont

1. Instituto nacional de la reforma agraria.

suivis de près à Cuba, et – pourquoi ne pas le reconnaître ? – la quasi-totalité des intellectuels français qui ont fait le voyage dans ces années-là. En 1959, que savait-on de Fidel Castro et de ses intentions ? S'il avait beaucoup parlé au cours des années précédentes, il ne s'était guère étendu sur son projet politique. Ce qu'on en connaissait n'impliquait ni la destruction brutale de la structure sociale et de l'économie cubaine ni la fin de la démocratie[1]. Tous les espoirs étaient permis à des femmes et à des hommes qui n'acceptaient pas de désespérer du socialisme. Aussi, lorsqu'un journaliste cubain demande à Gérard Philipe : « Aimeriez-vous participer à une œuvre révolutionnaire ? », l'acteur ne se trompe-t-il pas de révolution : « Je suis très impressionné par la révolution cubaine, répond-il sans hésiter, et il m'est venu une idée que je soumettrai au directeur de l'Institut[2]. »

L'idée : jouer le rôle de Raúl Castro dans une coproduction franco-cubaine qui retracerait l'épopée castriste. « Nous voulions que l'art de Gérard Philipe, raconte Alfredo Guevara, nous restitue sur l'écran l'image de Raúl, le combattant de la Sierra Maestra, le héros de Moncada, le chef de la Sierra Cristal. [...] Nous nous sommes retrouvés un soir à l'hôtel Nacional. Nous étions un petit groupe d'amis et flânions dans les jardins. » Il se fait tard, la nuit tombe. Pourtant, ni Anne ni Gérard ne songent à quitter leurs hôtes. Au contraire, mille questions leur brûlent les lèvres, des inquiétudes et des espoirs – surtout des espoirs. « Nous nous sommes enfin assis dans un salon donnant sur le jardin, poursuit Alfredo Guevara. Et nous avons parlé de notre film, celui qui prêterait à Raúl les traits de Gérard et mettrait ainsi son talent en prise directe avec la révolution cubaine[3]. » Avant de se séparer, les amis veulent aller faire un tour dans La Havane en liesse. D'un geste, Gérard retient Guevara un instant. Et, tandis qu'il commence à parler, sa voix vibre d'émo-

1. Jeannine Verdès-Leroux, *La Lune et le Caudillo*, L'Arpenteur, 1989.
2. *Ciné Cubano*, n° 1.
3. Alfredo Guevara, « Recuerdo de Gérard Philipe », *Ciné Cubano*, n° 7, s.d. (1961).

tion : « Pour la première fois depuis l'époque de la Résistance, je sens que notre art peut se réaliser dans toute sa plénitude. La révolution cubaine m'a donné cette certitude, capitale dans ma vie comme dans mon travail. Aussi je voudrais la servir et surtout l'aider[1]... »

Ce ne sont pas là paroles en l'air. De ce jour, Gérard se fait le plus ardent propagandiste du mouvement. « Beaucoup d'intellectuels, dit Guevara, et tout particulièrement des écrivains, des réalisateurs de cinéma, des comédiens, découvrirent cette révolution de la bouche même de Gérard. » Et celui-ci prend à cœur de signaler au magazine *Paris-Match* l'erreur qui consiste à présenter Fidel Castro comme une sorte de Robin des Bois des Antilles...

Ramatuelle. Gérard est arrivé exténué à La Rouillère. La fatigue accumulée du voyage, du tournage, du climat tropical, du séjour à Cuba... Aucun doute là-dessus : pas de quoi s'alarmer. Et il compte bien sur ses vacances provençales pour récupérer au plus vite sa vitalité. Les vacances, c'est-à-dire la vie telle qu'il l'aime : les enfants, les amis triés sur le volet, les courses de bon matin dans Saint-Tropez encore désert, la plage de l'Escalet... Mais la lassitude persiste et l'on reparle d'amibes.

Début septembre, il fait un saut à Paris pour accueillir son ami Alfredo Guevara, de passage dans la capitale au retour du Festival de Venise. Fidèle à sa promesse de soutenir le défi castriste, Gérard présente le jeune Cubain à quelques personnalités : Simone de Beauvoir, Jean-Paul Sartre, Maria Casarès, puis Alain Resnais et Sacha Vierny, qui viennent tous deux de triompher avec *Hiroshima mon amour*, l'un comme réalisateur, l'autre comme chef opérateur.

A quelques jours de sa sortie en salle, la censure frappe d'interdiction *Les Liaisons dangereuses*[2]. C'est l'événement du jour, presque un scandale, relayé par la presse et les radios. Un après-

1. *Ibid.*
2. Sortie à Paris le 9 septembre.

midi qu'il est sur les Champs-Élysées en compagnie de Guevara, Gérard voit converger vers lui des dizaines de curieux, touristes en goguette profitant des derniers beaux jours et Parisiens authentiques… Aucun n'ignore qu'il est la vedette du film dont on parle tant. Les appareils photographiques crépitent. Gérard, impassible, continue sa route. Les poursuivants ne lâcheront prise qu'à la Concorde.

10 septembre : retour à Ramatuelle.

28 septembre : départ de Ramatuelle, installation à Cergy.

Première semaine d'octobre : voyage en Angleterre, à Stratford-sur-Avon, pour applaudir Laurence Olivier dans Shakespeare.

23 octobre : première du *Crapaud-Buffle* d'Armand Gatti au Théâtre Récamier, la nouvelle salle que vient d'ouvrir le TNP. A l'entracte, Gérard se glisse jusqu'au fauteuil de Georges Le Roy et souffle à son vieux maître : « Il se pourrait que je joue prochainement *Le Menteur* et *Hamlet.* »

Un mois plus tard, il est mort.

Car dans ce terrible compte à rebours qu'il a commencé sans le savoir, dans sa course contre le temps, Gérard est d'avance le perdant. Courant octobre, la fatigue n'ayant pas cédé, il subit une série d'examens radiologiques qui ne révèlent rien. « L'idée qu'il pourrait avoir un cancer l'a effleuré à ce moment, souligne Bronia Clair, mais nous lui avons tous ri au nez, persuadés qu'il n'avait rien de grave, et il s'est rassuré. » D'ailleurs, ses médecins, le professeur Moreau et le professeur Gaudart d'Allaines, diagnostiquent un abcès amibien au foie. Une intervention chirurgicale est décidée.

Le 5 novembre 1959, Albert Philipe, régisseur de son état, s'inscrit sur le registre des entrées de la clinique Violet, sise 60 rue Violet, à Paris, dans le XVe arrondissement. Demi-mensonge, puisque Albert est le second prénom de l'acteur. Sage précaution, en tout cas, si l'on veut éviter toute indiscrétion. Car Gérard préfère que l'on ignore son hospitalisation. Une religieuse, sœur Eugénie, le conduit à la chambre 7, située dans le deuxième pavillon, au bout d'un long couloir étroit et carrelé de blanc. Elle est vaste, bien éclairée par une fenêtre donnant sur un jardin. Peu de monde dans la confidence : les Clair, le docteur Vellay… Minou, qui se trouve chez une amie à Cannes, apprendra la nouvelle par téléphone, de la bouche même de son fils, qui lui parle d'une période d'observation, omettant volontairement d'évoquer l'intervention chirurgicale. Celle-ci est fixée au 9 novembre.

Un infirmier est venu le chercher et l'a emmené au bloc opératoire. Bruit du chariot qui s'éloigne dans le couloir. Dans la chambre 7, Anne reste seule. Elle referme le livre que Gérard vient de poser, le range sur la table de chevet, replie la robe de chambre abandonnée sur une chaise… Dehors, c'est un matin noir de novembre, chargé de gros nuages couleur d'ardoise. Dans une heure et demie, il sera de retour. « Je ne veux pas que tu sois là quand je redescendrai, a-t-il dit, on est laid quand on vient d'être opéré et qu'on dort encore[1]. » Anne rejoint dans la salle d'attente les amis qui l'ont accompagnée. Mais l'attente ne sera pas longue. Une infirmière vient lui dire qu'on la demande. Anne pâlit, se lève, la suit. Dès qu'elle voit s'avancer vers elle les quatre hommes en blouse blanche, elle a compris : « "Combien de temps ?", avais-je demandé aux médecins lorsqu'ils m'avaient fait entrer dans la petite pièce à côté du bloc opératoire. » Ce qu'ils ont à lui dire tient en quelques mots : cancer primaire du foie, cas très rare, pronostic fatal, un à six mois au maximum. « Quand elle est redescendue elle était verte, se souvient Bronia Clair. Elle a dit : "Il est fichu." »

Anne a déjà pris sa décision (« j'avais toujours su que les grandes décisions se prennent en quelques secondes ») : Gérard ne doit rien savoir. Jusqu'au bout – puisqu'il est perdu –, il doit tout ignorer de son état. Lorsqu'elle revient dans la chambre, on a déjà ramené Gérard, encore endormi. On installe le goutte-à-goutte. La sonde nasale gêne sa respiration. « Même endormi je n'osais te regarder avec le désespoir, la folie qui m'animaient.

1. Anne Philipe, *Le Temps d'un soupir*, *op. cit.* Sauf mention contraire, les citations suivantes sont extraites du même ouvrage.

Je forçais mon regard au calme, je répétais devant toi, inconscient, la comédie que j'allais te jouer et qui était tout ce qui me restait de notre vie commune. »

La comédie, elle va désormais la jouer vingt-quatre heures sur vingt-quatre. Courageusement. A Gérard et à tous. Car, pour mieux le protéger, elle décide de se taire, de cacher la vérité. A tout le monde. Il ne faut pas qu'à la faveur d'une maladresse – ou d'une faiblesse passagère, d'un moment d'émotion – quiconque se laisse aller à montrer le moindre trouble devant le malade. Minou elle-même ne saura rien. « Je me battrais toutes griffes dehors pour qu'aucune souffrance, aucune peur ne vienne jusqu'à toi. » Seuls quelques proches partageront le secret, l'aideront peut-être à le porter : René et Bronia Clair, Pierre et Aline Vellay, Suzanne Dodin. Et pour commencer son mensonge, dès qu'il ouvre les yeux, encore assommé par l'anesthésie, elle lui chuchote : « Tout va bien. »

Rentrée à Paris, Minou se précipite rue Violet : « Dans le long couloir blanc de la clinique, je marchais à la rencontre de ma belle-fille ; je n'avais plus mes jambes ; elle a dû faire la moitié du chemin [1]. » Dans sa chambre, soutenu par l'infirmier, Gérard fait ses premiers pas. Il n'a pas bonne mine. Sa mère s'alarme, il la réconforte d'un sourire. Non, pas très bonne mine, mais il pourra tout de même rentrer chez lui dans quelques jours.

Jeudi 19 novembre. Le compte à rebours touche à sa fin. Retour rue de Tournon. Il fait beau sur Paris. Assis à l'avant de la voiture, il est pâle, amaigri, silencieux. Carrefour Bac, place Saint-Michel… Les voit-il seulement, tous ces lieux auxquels, sans le savoir, il fait ses adieux ? Il veut pourtant gravir sans aide les deux étages qui mènent à l'appartement. Supplice. « Tu t'assis sur la première chaise. Tu gardais la tête penchée, les yeux fixés sur tes genoux, où reposaient tes mains. »

Et les jours recommencent à couler. Gérard a repris la lecture des classiques. Après les Français et les Anglais, c'est au tour

1. *Cinémonde*, n° 1581, 24 novembre 1964.

des tragiques grecs. Euripide. L'Euripide des *Troyennes*, le sage Euripide : « Parmi les heureux de la terre, ne connaissez personne comme favorisé du sort avant qu'il ne soit mort[1]. »

Le dimanche 22, il se laisse photographier dans son lit. Genoux pliés sous le drap, un bras derrière la nuque, le visage souriant tourné de côté sur l'oreiller, c'est un jeune homme qui fait la grasse matinée... Cependant sa couche est déjà un lit de mort.

Le 23, il se sent mieux et dicte ou écrit quelques lettres. L'une au SFA, une autre à son père : « J'ai donc eu deux abcès au foie qui s'y trouvaient sans doute depuis quelques années, provoqués par des amibes. Maintenant le foie lui-même doit se remettre de cet ancien voisinage car il est enflammé et congestionné. Ce sera le temps du repos. Je m'y installe avec joie [...]. Sans fonction précise, et pouvant vivre très bien jusqu'au prochain film, *Monte-Cristo*, je consacre le temps aux lectures, aux flâneries, et puis aussi à l'établissement calme et non affolé des projets qui me concerneront plus tard[2]. » Quand la lettre arrivera à Barcelone, il sera mort.

Le lendemain, les médecins se réunissent à son chevet : il s'est mis dans la tête d'achever sa convalescence aux sports d'hiver. Pourquoi pas ? Un des praticiens souffle à Anne : « Sa vitalité est telle qu'il se pourrait bien qu'il puisse partir avec vous à la neige dans un mois. » Et quand Pierre Vellay arrive, en fin d'après-midi, Gérard le charge aussitôt de se mettre en quête d'un chalet à la montagne. Mais, quoi qu'en disent les docteurs, Anne sait bien qu'ils ne partiront pas, qu'ils ne partiront plus jamais ensemble. Sauf pour l'ultime voyage à Ramatuelle. Le dernier acte de la comédie est en train de se jouer, le dernier mensonge : « Oui, dans un mois nous partirons nous reposer. Un chalet avec un balcon de bois, un champ de neige à nos pieds, la forêt derrière nous, les montagnes scintillantes sous le soleil... »

Cependant il est gai, bavard, ses yeux clairs brillent dans son visage recoloré – qui pourrait imaginer qu'il s'agit d'une veillée

1. Gérard Philipe a recopié cette réplique d'Hécube sur la couverture du volume qu'il lit (rapporté par Claude Roy, *Souvenirs et Témoignages*, *op. cit.*).
2. Citée *in extenso* par Marcel Philip in *France-Dimanche*, n° 701, 28 janvier 1960.

funèbre ? Il se fait tard, mais il retient son ami, insiste, le rappelle quand celui-ci est déjà à la porte : « Pierre, tu penses à tout ce que nous avons dit, c'est sérieux[1] ! » Et là-dessus son grand rire…

La suite ? Gérard a repris son livre : « Non, ma fille, ce n'est pas la même chose de voir encore le jour et d'être mort ; la mort, c'est le néant, la vie a pour elle l'espérance[2]. » Il sent peut-être le sommeil le gagner. Avant de reposer le volume d'Euripide, il marque la page à l'aide d'un coupe-papier : page 213. Éteint la lampe – et c'est comme s'il venait de sauter dans un noir abîme, car nul ne le reverra vivant.

25 novembre. Anne, comme tous les matins, conduit ses deux jeunes enfants à l'école du Père-Castor, boulevard Saint-Michel. Son fils aîné, Alain, qui vit rue de Tournon depuis qu'il a commencé ses études de médecine, passe voir son beau-père un peu plus tard. Il le trouve presque inconscient : « Il ne répondait pas aux questions, bougeait à peine, ses yeux battaient… » Une embolie, dira le communiqué officiel. Tous les efforts des médecins appelés en hâte échoueront. A onze heures cinquante, tout est dit. Gérard Philipe s'éteint sans avoir repris connaissance.

« La mort a frappé haut », commence Jean Vilar, la voix brisée par l'émotion, devant une salle bouleversée où beaucoup ne retiennent pas leurs larmes. Seul sur l'immense plateau de Chaillot, il poursuit tant bien que mal : « Elle a fauché celui-là même qui pour des millions d'adolescents exprimait la vie. Il reste à jamais gravé dans notre mémoire. Cependant, il nous faut continuer, c'est une loi de notre métier, de son métier. Il savait que la vie est toujours trop courte quand il est question d'être utile aux hommes. Aux pires heures, alors que l'un de nous était abattu par la maladie, par la souffrance, par l'ombre du désastre, il souriait. Travailleur acharné, secret, méthodique, il se méfiait quotidiennement de ses dons. Il avait le droit d'être

1. *Souvenirs et Témoignages*, *op. cit.*
2. Autre réplique d'Hécube, cochée par Gérard Philipe sur son exemplaire.

exigeant envers les autres, car il était d'abord cruel envers lui-même. Il était loyal. Cela aussi comment l'oublier ? Il était fidèle. Fidèle à ses engagements du premier jour. Quoi qu'il advînt. Quoi qu'il advienne. Cette fidélité, de lui à nous, de nous à lui, seule la mort pouvait la détruire. Elle l'a fait. Dans des temps moins douloureux, nous rendrons l'hommage qu'il mérite à ce compagnon exemplaire. Que le silence soit pour un temps encore le témoignage de notre deuil[1]. »

Dès l'annonce de la mort de Gérard Philipe, dans l'après-midi, des Parisiens se sont spontanément rassemblés devant le 17 rue de Tournon. « La rue était pleine de monde », se souvient Suzanne Dodin. Des centaines de badauds qui font à Gérard, en silence, des obsèques populaires. Quand la nuit tombe, tous sont encore là : « Il y avait la foule de Paris, qui ne ressemble à aucune autre, dans le temps gris et froid, qui restait là devant la maison, comme si elle ne se fût pas résolue à s'en aller. Des petites gens de toutes sortes, de la jeunesse, des étudiants, le public du TNP[2]. »

Là-haut, au deuxième étage, l'habilleuse du TNP, Jeanne Aleivelatore, revêt Gérard du grand pourpoint noir et blanc, celui de Rodrigue, qu'il portera pour l'éternité… Les télégrammes arrivent par centaines, signés de noms dont la liste constitue le plus fabuleux des génériques : Raf Vallone, Jean Renoir, Fernandel, Roger Vailland, Bourvil, Pierre Blanchar, Jean Marais, Yvonne Printemps et Pierre Fresnay, Louise de Vilmorin, Tino Rossi, Gaby Morlay, Martine Carol, François Périer, Danielle Darrieux, Elvire Popesco, Annabella, Edwige Feuillère, Michèle Morgan… Mais c'est la mort qui dans ce film impossible joue le rôle principal. Puis d'autres messages encore : Jacques Duclos, au nom du PCF, André Souquière, pour le conseil national du Mouvement de la paix, les Amitiés franco-chinoises, les comités d'entreprise des ciné-clubs…

Vendredi matin, à l'aube, six hommes peinent sous le poids du

1. Texte prononcé par Jean Vilar sur la scène du palais de Chaillot le mercredi 25 novembre 1959, Archives TNP.

2. Aragon, *France nouvelle*, 3 décembre 1959.

cercueil dans l'escalier étroit. Six employés des pompes funèbres, casquette galonnée, uniforme noir à boutons d'argent, habitués à charrier quotidiennement la mort. Derrière eux, Minou descend lentement, appuyée au bras de Jean Vilar – c'est une vieille dame soudain, le visage gonflé par les larmes. Puis vient Jean, le frère aîné. Anne est déjà au bas des marches, elle se serre contre le mur pour céder le passage au grand coffre doublé de plomb. « Je suis une femme sans larmes[1]. » Mais sa main se crispe un peu plus sur le col de son manteau de fourrure claire. Le fourgon noir stationne sous le porche. Une portière claque. Quelqu'un jette sur la galerie une brassée d'orchidées… Un photographe est là. « Sur la route grise du dernier voyage, il part vers le cimetière ensoleillé parmi les vignes », écrit un magazine sous la photo, la semaine suivante.

Samedi 28 novembre. Cimetière de Ramatuelle. « Je me souviens du bruit des fleurs lancées sur le bois, un son étouffé mais qui se répercutait en moi comme des vagues, à la chaîne, et bientôt la première pelletée de terre, un bruit mat, celui-là, brutal, qui se terminait en pianissimo perlé quand la terre roulait sur le bois, avant de trouver sa place définitive au plus bas de sa course[2]. » Il pleut ; quelque part, la demie de onze heures vient de sonner. Dans cette fosse encore ouverte, on vient d'ensevelir ensemble Rodrigue, Hombourg, Fanfan et Lorenzo… Nul vent, seulement cette pluie douce, cette poudre d'eau qui mouille les visages et les vêtements. Combien sont-ils, là, autour de ce carré de terre que le fossoyeur comble lentement ? Une poignée d'amis et de parents qui ont fait le voyage. Et tout le village de Ramatuelle. Au milieu : Anne. Comme à l'écart des autres. Toute seule près de la tombe. « Nous étions seuls au monde, toi couché, moi debout. Mon regard traversait le bois et le plomb[3]. »

Seule. Les mains dans les poches de son manteau clair, piétinant dans la boue. Indifférente à tous ces regards. Qu'attendent-

1. Anne Philipe, *Le Temps d'un soupir*, *op. cit.*
2. *Ibid.*
3. *Ibid.*

ils, tous ? Des larmes qui ne viendront pas ? « Je suis une femme sans larmes. » Ils peuvent bien la regarder. Elle est déjà ailleurs, réfugiée dans un néant qui la torture, répétant peut-être pour elle seule les mots mêmes de Chimène éplorée : « Je cherche le silence et la nuit pour pleurer. »

Annexes

Filmographie

LONGS MÉTRAGES

La Boîte aux rêves (ex-*Ce que femme veut*)
Réalisation : Yves Allégret (assistant : René Clément), qui remplace Jean Choux après qu'il eut abandonné le film pour cause de divergences avec Viviane Romance. Scénario : Viviane Romance, Yves Allégret et René Lefèvre. Dialogues : René Lefèvre. Directeur de la photographie : Jean Bourgoin. Décors : Georges Wakhevitch. Musique : Jean Marion. Son : Paul Habans. Tournage : printemps 1943. Durée : 100 mn.
Distribution : Viviane Romance (Nicole), Frank Villard (Jean), Henri Guisol (Pierre), René Lefèvre (Marc), Pierre Louis (Alain), Marguerite Pierry, Thérèse Dorny, Gaston Orbal, Armontel, Palau, Félix Oudart, Gérard Philipe.
Sortie parisienne : 11 juillet 1945.

Les Petites du quai aux Fleurs
Réalisation : Marc Allégret. Scénario : Marcel Achard et Jean Aurenche. Dialogues : Marcel Achard. Directeur de la photographie : Henri Alekan. Décors : Paul Bertrand. Musique : Jacques Ibert. Tournage : juin-septembre 1943. Durée : 92 mn.
Distribution : Louis Jourdan (Francis), Bernard Blier (le docteur Bertrand), Odette Joyeux (Rosine), Simone Sylvestre (Édith), Danièle Delorme (Bérénice), Colette Richard (Indiana), André Lefaur, Marcelle Praince, Gérard Philipe, Jacques Dynam, Armontel.
Sortie parisienne : 27 mai 1944.

Le Pays sans étoiles
Réalisation : Georges Lacombe. Scénario : Pierre Véry et Georges Lacombe, d'après un roman de Pierre Véry. Dialogues : Pierre Véry. Directeur de la photographie : Louis Page. Décors : Robert Gys et Roger Hubert. Musique : Marcel Mirouze. Tournage : juillet-août 1945. Durée : 100 mn.

Distribution : Gérard Philipe (Simon Legouge et Frédéric Talacayud), Jany Holt (Catherine Le Quellec et Aurélia Talacayud), Pierre Brasseur (Jean-Pierre Pellerin et François-Charles Talacayud), Sylvie, Auguste Bovério, Guy Favières, Jane Marken, Paul Demange, Hélène Tossy.
Sortie parisienne : 3 avril 1946.
Existe en vidéocassette.

L'Idiot
Réalisation : Georges Lampin. Scénario : Charles Spaak, d'après le roman de Dostoïevski. Dialogues : Charles Spaak. Directeur de la photographie : Christian Matras. Décors : Léon Barsacq. Musique : Maurice Thiriet. Tournage : février-mars 1946. Durée : 95 mn.
Distribution : Gérard Philipe (le prince Muichkine), Edwige Feuillère (Nastasia), Lucien Coëdel (Rogojine), Marguerite Moreno, Jean Debucourt, Nathalie Nattier, Sylvie, Félicien Tramel, Maurice Régamey, Mathilde Casadesus.
Sortie parisienne : 7 juin 1946.
Existe en vidéocassette.

Le Diable au corps
Réalisation : Claude Autant-Lara. Scénario : Jean Aurenche et Pierre Bost, d'après le roman de Raymond Radiguet. Dialogues : Jean Aurenche et Pierre Bost. Directeur de la photographie : Michel Kelber. Décors : Max Douy. Musique : René Cloërec. Tournage : septembre-novembre 1946. Durée : 110 mn.
Distribution : Gérard Philipe (François Jaubert), Micheline Presle (Marthe Grangier), Jean Debucourt (M. Jaubert), Denise Grey (Mme Grangier), Jean Varas, Palau, Marthe Mellot, Michel François, Jacques Tati, Maurice Lagrenée.
Sortie parisienne : 12 septembre 1947.

La Chartreuse de Parme
Réalisation : Christian-Jaque. Scénario : Pierre Véry, Pierre Jarry et Christian-Jaque, d'après le roman de Stendhal. Dialogues : Pierre Véry. Directeurs de la photographie : Nicolas Hayer et Anchise Brizzi. Décors : Jean d'Eaubonne. Costumes : Georges Annenkov. Musique : Renzo Rossellini. Tournage : mars-septembre 1947. Durée : 170 mn.
Distribution : Gérard Philipe (Fabrice del Dongo), Maria Casarès (la duchesse Sanseverina), Renée Faure (Clélia Conti), Lucien Coëdel (le chef de la police), Louis Salou (le prince de Parme), Louis Seigner, Maria Michi, Tullio Carminati.
Sortie parisienne : 21 mai 1948.
Existe en vidéocassette.

Une si jolie petite plage
Réalisation : Yves Allégret. Assistant : Paul Feyder. Scénario et dialogues : Jacques Sigurd. Directeur de la photographie : Henri Alekan. Décors : Maurice Colasson. Musique : Maurice Thiriet. Tournage : mai-juillet 1948. Durée : 91 mn.
Distribution : Gérard Philipe (Pierre), Madeleine Robinson (Marthe), Jean Servais (Fred), Jane Marken (Mme Mahieu), Julien Carette, Mona Dol, Gabrielle Fontan.
Sortie parisienne : 19 janvier 1949.
Existe en vidéocassette.

Tous les chemins mènent à Rome
Réalisation : Jean Boyer. Scénario et dialogues : Jacques Sigurd. Directeur de la photographie : Christian Matras. Décors : Léon Barsacq. Costumes : Marcel Escoffier. Musique : Paul Misraki. Tournage : septembre-novembre 1948. Durée : 97 mn.
Distribution : Gérard Philipe (Gabriel Pégase), Micheline Presle (Laura Lee), Marcelle Arnold (Hermine), Marion Delbo, Jacques Louvigny, Albert Rémy.
Sortie parisienne : 16 septembre 1949.

La Beauté du diable
Réalisation : René Clair. Assistant : Michel Boisrond. Scénario et dialogues : René Clair et Armand Salacrou. Directeur de la photographie : Michel Kelber. Décors : Léon Barsacq. Costumes : Antoine Mayo. Musique : Roman Vlad. Tournage : juillet-août 1949. Durée : 91 mn.
Distribution : Gérard Philipe (Méphistophélès et Faust jeune), Michel Simon (Méphistophélès et Faust âgé), Nicole Besnard (Marguerite), Simone Valère (la princesse), Tullio Carminati, Carlo Ninchi, Paolo Stoppa, Raymond Cordy, Gaston Modot.
Sortie parisienne : 17 mars 1950.
Existe en vidéocassette.

La Ronde
Réalisation : Max Ophuls. Assistant : Paul Feyder. Scénario : Jacques Natanson et Max Ophuls, d'après la pièce *Der Reigen* d'Arthur Schnitzler. Dialogues : Jacques Natanson. Directeur de la photographie : Christian Matras. Décors : Jean d'Eaubonne. Costumes : Georges Annenkov. Musique : Oscar Straus. Chanson : Louis Ducreux. Tournage : 23 janvier-18 mars 1950. Durée : 97 mn.
Distribution : Gérard Philipe (le comte), Anton Walbrook, Simone Signoret, Serge Reggiani, Simone Simon, Daniel Gélin, Danielle Darrieux, Fernand Gravey, Odette Joyeux, Jean-Louis Barrault, Isa Miranda.
Sortie parisienne : 27 septembre 1950.

Souvenirs perdus
Réalisation : Christian-Jaque. Scénario : Jacques et Pierre Prévert, Henri Jeanson et Pierre Véry. Adaptation : Jacques Companeez, Christian-Jaque. Dialogues : Jacques Prévert, Henri Jeanson et Bernard Zimmer. Directeur de la photographie : Christian Matras. Décors : Robert Gys. Musique : Joseph Kosma. Tournage : 19 avril-7 juillet 1950. Durée (totale) : 105 mn.
Distribution : Gérard Philipe (Gérard), Danièle Delorme (Danièle). Et, dans les trois autres sketches : Edwige Feuillère et Pierre Brasseur ; Bernard Blier et Yves Montand ; François Périer et Suzy Delair.
Sortie parisienne : 11 novembre 1950.
Existe en vidéocassette.

Juliette ou la Clef des songes
Réalisation : Marcel Carné. Scénario : Jacques Viot et Marcel Carné, d'après la pièce de Georges Neveux. Dialogues : Georges Neveux. Directeur de la photographie : Henri Alekan. Décors : Alexandre Trauner et Auguste Capelier. Costumes : Antoine Mayo. Musique : Joseph Kosma. Tournage : 3 juillet-12 octobre 1950. Durée : 100 mn.
Distribution : Gérard Philipe (Michel), Suzanne Cloutier (Juliette), Jean-Roger Caussimon (M. Bellanger et le « Prince »), René Génin, Yves Robert, Roland Lesaffre, Marcelle Arnold, Édouard Delmont, Marion Delbo.
Sortie parisienne : 18 mai 1951.
Existe en vidéocassette.

Fanfan la Tulipe
Réalisation : Christian-Jaque. Scénario : René Wheeler et René Fallet. Adaptation : Christian-Jaque, Henri Jeanson et René Wheeler. Dialogues : Henri Jeanson. Directeur de la photographie : Christian Matras. Décors : Robert Gys. Costumes : Marcel Escoffier, assisté de Jean Zay. Musique : Georges Van Parys et Maurice Thiriet. Tournage : 20 août-16 novembre 1951 et 18 décembre 1951-3 janvier 1952. Durée : 102 mn.
Distribution : Gérard Philipe (Fanfan), Gina Lollobrigida (Adeline), Noël Roquevert (Fier-à-bras), Geneviève Page (la marquise de Pompadour), Marcel Herrand (Louis XV), Jean-Marc Tennberg, Olivier Hussenot, Jean Parédès, Sylvie Pelayo, Georgette Anys, Gil Delamare, Joe Davray.
Sortie parisienne : 20 mars 1952.
Existe en vidéocassette.

Les Sept Péchés capitaux
Réalisation : Georges Lacombe (pour les autres sketches : Eduardo De Filippo, Jean Dréville, Yves Allégret, Carlo Rim, Roberto Rossellini, Claude Autant-Lara). Scénario : René Wheeler, d'après une idée de Léo

Joannon. Dialogues : René Wheeler. Directeur de la photographie : Robert Le Febvre. Décors : Max Douy. Tournage : 18-21 février 1952. Durée (totale) : 148 mn.
Distribution : Gérard Philipe (le meneur de jeu), Robert Dalban, Alfred Baillou. Pour les autres sketches : Isa Miranda, Eduardo De Filippo, Paolo Stoppa, Noël-Noël, Viviane Romance, Frank Villard, Jean Richard, Andrée Debar, Michèle Morgan, Françoise Rosay.
Sortie parisienne : 30 avril 1952.

Les Belles de nuit
Réalisation, scénario et dialogues : René Clair. Assistant : Michel Boisrond. Directeur de la photographie : Armand Thirard. Décors : Léon Barsacq. Costumes : Rosine Delamare. Musique : Georges Van Parys. Tournage : 1er avril-6 juin 1952. Durée : 89 mn.
Distribution : Gérard Philipe (Claude), Martine Carol (Edmée de Villebois), Gina Lollobrigida (Leila et la caissière), Magali Vendeuil (Suzanne), Marilyn Buferd, Raymond Bussières, Raymond Cordy, Bernard Lajarrige, Jean Parédès, Palau.
Sortie parisienne : 14 novembre 1952.
Existe en vidéocassette.

Les Orgueilleux
Réalisation : Yves Allégret. Scénario : Jean Aurenche, d'après *Typhus* de Jean-Paul Sartre. Dialogues : Jean Aurenche et Jean Clouzot. Adaptation Yves Allégret. Directeur de la photographie : Alex Phillips. Décors : Auguste Capelier et Gunther Gerszo. Musique : Paul Misraki. Tournage : 20 avril-13 juillet 1953. Durée : 103 mn.
Distribution : Gérard Philipe (Georges), Michèle Morgan (Nellie), Michèle Cordoue (Anna), Victor Manuel Mendoza, Carlos Lopez Moctezuma.
Sortie parisienne : 25 novembre 1953.
Existe en vidéocassette.

Si Versailles m'était conté
Réalisation, scénario et dialogues : Sacha Guitry. Directeur de la photographie : Pierre Montazel. Décors : René Renoux. Costumes : Jean Zay et Monique Dunan. Musique : Jean Françaix. Tournage : 6 juillet-18 septembre 1953. Durée : 160 mn.
Distribution : Gérard Philipe (d'Artagnan) et une centaine d'acteurs.
Sortie parisienne : 10 février 1954.
NB : premier film en couleurs de Gérard Philipe.

Monsieur Ripois
Réalisation : René Clément. Scénario : Hugh Mills et René Clément, d'après le roman de Louis Hémon, *Monsieur Ripois et la Némésis.* Dialogues : Raymond Queneau et Hugh Mills. Directeur de la photographie : Oswald Morris. Décors : Ralph Brinton. Costumes : Freda Pearson et Pierre Balmain. Musique : Roman Vlad. Tournage : 8 juillet-3 octobre 1953. Durée : 100 mn.
Distribution : Gérard Philipe (André Ripois), Natasha Parry (Patricia), Valerie Hobson (Catherine), Joan Greenwood (Norah), Germaine Montero (Marcelle), Margaret Johnston (Ann).
Sortie parisienne : 19 mai 1954.

Les Amants de la Villa Borghèse
Réalisation : Gianni Franciolini. Scénario et dialogues : A. Curcio, L. Ferri, E. Flaiano, R. Sonego et A. E. Scarpelli, d'après une idée de Sergio Amedei. Directeur de la photographie : Mario Bava. Musique : Mario Nascimbene. Tournage : octobre 1953. Durée (totale) : 89 mn.
Distribution (sketch « La rupture ») : Gérard Philipe (l'amant), Micheline Presle (la femme mariée). Dans les autres sketches : Vittorio de Sica, Giovanna Ralli, François Périer.
Sortie parisienne : 28 mai 1954.

Le Rouge et le Noir
Réalisation : Claude Autant-Lara. Scénario et dialogues : Jean Aurenche, Pierre Bost et Claude Autant-Lara, d'après le roman de Stendhal. Directeur de la photographie : Michel Kelber. Décors : Max Douy, avec Jacques Douy, Jean André et Jacques Saulnier. Costumes : Rosine Delamare, avec Jacques Heim et Paulette Coquatrix. Musique : René Cloërec. Tournage : 29 mars-5 juin 1954. Durée : 190 mn.
Distribution : Gérard Philipe (Julien Sorel), Danielle Darrieux (Louise de Rênal), Antonella Lualdi (Mathilde de La Mole), Jean Mercure, Antoine Balpêtré, Suzanne Nivette, Jean Martinelli, Alexandre Rignault, André Brunot.
Sortie parisienne : 29 octobre 1954.

Les Grandes Manœuvres
Réalisation, scénario et dialogues : René Clair, avec la collaboration de Jean Marsan. Directeur de la photographie : Robert Le Febvre. Décors : Léon Barsacq, assisté de Jacques Chalvet et Marc Desage. Costumes : Rosine Delamare, assistée de Georgette Fillon. Musique : Georges Van Parys. Tournage : 28 avril-8 juillet 1955. Durée : 107 mn.
Distribution : Gérard Philipe (Armand de la Verne), Michèle Morgan (Marie-Louise Rivière), Jean Desailly (Victor Duverger), Magali Noël,

Brigitte Bardot, Lise Delamare, Jacqueline Maillan, Simone Valère, Pierre Dux, Yves Robert, Jacques Fabbri, Olivier Hussenot, Dany Carrel, Madeleine Barbulée.
Sortie parisienne : 26 octobre 1955.
Existe en vidéocassette.

La Meilleure Part
Réalisation : Yves Allégret. Scénario et dialogues : Jacques Sigurd, d'après le roman de Philippe Saint-Gil. Directeur de la photographie : Henri Alekan. Décors : Auguste Capelier, assisté de Jacques d'Ovidio. Musique : Paul Misraki. Tournage : 25 juillet-8 octobre 1955. Durée : 90 mn.
Distribution : Gérard Philipe (Philippe Perrin), Michèle Cordoue (Micheline, l'infirmière), Gérard Oury (Gérard Bailly), Michel François, Jacques Moulières, Louis Velle, Jess Hahn, Olivier Hussenot, Mohamed Ziani.
Sortie parisienne : 28 mars 1956.
Existe en vidéocassette.

Si Paris nous était conté
Réalisation, scénario et dialogues : Sacha Guitry. Directeur de la photographie : Philippe Agostini. Décors : René Renoux et Henri Schmitt. Costumes : Monique Dunan et Jacques Cottin. Musique : Jean Françaix. Tournage : 18 août-10 novembre 1955. Durée : 130 mn.
Distribution : Gérard Philipe (le chanteur des rues) et une centaine d'acteurs.
Sortie parisienne : 27 janvier 1956.

Les Aventures de Till l'Espiègle
Réalisation : Gérard Philipe. Supervision technique (non créditée) : Joris Ivens. Scénario : René Wheeler, René Barjavel et Gérard Philipe, d'après l'œuvre de Charles De Coster. Dialogues : René Barjavel. Directeur de la photographie : Christian Matras. Décors : Léon Barsacq. Costumes : Rosine Delamare. Musique : Georges Auric. Tournage : 27 février-13 juillet 1956. Durée : 87 mn.
Distribution : Gérard Philipe (Till), Nicole Berger (Nèle), Fernand Ledoux (Claes), Jean Vilar (le duc d'Albe), Jean Carmet (Lamme), Gabrielle Fontan, Yves Brainville, Françoise Fabian, Raymond Souplex, Erwin Geschonnek.
Sortie parisienne : 7 novembre 1956.
Existe en vidéocassette.

Pot-Bouille
Réalisation : Julien Duvivier. Scénario : Julien Duvivier, Leo Joannon et Henri Jeanson, d'après le roman d'Émile Zola. Dialogues : Henri Jeanson. Directeur de la photographie : Michel Kelber. Décors : Léon Barsacq.

Costumes : Marcel Escoffier, assisté de Jean Zay. Musique : Jean Wiener. Tournage : 6 mai-2 juillet 1957. Durée : 115 mn.
Distribution : Gérard Philipe (Octave Mouret), Danielle Darrieux (Caroline Hédouin), Dany Carrel (Berthe Josserand), Jacques Duby (Auguste Vabre), Anouk Aimée (Marie Pichon), Jane Marken (Mme Josserand), Danielle Dumont, Micheline Luccioni, Jean Brochard, Olivier Hussenot, Denise Gence.
Sortie parisienne : 18 octobre 1957.
Existe en vidéocassette.

Montparnasse 19
Réalisation : Jacques Becker. Scénario et dialogues : Jacques Becker, d'après le roman *Les Montparnos* de Michel Georges-Michel. Directeur de la photographie : Christian Matras. Décors : Jean d'Eaubonne, assisté de Jacques Gut. Costumes : Georges Annenkov, assisté de Anne-Marie Marchand et Madeleine Rabusson. Musique : Georges Van Parys. Tournage : 19 août-25 octobre 1957. Durée : 108 mn.
Distribution : Gérard Philipe (Amedeo « Modi » Modigliani), Anouk Aimée (Jeanne Hébuterne), Lili Palmer (Béatrice), Lea Padovani (Rosalie), Gérard Séty, Lila Kédrova, Lino Ventura, Denise Vernac.
Sortie parisienne : 4 avril 1958.
Existe en vidéocassette.

La Vie à deux
Réalisation : Clément Duhour. Scénario et dialogues : Sacha Guitry. Adaptation : Jean Martin. Directeur de la photographie : Robert Le Febvre. Décors : Raymond Gabutti, assisté de François de Lamothe. Musique : Hubert Rostaing. Tournage : 22 janvier-25 février 1958. Durée : 108 mn.
Distribution : Gérard Philipe (Désiré), Pierre Brasseur (Pierre Carreau), Danielle Darrieux (Monique Lebeaut), Sophie Desmarets (Marguerite Caboufigue), Fernandel (Marcel Caboufigue), Edwige Feuillère (Françoise Sellier), Jean Marais (Teddy Brooks), Lili Palmer (Odette de Starenberg), Jean Richard, Pauline Carton, Marie Daëms.
Sortie parisienne : 24 septembre 1958.

Le Joueur
Réalisation : Claude Autant-Lara. Scénario : Jean Aurenche, François Boyer et Pierre Bost, d'après le roman de Dostoïevski. Directeur de la photographie : Jacques Natteau. Décors : Max Douy. Costumes : Rosine Delamare. Musique : René Cloërec. Tournage : 20 mars-17 mai 1958. Durée : 102 mn.
Distribution : Gérard Philipe (Alexeï Ivanovitch), Liselotte Pulver (Pau-

line Zagorianski), Françoise Rosay (Tante Antonina), Bernard Blier (le général Zagorianski), Nadine Alari (Blanche), Jean Danet, Sacha Pitoëff, Julien Carette.
Sortie parisienne : 26 novembre 1958.

Les Liaisons dangereuses
Réalisation : Roger Vadim. Scénario : Roger Vadim, Roger Vailland et Claude Brûlé, d'après le roman de Choderlos de Laclos. Dialogues : Roger Vailland. Directeur de la photographie : Marcel Grignon. Décors : Robert Guisgand. Musique : Thelonious Monk, orchestre Barney Wilen, Art Blakey's Jazz Messengers. Tournage : 23 février-30 avril 1959. Durée : 105 mn.
Distribution : Gérard Philipe (Valmont), Jeanne Moreau (Juliette), Annette Vadim (Marianne Tourvel), Jean-Louis Trintignant (Danceny), Jeanne Valérie (Cécile Volange), Simone Renant (Mme Volange), Boris Vian, Nicolas Vogel, Madeleine Lambert, Renée Passeur.
Sortie parisienne : 9 septembre 1959.

La fièvre monte à El Pao
Réalisation : Luis Buñuel. Scénario : Luis Buñuel, Luis Alcoriza, Louis Sapin et Charles Dorat, d'après le roman de Henry Castillou. Directeur de la photographie : Gabriel Figueroa. Décors : Jorge Fernandez. Musique : Paul Misraki. Tournage : 11 mai-11 juillet 1959. Durée : 97 mn.
Distribution : Gérard Philipe (Ramon Vasquez), Maria Felix (Inès Vargas), Jean Servais (Alexandre Gual), Raúl Dantes, Miguel Angel Ferriz, Domingo Soler.
Sortie parisienne : 6 janvier 1960.
Existe en vidéocassette.

COURTS MÉTRAGES ET DOCUMENTAIRES

Schéma d'une identification
Réalisation, scénario et dialogues : Alain Resnais. Tournage : hiver 1945. Inédit.
Distribution : Gérard Philipe, François Chaumette.

Ouvert pour cause d'inventaire
Réalisation, scénario et dialogues : Alain Resnais. Tournage : début 1946. Inédit.
Distribution : Gérard Philipe, Nadine Alari, Danièle Delorme, Pierre Trabaud.

Les Drames du bois de Boulogne
Réalisation, scénario et dialogues : Jacques Loew. Tournage : début 1947.
Distribution : Gérard Philipe (le speaker), Blanchette Brunoy, Pierre Dudan, Jean-Pierre Melville, Maurice Baquet.

Saint-Louis ou l'Ange de la paix
Réalisation : Robert Darène. Texte dit par Gérard Philipe. 1950.

Avignon, bastion de Provence
Documentaire réalisé par James Cuenet. Texte dit par Gérard Philipe, Jean Vilar et Françoise Spira, filmés pendant une répétition du *Cid*. Tournage : juillet 1951.

Avec André Gide
Documentaire de Marc Allégret. Texte dit par Gérard Philipe. 1951.

Forêt sacrée
Documentaire de Dominique Gaisseau. Texte dit par Gérard Philipe. 1954.

Sur les rivages de l'Ambre
Réalisation : J. Kalina. Texte français d'Henry Magnan dit par Gérard Philipe. 1954.

La Danse macabre
Documentaire de José Javorsek. Texte de la version française dit par Gérard Philipe. 1955.

Le Théâtre national populaire
Réalisation : Georges Franju. 1956.
Distribution : Gérard Philipe, Maria Casarès, Monique Chaumette, Jean Vilar, Silvia Monfort, Daniel Sorano.

Théâtrographie

Les chiffres entre parenthèses apparaissant à la suite de certains titres indiquent le nombre de représentations données par Gérard Philipe.

Une grande fille toute simple
D'André Roussin. Mise en scène : Louis Ducreux. Décors : Georges Wakhevitch. Première représentation : casino de Cannes, 11 juillet 1942.
Distribution : Madeleine Robinson, Claude Dauphin, Jean Mercanton, Pierre Louis, Marthe Alycia, Gérard Philipe (Mick), Marcelle Praince.

Une jeune fille savait
D'André Haguet. Tournée Rasimi. Hiver 1943.
Distribution : Gérard Philipe (Coco), Svetlana Pitoëff, Marcelle Arnold.

Sodome et Gomorrhe
De Jean Giraudoux. Mise en scène : Georges Douking. Décors et costumes : Christian Bérard. Musique : Arthur Honneger. Première représentation : Théâtre Hébertot (Paris), 11 octobre 1943.
Distribution : Edwige Feuillère, Lise Delamare, Gaby Sylvia, Yvonne Bermont, Bernadette Lange, Lucien Nat, Jean Lanier, Tony Taffin, François Chaumette, Gérard Philipe (l'Ange).

Au petit bonheur
De Marc-Gilbert Sauvajon. Mise en scène : Fred Pasquali. Décors : Roger Dornès. Robes de Lucien Lelong. Costume de Gérard Philipe : Guillin. Première représentation : Théâtre Gramont (Paris), 8 novembre 1944.
Distribution : Jean Marchat, Odette Joyeux, Sophie Desmarets, Gérard Philipe, Jacques Dynam.

Fédérigo
De René Laporte, d'après Prosper Mérimée. Mise en scène et décors : Marcel Herrand. Costumes : Grès. Musique : Georges Auric. Première représentation : Théâtre des Mathurins (Paris), 3 mars 1945.
Distribution : Gérard Philipe (le Prince blanc), Maria Casarès, Jean Marchat, René Blancard, Claude Piéplu, Jacqueline Marbaux.

Caligula
D'Albert Camus. Mise en scène : Paul Oettly. Décors : Louis Miquel. Costumes : Marie Viton. Première représentation : Théâtre Hébertot (Paris), 26 septembre 1945.
Distribution : Gérard Philipe (Caligula), Margo Lion, Georges Vitaly, Michel Bouquet, François Darbon, Henry Duval.

Les Épiphanies
D'Henri Pichette. Mise en scène : Georges Vitaly. Toiles de fond : Matta. Liaisons musicales : Maurice Roche. Première représentation : Théâtre des Noctambules (Paris), 3 décembre 1947.
Distribution : Gérard Philipe (le Poète), Maria Casarès, Roger Blin, Michel Michalon.

K. M. X. Labrador
De Jacques Deval, d'après *Peticoat Fever* de H. W. Reed. Mise en scène de l'auteur. Première représentation : Théâtre de la Michodière (Paris), 29 janvier 1948.
Distribution : Gérard Philipe (Harold Britton), Claude Génia, Karin Vengry.

Le Figurant de la Gaîté
D'Alfred Savoir. Mise en scène : Marcel Herrand. Première représentation : Théâtre Montparnasse-Gaston Baty (Paris), 23 février 1949.
Distribution : Gérard Philipe (Albert), Mila Parely, Jacqueline Maillan, Michel André, Hieronimus, Jean Hébey, Jean-Jacques.

Le Prince de Hombourg (120)
De Henrich von Kleist. Adaptation : Jean Curtis. Régie : Jean Vilar. Costumes : Léon Gischia. Musique : Maurice Jarre. Première représentation : cour du palais des Papes (Avignon), 15 juillet 1951.
Distribution : Gérard Philipe (Hombourg), Jean Vilar, Jeanne Moreau, Lucienne Le Marchand, Françoise Spira, Monique Chaumette.

La Calandria (3)
De Bernardo Dovizi de Bibbiana. Adaptation : Michel Arnaud. Régie : Jean Vilar. Décors et costumes : Léon Gischia. Première représentation : verger d'Urbain V, palais des Papes (Avignon), 17 juillet 1951.
Distribution : Gérard Philipe (Artemona, courtisane), Jean Négroni, Jean Vilar, Monique Chaumette, Françoise Spira, Jean-Paul Moulinot.

Le Cid (199)
De Corneille. Régie : Jean Vilar. Décors et costumes : Léon Gischia. Musique : Maurice Jarre. Première représentation : cour d'honneur du palais des Papes (Avignon), 18 juillet 1951.
Distribution : Gérard Philipe (Rodrigue), Françoise Spira, Jean Vilar, Jeanne Moreau, Monique Chaumette, Jean Négroni.

Mère Courage (18)
De Bertold Brecht. Adaptation : Geneviève Serreau et Benno Besson. Décors et costumes : Édouard Pignon. Musique : Paul Dessau. Première représentation : TNP, Théâtre de la Cité-Jardin (Suresnes), 18 novembre 1951.
Distribution : Germaine Montero, Françoise Spira, Monique Chaumette, Jean Vilar, Gérard Philipe (Eilif, le fils aîné).

Nucléa (8)
D'Henri Pichette. Mise en scène : Gérard Philipe. Éléments scéniques : Alexandre Calder. Musique : Maurice Jarre. Reproduction stéréophonique de José Bernhardt et Jean-Wilfrid Garret. Première représentation : TNP, palais de Chaillot (Paris), 3 mai 1952.
Distribution : Gérard Philipe (Tellur), Jeanne Moreau, Jean Vilar, Louis Arbessier, Jean Négroni, Lucienne Le Marchand.

Lorenzaccio (99)
D'Alfred de Musset. Mise en scène : Gérard Philipe. Éléments scéniques et costumes : Léon Gischia. Musique : Maurice Jarre. Première représentation : TNP, cour d'honneur du palais des Papes (Avignon), 15 juillet 1952.
Distribution : Gérard Philipe (Lorenzo de Médicis), Daniel Ivernel, Françoise Spira, Monique Mélinand, Jean Deschamps, Georges Wilson.

La Nouvelle Mandragore (6)
De Jean Vauthier, d'après Machiavel. Mise en scène : Gérard Philipe. Décors et costumes : Édouard Pignon. Première représentation : TNP, palais de Chaillot (Paris), 20 décembre 1952.

Distribution : Gérard Philipe (Callimaque), Jeanne Moreau, Georges Wilson, Jean-Paul Moulinot, Daniel Sorano.

La Tragédie du roi Richard II (21)
De William Shakespeare. Texte français : Jean Curtis. Régie : Jean Vilar. Costumes : Léon Gischia. Première représentation : TNP, Théâtre de la Cité-Jardin (Suresnes), 27 mai 1953, Jean Vilar tenant le rôle de Richard II. Reprise au palais de Chaillot (Paris), avec Gérard Philipe dans le rôle-titre, le 9 février 1954.
Distribution : Gérard Philipe (Richard II), Jean-Paul Moulinot, Jean Deschamps, Georges Lycan, Jean-Pierre Darras, Mona Dol, Zanie Campan, Monique Chaumette, Christiane Minazzoli.

Ruy Blas (84)
De Victor Hugo. Régie : Jean Vilar. Costumes : Léon Gischia. Dispositif scénique : Camille Demongeot. Première représentation : TNP, palais de Chaillot (Paris), 23 février 1954.
Distribution : Gérard Philipe (Ruy Blas), Gaby Sylvia, Jean Deschamps, Daniel Sorano, Philippe Noiret, Mona Dol, Zanie Campan, Roger Mollien.

Les Caprices de Marianne (34)
D'Alfred de Musset. Régie : Jean Vilar. Éléments scéniques et costumes : Léon Gischia. Musique : Maurice Jarre. Première représentation : TNP, cour d'honneur du palais des Papes (Avignon), 15 juillet 1958.
Distribution : Gérard Philipe (Octave), Geneviève Page, Roger Mollien, Georges Wilson, Lucienne Le Marchand.

On ne badine pas avec l'amour (16)
D'Alfred de Musset. Mise en scène : René Clair. Toiles de fond et costumes : Édouard Pignon. Musique : Maurice Jarre. Première représentation : TNP, palais de Chaillot (Paris), 4 février 1959.
Distribution : Gérard Philipe (Perdican), Suzanne Flon, Georges Wilson, Sylvie, Christiane Lasquin, Robert Arnoux.

Discographie

THÉÂTRE

Enregistrements intégraux

Le Cid
Hachette, coll. « Encyclopédie sonore », deux disques 30 cm.

Lorenzaccio
Hachette, coll. « Encyclopédie sonore », deux disques 30 cm et un disque 25 cm.

Richard II
Hachette, coll. « Encyclopédie sonore », deux disques 30 cm et un disque 25 cm.

Extraits

Lorenzaccio
Hachette, coll. « Encyclopédie sonore », un disque 17 cm.

Gérard Philipe joue Musset. « On ne badine pas avec l'amour », « Les Caprices de Marianne »
Disques Adès, un disque 30 cm.

Les Grandes Heures du TNP
Disques Adès, un coffret de deux disques 30 cm.

Hommage à Gérard Philipe. Extraits du répertoire du TNP, précédés d'une déclaration de Jean Vilar. « Le Prince de Hombourg », « Ruy Blas »,

« Lorenzaccio », « On ne badine pas avec l'amour », « Les Caprices de Marianne »
Disques Adès, un album de deux disques 30 cm. Grand Prix de l'académie Charles-Cros.

Avignon-Jean Vilar. Extraits du répertoire du TNP : « Richard II », « Ruy Blas », « Dom Juan », « Macbeth », « Nucléa », « Lorenzaccio », « Meurtre dans la cathédrale », « Le Prince de Hombourg »
Disques Adès, un disque 30 cm.

L'Inoubliable Gérard Philipe. Les grands moments du TNP de Jean Vilar
Réunion de différents extraits *(Le Prince de Hombourg, Ruy Blas, Lorenzaccio, On ne badine pas avec l'amour, Les Caprices de Marianne).*
Disques Adès 132 27-2 (coffret de deux CD).

POÉSIE

Les plus beaux poèmes de la langue française
Avec Maria Casarès. Festival, deux disques 30 cm : *De Villon à Alfred de Vigny* et *De Victor Hugo à Arthur Rimbaud.* Réédité par Musidisc, un coffret de 2 CD.

Les Blasons du corps féminin : poèmes du XVIe siècle
Avec la voix d'André Reybaz. Pathé-Marconi, un disque 30 cm.

Les Poètes en France
Quelques poèmes sont dits par Gérard Philipe. Disques Adès, un coffret de deux disques 30 cm.

Huit Fables de La Fontaine
Pathé-Marconi, un disque 30 cm et un disque 17 cm.

Alcools, de Guillaume Apollinaire
Avec Maria Casarès. Disques Adès, un disque 17 cm.

Paul Eluard. Quatorze poèmes
Disques Adès, coll. « Poèmes actuels », un disque 30 cm.

Les Surréalistes. Gérard Philipe dit six poèmes de Paul Eluard
Disques Adès, coll. « Florilège », un disque 30 cm.

LITTÉRATURE

André Gide. Extraits des « Nourritures terrestres »
Festival, un disque 25 cm.

Karl Marx. « La Pensée » (extraits)
Hachette, coll. « Encyclopédie sonore », un disque 30 cm.

Antoine de Saint-Exupéry. « Le Petit Prince »
Avec Georges Poujouly. Festival, un disque 30 cm. Réédité par Musidisc en CD et cassette.
L'Homme et les Éléments
Festival, un disque 25 cm.

La Belle au Bois dormant (conte de Perrault)
Hachette, coll. « Encyclopédie sonore », un disque 30 cm.

Don Quichotte de la Manche (d'après le roman de Cervantès)
Avec Jacques Fabbri. Disques Adès, coll. « Le petit ménestrel », un album-disque 25 cm.

Fanfan la Tulipe (adaptation du film de Christian-Jaque, musique de Maurice Jarre)
Disques Adès, coll. « Le petit ménestrel », un album-disque 25 cm.

Mozart raconté aux enfants
Texte de Georges Duhamel, de l'Académie française, et Antoine Duhamel. Disques Adès, coll. « Le petit ménestrel », un album-disque 25 cm.

Pierre et le Loup
De Serge Prokofiev, version française de Gil-Renaud. Orchestre symphonique de l'URSS sous la direction de G. Rojdestvenski. Disques Chant du Monde. Réédité par Chant du Monde en CD et cassette. L'enregistrement comprend également les stances extraites du *Cid*.

Chronologie

1920
4 septembre. Mariage à Menton (Alpes-Maritimes) de Marcel Marie Honoré Philip, né à Cannes le 27 janvier 1893, et de Marie Élisa Joséphine Jeanne Villette, née le 23 juin 1894 à Chartres (Eure-et-Loir).

1921
12 septembre. Naissance, à deux heures du matin, villa Les Cynanthes, 31 avenue du Petit-Juas, à Cannes, de Jean Marie Clair Honoré Philip.

1922
4 décembre. Naissance, à quatorze heures, villa Les Cynanthes, 31 avenue du Petit-Juas, à Cannes, de Gérard Albert Philip.

1928
Octobre. Gérard est admis en classe de onzième, à l'institut Stanislas de Cannes. Il porte le numéro matricule 95, tandis que son frère porte le numéro 94.

1932
5 mai. Les deux frères font ensemble leur communion solennelle. Gérard reçoit un chapelet à grains blancs orné d'une croix d'argent.

1939
30 juin. Gérard échoue à la premiere partie du baccalauréat. Il passe tout l'été dans une « boîte à bachot », l'institut Montaigne, à Vence.
30 septembre. Gérard est reçu à la première partie du baccalauréat.
Octobre. Il s'inscrit en classe de philosophie à l'institut Montaigne, où il est interne.

1940

Gérard est atteint d'une pleurésie de la base droite du poumon. Il est désormais externe. La famille Philip quitte Cannes et s'installe à Grasse, au Parc Palace Hôtel, dont Marcel Philip est le directeur-fondateur.
A la demande de Suzanne Devoyod, ex-sociétaire de la Comédie-Française retraitée à Grasse, Gérard dit un poème de Franc-Nohain, « Le poisson rouge », lors d'une fête de charité.
17 juin. La France demande l'armistice.
18 juin. Appel du général de Gaulle.
29 juillet. Gérard obtient la seconde partie du baccalauréat, série philosophie.
Octobre. Gérard s'inscrit à l'institut d'études juridiques de Nice.

1941

Présenté par sa mère au réalisateur Marc Allégret, Gérard s'inscrit au Centre des jeunes du cinéma, à Nice.

1942

Printemps. Essais pour *Le Blé en herbe*, d'après Colette, que veut tourner Marc Allégret. Projet abandonné. Gérard participe à de nombreuses manifestations d'amateurs à Grasse.
11 juillet. Débuts au théâtre (sous le nom de Philippe Gérard) dans *Une grande fille toute simple*, d'André Roussin. Tournée dans le Midi et en Suisse.
11 novembre. Occupation de la zone sud.

1943

Tournée de quarante jours avec la pièce d'André Haguet, *Une jeune fille savait*.
16 février. Loi du gouvernement de Vichy sur le Service du travail obligatoire.
Printemps. Débuts au cinéma dans *La Boîte aux rêves*, d'Yves Allégret.
Juin-septembre. Tournage des *Petites du quai aux Fleurs*, de Marc Allégret.
8 septembre. L'Italie signe un armistice avec les Alliés.
Octobre. Marcel Philip s'installe à Paris, avec sa famille, où il prend la direction du Petit Paradis, hôtel situé rue de Paradis, dans le Xe arrondissement.
11 octobre. Débuts parisiens au Théâtre Hébertot, dans *Sodome et Gomorrhe* de Jean Giraudoux.
13 octobre. L'Italie déclare la guerre à l'Allemagne.
Fin octobre. Gérard est admis au Conservatoire, dans la classe de Denis d'Inès.

1944
Janvier. Il obtient la mention « très bien » à l'examen du Conservatoire.
27 mai. Sortie à Paris des *Petites du quai aux Fleurs*.
6 juin. Débarquement allié en Normandie.
13-14 juin. Gérard Philipe obtient le second prix de comédie du concours de sortie du Conservatoire.
20-25 août. A l'Hôtel de Ville, il participe aux combats de la libération de Paris.
23 octobre. Il est admis en deuxième année au Conservatoire dans la classe de Georges Le Roy.
Fin octobre. Arrestation de Marcel Philip.
8 novembre. Première d'*Au petit bonheur*, de Marc-Gilbert Sauvajon, au Théâtre Gramont.

1945
3 mars. Première de *Fédérigo*, de René Laporte, au Théâtre des Mathurins.
7 mai. Capitulation de la Wehrmacht.
11 juillet. Sortie à Paris de *La Boîte aux rêves*.
Juillet-août. Tournage du *Pays sans étoiles*, de Georges Lacombe.
26 septembre. Première de *Caligula*, d'Albert Camus, au Théâtre Hébertot.
22 octobre. Gérard Philipe démissionne du Conservatoire (il ne s'est pas présenté au concours de fin d'année, en juin).
24 décembre. Marcel Philip est condamné à mort par contumace.

1946
Février-mars. Tournage de *L'Idiot*, de Georges Lampin.
Avril. Séjour à Guchen, dans les Pyrénées, chez Nicole Fourcade.
3 avril. Sortie à Paris du *Pays sans étoiles*.
7 juin. Sortie à Paris de *L'Idiot*.
Septembre-novembre. Tournage du *Diable au corps*, de Claude Autant-Lara.
Décembre. Départ de Nicole Fourcade pour la Chine.

1947
Février. Séjour en Savoie, à Notre-Dame-de-Bellecombe.
Mars-septembre. Tournage à Rome de *La Chartreuse de Parme*, de Christian-Jaque.
Mi-juin. Au Festival international de Bruxelles, *Le Diable au corps* remporte le prix de la Critique internationale et Gérard Philipe le prix d'interprétation.
12 septembre. Sortie à Paris du *Diable au corps*.
3 décembre. Première des *Épiphanies*, d'Henri Pichette, au Théâtre des Noctambules.

1948
29 janvier. Première de *K. M. X. Labrador*, de Jacques Deval, d'après H. W. Reed.
21 mai. Sortie à Paris de *La Chartreuse de Parme*.
Mai-juillet. A Barneville-sur-Mer, dans la Manche, tournage d'*Une si jolie petite plage*, d'Yves Allégret.
Juillet. Reprise des *Épiphanies* au Théâtre des Ambassadeurs.
Septembre. Retour en France de Nicole Fourcade.
Septembre-novembre. Tournage de *Tous les chemins mènent à Rome*, de Jean Boyer. Gérard Philipe, après avoir refusé de tourner *La Beauté du diable*, de René Clair, se ravise et accepte le film. Refus formel opposé à Jean Vilar, qui lui propose de jouer *Le Cid* dans le cadre de la prochaine Semaine d'art avignonnaise.
* Victoire du meilleur acteur du cinéma français 1948.

1949
19 janvier. Sortie à Paris d'*Une si jolie petite plage*.
3 mars. Première du *Figurant de la Gaîté*, d'Alfred Savoir, au Théâtre Montparnasse-Gaston Baty.
Juillet-août. Tournage à Rome de *La Beauté du diable*, de René Clair.
16 septembre. Sortie à Paris de *Tous les chemins mènent à Rome*.

1950
23 janvier. Premier tour de manivelle de *La Ronde*, de Max Ophuls.
16 mars. Première de gala de *La Beauté du diable*, à l'Opéra de Paris, en présence du président de la République, Vincent Auriol.
17 mars. Sortie à Paris de *La Beauté du diable*.
19 mars. « Appel de Stockholm », pour l'interdiction de l'arme atomique (Gérard Philipe est parmi les premiers signataires en France).
19 avril. Début du tournage de *Souvenirs perdus*, de Christian-Jaque.
Mai-juin. Séjour au Moulin de la Chanson, à Janvry (Seine-et-Oise), où, atteint d'une rechute pulmonaire, Gérard Philipe doit observer une période de repos.
3 juillet-12 octobre. Tournage de *Juliette ou la Clef des songes*, de Marcel Carné.
27 septembre. Sortie à Paris de *La Ronde*.
Fin octobre. Gérard Philipe propose à Jean Vilar de participer au Festival d'Avignon 1951. Il accepte d'y créer *Le Cid* de Corneille et *Le Prince de Hombourg* de Kleist.
Novembre. Voyage au Maroc. Retour par Barcelone, où réside désormais Marcel Philip.
11 novembre. Sortie à Paris de *Souvenirs perdus*.

1951
18 mai. Après son échec au Festival de Cannes, *Juliette ou la Clef des songes* sort à Paris.
30 mai. Début des répétitions du *Cid.*
15 juillet. Première du *Prince de Hombourg* au Festival d'Avignon.
17 juillet. Lors de la dernière répétition en costumes du *Cid*, Gérard Philipe fait une chute.
18 juillet. Première du *Cid* dans la cour d'honneur du palais des Papes.
Mi-août. Jean Vilar signe le contrat qui le porte à la tête du Théâtre national populaire.
20 août. Début du tournage de *Fanfan la Tulipe*, sous la direction de Christian-Jaque, dans les environs de Grasse.
29 septembre. Gérard Philipe signe son contrat d'engagement au TNP.
17-18 novembre. Premières représentations du TNP à Suresnes, dans la région parisienne (*Le Cid* et *Mère Courage*, de Brecht).
29 novembre. Gérard Philipe épouse Nicole Fourcade, qui prend le nom d'Anne Philipe.

1952
18-21 février. Tournage d'un sketch des *Sept Péchés capitaux.*
22 février. Le TNP s'installe pour quarante représentations du *Prince de Hombourg* au Théâtre des Champs-Élysées.
20 mars. Sortie à Paris de *Fanfan la Tulipe.*
1er avril. Premier tour de manivelle des *Belles de nuit*, de René Clair.
30 avril. Le TNP s'installe au palais de Chaillot. Sortie à Paris des *Sept Péchés capitaux.*
3 mai. Première représentation de *Nucléa*, d'Henri Pichette, mise en scène de Gérard Philipe, au palais de Chaillot.
6 juin. Fin du tournage des *Belles de nuit.*
9 juin. Début des répétitions de *Lorenzaccio*, d'Alfred de Musset, dont Gérard Philipe assure la mise en scène.
15 juillet. Première représentation de *Lorenzaccio*, au Festival d'Avignon.
15 août-fin août. Séjour au Québec pour présenter *Fanfan la Tulipe.*
14 novembre. Sortie parisienne des *Belles de nuit.*
20 décembre. Première au TNP de *La Nouvelle Mandragore*, de Jean Vauthier, dans une mise en scène de Gérard Philipe.
* Victoire du meilleur acteur du cinéma français 1952.

1953
28 février. Première représentation parisienne de *Lorenzaccio*, au palais de Chaillot.
Début avril. Départ pour le Mexique, où Yves Allégret s'apprête à tourner *Les Orgueilleux.*

15 juin. En Allemagne, Gérard Philipe joue *Le Prince de Hombourg.*
1er juillet. A Londres, pour le tournage de *Monsieur Ripois*, de René Clément.
Fin septembre. Gérard Philipe joue le rôle de d'Artagnan dans *Si Versailles m'était conté*, de Sacha Guitry.
Octobre. Les Amants de la Villa Borghèse, de Gianni Franciolini. Tournage à Rome.
16 octobre. Arrivée à Tokyo pour participer à la Semaine du cinéma français.
25 novembre. Sortie parisienne des *Orgueilleux.*
* Victoire du meilleur acteur du cinéma français 1953.

1954
3 février. Reprise du rôle-titre de *Richard II*, jusque-là interprété par Jean Vilar.
10 février. Sortie parisienne de *Si Versailles m'était conté.*
23 février. Première représentation de *Ruy Blas*, au palais de Chaillot.
29 mars. Début du tournage du *Rouge et le Noir.*
Avril. Achat d'une propriété à Cergy, dans la région parisienne.
7 mai. Chute de Diên Biên Phu.
19 mai. Sortie parisienne de *Monsieur Ripois.*
28 mai. Sortie parisienne des *Amants de la Villa Borghèse.*
29 octobre. Sortie du *Rouge et le Noir.*
Novembre. Début du conflit algérien.
21 décembre. Naissance d'Anne-Marie Philipe.
Fin décembre. Gérard Philipe se met en congé du TNP.
* Victoire du meilleur acteur du cinéma français 1954.

1955
Printemps. Achat d'un appartement au 17, rue de Tournon, dans le VIe arrondissement. Pendant les travaux, les Philipe s'installent rue Oudinot et à Cergy.
28 avril. Début du tournage des *Grandes Manœuvres*, de René Clair.
25 juillet. Premier tour de manivelle, au barrage d'Aussois, près de Modane, de *La Meilleure Part*, d'Yves Allégret.
Fin octobre. A Moscou, Kiev et Leningrad, pour la Semaine du cinéma français.
26 octobre. Sortie parisienne des *Grandes Manœuvres.*
Novembre. Participation à *Si Paris m'était conté*, de Sacha Guitry.
* Victoire du meilleur acteur du cinéma français 1955.

1956
27 janvier. Sortie parisienne de *Si Paris m'était conté*.
9 février. Naissance d'Olivier Philipe.
25 février. Rapport Khrouchtchev sur les crimes de Staline.
27 février. Début du tournage des *Aventures de Till l'Espiègle*, de et avec Gérard Philipe.
28 mars. Sortie à Paris de *La Meilleure Part*.
28 juin. Émeutes sanglantes à Poznań, en Pologne.
Juillet. Reprise du *Prince de Hombourg* au Festival d'Avignon.
23 octobre. Début de l'insurrection de Budapest.
4 novembre. Entrée des chars soviétiques à Budapest.
7 novembre. A Paris, manifestation contre l'intervention soviétique en Hongrie. Sortie parisienne des *Aventures de Till l'Espiègle*.

1957
Mars. Voyage en Chine.
Avril. Voyage de promotion du cinéma français à New York, San Francisco, Los Angeles.
6 mai. Début du tournage de *Pot-Bouille*, de Julien Duvivier.
19 août. Début du tournage de *Montparnasse 19*, de Jacques Becker.
29 septembre. Gérard Philipe élu à la tête du Comité national des acteurs.
17 octobre. Le prix Nobel de littérature est décerné à Albert Camus.
18 octobre. Sortie parisienne de *Pot-Bouille*.

1958
22 janvier. Début du tournage de *La Vie à deux*, de Clément Duhour.
20 mars. Début des prises de vues du *Joueur*, de Claude Autant-Lara.
4 avril. Sortie parisienne de *Montparnasse 19*.
13 mai. Insurrection à Alger.
28 mai. Manifestation à Paris, de la Nation à la République, contre le fascisme.
Juin. Gérard Philipe répète *Les Caprices de Marianne*, de Musset, qui marqueront son retour au TNP.
1er juin. Le général de Gaulle est président du Conseil.
15 juin. Assemblée générale statutaire du Syndicat français des acteurs (SFA), fusion du Comité national des acteurs et du Syndicat national des acteurs, dont Gérard Philipe devient président.
15 juillet. Première représentation des *Caprices de Marianne*, au Festival d'Avignon.
Août. Séjour à Ramatuelle.
22 septembre-12 novembre. Tournée du TNP au Canada et aux États-Unis.
24 septembre. Sortie parisienne de *La Vie à deux*.

15 novembre. *Les Caprices de Marianne*, au palais de Chaillot.
26 novembre. Sortie parisienne du *Joueur*.

1959
8 janvier. Fidel Castro entre dans La Havane.
15 janvier. Le SFA propose un plan de réorganisation du théâtre dramatique et lyrique en province.
4 février. Première au palais de Chaillot d'*On ne badine pas avec l'amour*, de Musset, dans une mise en scène de René Clair.
23 février. Début des prises de vues des *Liaisons dangereuses*, de Roger Vadim, qui se poursuivront à Megève.
26 avril. Gérard Philipe renonce à briguer un second mandat à la tête du SFA.
11 mai. Au Mexique, début du tournage de *La fièvre monte à El Pao*, de Luis Buñuel. Gérard Philipe se sent très fatigué.
Seconde quinzaine de juillet. Séjour à Cuba.
Août. Vacances à Ramatuelle.
9 septembre. Sortie parisienne des *Liaisons dangereuses*.
28 septembre. Départ de Ramatuelle, installation dans la maison de Cergy.
Début octobre. Voyage en Angleterre, à Stratford-sur-Avon, pour voir Laurence Olivier dans Shakespeare.
5 novembre. Entrée à la clinique Violet pour un « abcès amibien au foie ».
9 novembre. En l'opérant, les chirurgiens découvrent que Gérard Philipe est atteint d'un cancer primaire du foie.
25 novembre. Gérard Philipe meurt à onze heures cinquante, neuf jours avant son trente-septième anniversaire.
28 novembre. Obsèques à Ramatuelle.

1960
6 janvier. Première parisienne de *La fièvre monte à El Pao*.

1963
Publication du *Temps d'un soupir*, dans lequel Anne Philipe évoque les dernières semaines de son mari.

1969
Marcel Philip, amnistié, rentre en France.

1970
2 mars. Décès de Minou Philip, 22 rue de Tocqueville, à Paris.

1973
21 novembre. Décès de Marcel Philip, à Oloron-Sainte-Marie (Pyrénées-Atlantiques).

1990
16 avril. Décès d'Anne Philipe.

Remerciements

Mon travail n'aurait pas été possible sans l'aide et la confiance que la famille de Gérard Philipe m'a accordées. Anne-Marie Philipe et son frère Olivier m'ont ouvert généreusement des archives jusqu'ici inédites. Jean Philip a longuement évoqué pour moi l'enfance et la jeunesse de son frère.

Que soient ici remerciés ceux qui ont accepté de répondre à mes questions. Tous sont nommés dans ces pages. Je tiens toutefois à saluer plus particulièrement Mmes Dany Carrel, Nicole Courcel, Danièle Delorme, Michèle Morgan et Micheline Presle, qui n'ont pas mesuré le temps qu'elles m'accordaient. Ce qui me conduit à regretter que d'autres grandes partenaires de Gérard Philipe, et même certains de ses plus proches amis, aient laissé sans réponse mes requêtes répétées.

Ma reconnaissance va en premier lieu à Mme René Clair, pour la gentillesse de son accueil. Merci à Marcelle Arnold d'avoir bien voulu me recevoir dans sa belle campagne provençale. A Mario Girard, qui, de Ottawa à Montréal, a remonté pour moi les pistes de Gérard Philipe au Canada. Je n'oublie pas Bridgett Noiseux et Jacques de Bonis, qui ont attiré mon attention sur certains aspects du séjour de Gérard Philipe à Cuba. Ni Jean-François Fogel, qui m'a donné accès à des sources cubaines. Michèle et Jean-Charles Dudrumet m'ont permis de retrouver… d'introuvables témoins. Ma gratitude va aussi à Marcel Schneider, qui m'a permis de lire des pages inédites de son Journal. Quant à Catherine Alméras, elle m'a patiemment guidé au sein du Syndicat français des artistes-interprètes, tandis que Pierre Léonforté m'apportait le soutien d'une érudition cinématographique sans faille. Au vrai, ce sont tous mes amis qu'il me faut remercier : leurs encouragements, leurs critiques et leurs conseils m'ont été précieux durant les trois années qu'a duré ce travail.

Pendant que j'écrivais ce livre, des témoins sont décédés : Louis Ducreux, Édouard Pignon. Que leur mémoire soit ici saluée, en même temps que le souvenir d'Anne Philipe, dont la présence tutélaire plane sur ce livre.

G. B.

Index

Table des illustrations

Archive Photos : 22b, 23a, 24.
Coll. part./DR : 1, 2, 3, 4, 5, 6, 7, 8, 9, 12b, 13b, 14, 16, 19b, 23, 27, 28, 29, 30b, 31, 32.
Harcourt : 10.
Keystone : 12a, 13a, 17, 18, 19a, 22a, 25, 26.
Parimage : 30a.
Paul Radkai : 20.
Roger-Viollet : 11, 15, 21.

RÉALISATION : PAO ÉDITIONS DU SEUIL
IMPRESSION : IMPRIMERIE SEPC À SAINT-AMAND (6-94)
DÉPÔT LÉGAL : AVRIL 1994. N° 12635-2 (1498)